강력한 서강대 인문계 논술

기출문제

저자 소개

저자 김근현은 현재 탁트인 교육, 일으킨 바람, 에듀코어 대표이다.
前 메가스터디 온라인에서 대입 논술과 면접, 자기소개서, 학생부종합 등 다양한 동영상 강의를 하였다.
현재는 학습 프로그램 개발 및 연구 활동을 통해 교육의 발전을 고민하고 있다.
홍익대학교에서 전자전기공학부를 졸업하고 동대학원에서 전자공학 석사(반도체 레이저)를 전공하였다. 또한 연세대학교 교육경영최고위자 과정을 마쳤으며 연세대학교 교육대학원에서 평생교육 경영을 공부하고 있다.

강력한 서강대 인문계 논술 기출 문제

발　행 | 2023년 08월 04일
개정판 | 2024년 06월 21일
저　자 | 김근현
펴낸이 | 김근현
펴낸곳 | 일으킨 바람
출판사등록 | 2018.11.12.(제2018-000186호)
주　소 | 경기도 고양시 일산서구 하이파크 3로 61 409동 1503호
전　화 | 031-713-7925
이메일 | ileukinbaram@gmail.com

ISBN | 979-11-93208-72-4

www.iluekinbaram.com

강력한 서강대 인문계 논술 기출문제

김 근 현 지음

차례

머리말

책을 쓰기 위해 책상에 앉으면 아쉬움과 안타까움, 나의 게으름에 늘 한숨을 먼저 쉰다.
왜 지금 쓸까?
왜 지금에서야 이 내용을 쓸까?
왜 지금까지 뭐했니?
스스로 자책을 한다.

또 애절함도 함께 느낀다.
시험이 코앞에서야 급한 마음에 달려오는
수험생들에게 왜 미리 제대로 준비된 걸 챙겨주지 못했을까?
그렇게 하루, 한 달, 일 년 그렇게 몇 해가 지나 이제야 조금 마음의 짐을 내려놓는다.

입에 단내 가득하도록 학생들에게 강의를 했고,
코앞에 다가온 연속된 수험생의 긴장감을 함께하다보면
그렇게 바쁘게 초조하게 지냈던 것 같다.

그렇게 함께했던 시간을 알기에
부족하겠지만
부디 이 책으로 수험생들이 부족한 일부를 채울 수 있고,
한 걸음이라도 희망하는 꿈을 향해 다갈 수 있길 간절히 바래 본다.

김 근 현

Ⅰ. 서강대학교 논술 전형 분석

1. 논술 전형 분석

1) 전형 요소별 반영 비율

계열	모집단위	출제분야	반영비율		답안 작성 분량	시험시간
			문제1	문제2		
인문, 인문·자연	인문학부, 영문학부, 사회과학부, 경제학과, 경영학부, 지식융합미디어학부	인문/사회과학 관련 제시문과 논제	40%	60%	문제당 800 ~ 1,000자	100분

선발모형	전형요소					
	논술		학교생활기록부			
			학생부교과		학생부비교과	
	최고점	최저점	최고점	최저점	최고점	최저점
일괄 합산	80%		10%		10%	
	800	0	100	0	100	0

2) 학생부 교과 반영 방법

내신 등급	반영점수	내신 등급	반영점수	내신 등급	반영점수
1.00 이상 ~ 1.25 이하	100.00	3.75 초과 ~ 4.00 이하	98.90	6.50 초과 ~ 6.75 이하	97.80
1.25 초과 ~ 1.50 이하	99.90	4.00 초과 ~ 4.25 이하	98.80	6.75 초과 ~ 7.00 이하	97.70
1.50 초과 ~ 1.75 이하	99.80	4.25 초과 ~ 4.50 이하	98.70	7.00 초과 ~ 7.25 이하	97.60
1.75 초과 ~ 2.00 이하	99.70	4.50 초과 ~ 4.75 이하	98.60	7.25 초과 ~ 7.50 이하	97.50
2.00 초과 ~ 2.25 이하	99.60	4.75 초과 ~ 5.00 이하	98.50	7.50 초과 ~ 7.75 이하	97.40
2.25 초과 ~ 2.50 이하	99.50	5.00 초과 ~ 5.25 이하	98.40	7.75 초과 ~ 8.00 이하	97.30
2.50 초과 ~ 2.75 이하	99.40	5.25 초과 ~ 5.50 이하	98.30	8.00 초과 ~ 8.25 이하	97.00
2.75 초과 ~ 3.00 이하	99.30	5.50 초과 ~ 5.75 이하	98.20	8.25 초과 ~ 8.50 이하	96.50
3.00 초과 ~ 3.25 이하	99.20	5.75 초과 ~ 6.00 이하	98.10	8.50 초과 ~ 8.75 이하	96.00
3.25 초과 ~ 3.50 이하	99.10	6.00 초과 ~ 6.25 이하	98.00	8.75 초과 ~ 9.00 이하	0.00
3.50 초과 ~ 3.75 이하	99.00	6.25 초과 ~ 6.50 이하	97.90		

2024학년도부터 정량평가(등급(9등급)표기되는 **전 과목** 평균등급(단위수고려))

전 학년 통합 반영, 가중치 없음(3학년 1학기까지)

반영 교과에 해당하는 과목별 평균 석차등급을 산출하여 등급별 점수표를 적용함

> 평균 석차등급 산출방법 = Σ (반영 교과목별 석차등급 × 단위 수) / Σ (반영 교과목 단위 수)

※ 내신등급 소수점 처리는 셋째자리에서 반올림하여 둘째자리로 표기함

3) 학생부 비교과 반영 방법

구분	내용
반영 비교과 영역	· 출결사항(10%)
반영점수	· 최고점 100점, 최저점 0점

출결사항 미인정 결석	반영점수
0~3일	100
4~6일	98
7~9일	96
10~14일	90
15일 이상	0

4) 수능 최저학력 기준

지원계열	수능 최저학력기준
전 계열	국어, 수학, 영어, 탐구(사회/과학/직업-1과목) 4개 영역 중 3개 영역 **등급합 7** 이내이고 **한국사 4등급** 이내

※ 지원 계열에 따른 응시영역 간 구분을 두지 않음(국어, 수학, 탐구)

※ 변경사항 발생 시 입학처 홈페이지 등을 통해 안내

5) 논술 전형 결과

(ㄱ) 2024학년도 논술 전형 결과

계열	모집단위	모집인원 (명)	지원인원 (명)	최초경쟁률	논술응시 + 수능최저충족인원 (명)	최종합격인원 (명)	최종경쟁률	충원률 (%)
인문	인문학부	16	1,500	93.75:1	-	18	28.67:1	12.5
	영문학부	10	924	92.40:1	-	10	32.50:1	0.0
	사회과학부	14	1,393	99.50:1	-	19	24.16:1	35.7
	경제학과	21	1,993	94.90:1	-	22	32.00:1	4.8
	경영학부	38	3820	100.53:1	-	40	34.88:1	5.3
인문·자연	지식융합미디어학부	12	1,239	103.25:1	-	7	33.57:1	16.7
인문 총계		111	10,869	97.39	-	116	30.96	12.50

(ㄴ) 2023학년도 논술 전형 결과

계열	모집단위	모집인원 (명)	지원인원 (명)	최초경쟁률	논술응시 + 수능최저충족인원 (명)	최종합격인원 (명)	최종경쟁률	충원률 (%)
인문	인문학부	16	1,307	81.69:1	364	18	20.22:1	12.5
	영문학부	10	787	78.70:1	229	11	20.82:1	10.0
	사회과학부	14	1,278	91.29:1	385	14	27.50:1	-
	경제학과	21	1,523	72.52:1	433	24	18.04:1	14.3
	경영학부	36	2,900	80.56:1	844	43	19.63:1	19.4
인문·자연	지식융합미디어학부	14	1,232	88.00:1	362	16	22.63:1	14.3
인문 총계		111	9,027	82.13	2,617	126	21.47	11.75

(ㄷ) 2022학년도 논술 전형 결과

계열	모집단위	모집인원 (명)	지원인원 (명)	최초경쟁률	논술응시 + 수능최저충족인원 (명)	최종합격인원 (명)	최종경쟁률	충원률 (%)
인문	인문계	16	1,308	81.75 : 1	360	19	18.95 : 1	18.8
	영미문화계	10	815	81.50 : 1	242	11	22.00 : 1	10.0
	사회과학부	14	1,320	94.29 : 1	371	16	23.19 : 1	14.3
	경제학부	21	1,613	76.81 : 1	557	23	24.22 : 1	9.5
	경영학부	36	3,083	85.64 : 1	993	36	27.58 : 1	-
인문·자연	지식융합미디어학부	14	1,340	95.71 : 1	350	14	25.00 : 1	-
인문 총계		111	9,479	85.95	2,873	119	23.49	8.77

(ㄹ) 2021학년도 논술 전형 결과

계열	모집단위	모집인원(명)	지원인원(명)	최초 경쟁률	논술응시+수능최저충족인원(명)	최종합격인원(명)	최종경쟁률	충원률(%)
인문	인문계	26	1,627	62.58 : 1	602	26	23.15 : 1	0.0
	영미문화계	15	980	65.33 : 1	396	17	23.29 : 1	13.3
	사회과학부	20	1,477	73.85 : 1	571	21	27.19 : 1	5.0
	경제학부	26	1,767	67.96 : 1	790	28	28.21 : 1	7.7
	경영학부	42	3,303	78.64 : 1	1,527	46	33.20 : 1	9.5
인문·자연	지식융합미디어학부	15	1,131	75.40 : 1	400	16	25.00 : 1	6.7
인문 총계		144	10,285	70.63	4,286	154	26.67	7.03

(ㅁ) 2020학년도 논술 전형 결과

계열	접수단위	모집 인원	지원 인원	최초 경쟁률	논술응시+수능최저충족인원(명)	최종합격인원(명)	최종 경쟁률	충원율(%)
인문	인문계	26	2,009	77.27 : 1	785	27	29.07 : 1	4
	영미문화계	15	1,119	74.6 : 1	480	22	21.82 : 1	47
	사회과학부	20	1,965	98.25 : 1	820	25	32.8 : 1	25
	경제학	24	2,055	85.63 : 1	933	25	37.32 : 1	4
	경영학	42	4,378	104.24 : 1	2,062	46	44.83 : 1	10
인문자연	지식융합미디어학부	18	1,557	86.5 : 1	605	19	31.84 : 1	6
인문 총계		145	13,083	87.75	5,685	164	32.95	16.00

※ 최종경쟁률은 논술 응시 + 수능최저학력기준 충족 + 추가합격 인원을 반영함

2. 논술 분석

구분	인문계열	
출제 근거	고교 교육과정 내 출제	
출제 범위	국어 교과	국어, 화법과 작문, 독서, 언어와 매체, 문학
	사회(역사/도덕 포함)	한국지리, 세계지리, 세계사, 동아시아사, 경제, 정치와 법, 사회·문화, 생활과 윤리, 윤리와 사상
논술유형	언어논술(인문학 + 사회과학)	
문항 수	2문항	
답안지 형식	문항별 지정된 답란에 작성	
	원고지 형식의 답안지	
고사 시간	100분	

1) 출제 구분 : 계열 구분

2) 출제 유형 :

계 열	평가유형	문항 수	출제범위	시간
인문	인문논술	2문항 (800~1000자)	고교 교육과정 내 출제 (인문학+사회과학)	100분

3) 출제 방향 :

각 교과의 기본 개념들을 충분히 숙지하고, 그 개념들의 인문학적, 사회과학적 맥락을 파악하는 것이 논술 준비의 기본이라고 할 수 있다. 논술 시험은 학생들의 논리적 분석력과 종합적인 이해능력을 묻고 있는 문항들로 이루어져 평소에 다양한 교과 학습을 통해서 다양한 주제의 글들을 주체적으로 읽고, 논리적이고 비판적으로 대응하는 연습을 꾸준히 하는 것이 중요하다.

3. 출제 문항 수

● 인문 논술 2문항 (800 ~ 1000자 : 60점, 800 ~ 1000자 : 40점)

4. 시험 시간

· **100분**

5. 논술 유의사항

1. 시험시간은 100분, 배점은 [문항 1]이 60점, [문항 2]가 40점입니다.
2. 인적사항 (모집단위, 성명, 수험번호, 생년월일)은 반드시 검은색 필기구(연필 제외)로 정확히 기재하기 바라며, 수정이 불가능합니다.

3. 답안 작성은 검은색 필기구(연필 포함)를 사용하기 바랍니다(수정테이프 및 지우개 사용가능).

※ 검은색 이외의 필기구 절대 사용 불가

4. 성명에 반드시 감독관의 날인을 받아야 합니다.

5. 반드시 답안 영역 안에 작성하시기 바랍니다.

II. 기출문제 분석

1. 출제 경향

<table>
<tr><th>학년도</th><th>교과목</th><th>주제</th></tr>
<tr><td rowspan="2">2024
경제경영
1차
수시논술</td><td>국어, 독서,
화법과 작문,
사회·문화,
생활과 윤리,
윤리와 사상</td><td>· 마녀사냥
· 사회 실재론
· 사회 명목론
· 사회·문화 현상
· 개인과 사회
· 윤리적 해결 방안</td></tr>
<tr><td>국어, 독서,
통합사회, 경제,
사회·문화</td><td>· 비용과 편익
· 합리적 선택
· 주관적 판단
· 개인과 공공
· 타인</td></tr>
<tr><td rowspan="2">2024
인문사회
2차
수시논술</td><td>국어, 화법과 작문,
독서, 언어와 매체,
통합사회, 사회·문화,
생활과 윤리</td><td>· 누리 소통망
· 기부
· 공정 무역
· 효과성
· 네트워크
· 정보 격차
· 가짜 뉴스</td></tr>
<tr><td>국어, 독서,
언어와 매체, 문학,
통합사회, 사회·문화</td><td>· 사회적 소수자 차별
· 사회적 편견
· 문화 상대주의
· 보편 윤리
· 자아 성찰
· 매체</td></tr>
<tr><td>2024
경제경영
1차
모의논술</td><td>경제, 독서</td><td>· 정보의 비대칭성
· 정보의 비대칭성에 기반한 전세와 매매 계약, 개인 투자자의 피해
· 보이지않는 손
· 정부가 시장 실패를 개선하고자 개입한 사례들 (게임 산업과 주식 시장)</td></tr>
</table>

학년도	교과목	주제
2024 인문사회 1차 모의논술	통합사회, 생활과 윤리	· 인권의 보편성 · 문화의 차이, 다문화 주의 · 문화적 상대주의 · 명예 살인 사건 · 프랑스의 공적영역에서 종교의 분리를 뜻하는 라이시테
2024 2차 모의논술	사회문화, 국어, 통합사회, 독서, 생활과 윤리	· 정보격차 및 이로 인한 문제점 · 정보격차로 인한 불평등 (직업 선택, 지적 자본, 사회 자본 등) · 정보격차 해결을 위한 당위성
2023 경제경영 수시 논술	국어, 독서, 화법과 작문, 통합사회, 경제, 생활과 윤리	· 환경 문제, · 합리적 판단 · 인간중심주의와 생태중심주의 · 환경과 생태, · 자연의 개발과 보존 · 희소성
	국어, 화법과 작문, 독서, 통합사회, 경제, 사회·문화, 윤리와 사상	· 국제 무역 · 비교 우위 · 통합적 읽기 · 사불평등 · 추론적 읽기
2023 인문사회 수시 논술	통합사회, 사회·문화	· 불평등, · 사회발전 · 기능론, · 신분제 · 갈등론
	국어, 화법과작문, 독서, 문학, 통합사회, 사회·문화, 생활과 윤리	· 고립, · 로봇 · 개인과 사회 · 추론적 이해, 감상적 이해 · 흥부전
2023 경제경영 1차 모의논술	경제, 독서,	· 비용 인상 인플레이션, · 비용 인상 인플레이션과 스태그플레이션, · 평균의 함정, 정부 개입의 효과
2023 인문사회 1차 모의논술	생활과 윤리, 경제, 통합사회, 국어, 독서, 화법과 작문	· 환경, 생태, · 지속 가능한 발전, · 경제적 효율성, · 환경의 인간 중심적 관점, · 생태 중심적 관점
2023 경제경영 2차 모의논술	경제, 통합사회, 독서	· 공급의 변화, · 소비자, · 정치 논리와 경제 논리, · 변증법, · 가격 상승의 원인, 불매운동

학년도	교과목	주제
2023 인문사회 2차 모의 논술	사회 문화, 윤리와 사상, 생활과 윤리, 언어와 매체	· 정치 양극화, · 집단 극화와 외집단 배척, · 협력적 의사소통, · 사회적 규범의 체득, · 심의 민주주의, 담론 윤리, · 온라인 글쓰기의 상호작용적 특성
2022 경제경영 수시 논술	국어, 화법과 작문, 독서, 통합사회, 경제, 사회·문화, 생활과 윤리, 윤리와 사상	· 규제 · 혁신 · 사회 갈등론 · 창조적 파괴 · 규제 샌드박스 · 기업가 정신
	국어, 독서, 경제, 정치와 법, 사회·문화 생활과 윤리, 윤리와 사상	· 사회·문화 현상 · 추론/비판적 이해 · 직업 윤리와 청렴 · 문제/해결 · 분석/설명
2022 인문사회 수시 논술	국어, 독서, 통합사회, 생활과 윤리	· 정보 통신 기술 · 잊힐 권리 · 정보 격차 지수 · 인공 지능, 자율 주행
	국어, 독서, 문학 통합사회, 정치와 법	· 사생활 · 민주주의 · 규중칠우쟁론기 · 추론적 읽기 · 기본권
2022 경영경제 1차 모의 논술	정치와 법, 통합사회, 생활과 윤리	· 전 지구적 환경 문제, 다양한 국제 문제 · 세계화에 따른 문제점과 해결방안 · 다양한 국제문제 - 공해 수출 · 생태환경 문제에 대한 윤리적 쟁점 - 기후 정의 환경적으로 건전하고 지속 가능한 발전
2022 인문사회 1차 모의 논술	사회·문화	· 개인이 속한 집단에 대한 혐오와 비난, 차별, · 내집단과 외집단, 혐오 반응의 과잉, · 혐오 대상을 동질적 집단으로 인식하는 경향, · 인간의 동기, 입법을 통한 사람의 태도변화
2022 경제경영 2차 모의 논술	경제, 통합사회	· 자진 신고자 감면 제도(리니언시 제도), · 시장 실패, 정부의 역할, 용의자의 딜레마
2022 인문사회 2차 모의 논술	통합 사회,	· 인문학(문학적 지식인)과 자연과학 사이의 갈등, · 상대성(문화 상대주의)의 가치와 그 한계, · 보편성(보편 윤리적 가치)의 필요성, · 판단 보류, · 직관(자동적 인지 과정)과 추론 능력(통제된 인지 과정)

학년도	교과목	주제
2021 경제경영 수시 논술	국어, 독서, 화법과 작문, 언어와 매체, 사회.문화	· 주제 통합적 읽기 · 일반화의 오류, 표본의 대표성 · 사회 문화 현상의 탐구 방법 · 문화의 의미와 속성 · 정보의 구성, 문제 해결 방법
	국어, 독서, 문학, 통합사회, 경제, 윤리와 사상, 생활과 윤리	· 총잉여 · 시장실패 · 윤리적 소비 · 형평성 · 효율성 · 시장균형
2021 인문사회 수시 논술	국어, 독서, 화법과 작문, 통합사회, 사회.문화, 생활과 윤리, 윤리와 사상	· 사회.문화 현상 · 분석/설득 · 서열화 사회적 현상 · 갈등/사회통합 · 사회 불평등 양상 · 추론/비판적 이해
	국어, 독서, 화법과 작문, 문학, 언어와 매체, 정치와 법, 생활과 윤리, 윤리와 사상	· 추론적 읽기, 의도, 목적, 정보, 배경 지식, 사회 문화적 배경 · 인식의 한계, 관점, 다른 언어, 소통 문화 · 언론의 역할, 기자, 여론, 사실, 사건 · 주관적 감정, 사회적 차원의 감정, 보편적 인류애, 공감, 공평한 관찰자
2021 경제경영 1차 모의 논술	경제, 사회 문화, 통합 사회, 세계 지리, 생활과 윤리	· 국가의 시장 경제 역할, 공기업의 민영화, · 사회보험제도, 과도한 정부 시장 개입, · 공공재를 통해 국가가 국민에게 할 수 있는 역할과 책임 · 정부의 경제적 활동 의사 결정의 긍정적인 영향 또는 부정적인 영향
2021 인문사회 1차 모의 논술	통합사회	· 정의의 개념 · 정보 기술 발전의 가능성과 정의로운 사회 구현 · 정보 기술 발전이 야기할 수 있는 위험성
2021 경제경영 2차 모의 논술	사회 문화	· 사회 이동, · 세대간 계층이동, · 소득탄력성, · 미국사회의 고등 교육 기회 불평등, · 능력주의,
2021 인문사회 2차 모의 논술	국어	· 표준어(공용어)

학년도	교과목	주제
2020 경제경영 수시 논술	국어, 사회, 사회·문화, 경제	· 합리적 선택 · 개인과 집단의 관계 · 시장실패 · 정보사회 · 사회화
	국어, 사회, 세계지리, 경제	· 다국적 기업 · 분업과 특화 · 국제거래의 경제적 영향 · 개발도상국과 선진국 · 공업과 서비스업
2020 인문사회 수시 논술	국어, 사회·문화 윤리와 사상	· 언어와 사고 · 언어의 사고 결정성 · 언어의 강제력 · 사고의 언어 결정성
	국어, 사회, 사회·문화, 생활과 윤리, 윤리와 사상	· 일탈 행동 · 인권, 민주적 가치 · 지성의 개념과 범주 · 차별 교제 이론 · 혐오 표현 · 사이버 폭력/언어 폭력
2020 경제경영 1차 모의 논술	사회, 생활과 윤리, 경제	· 효율성, · 형평성(공평성), · 공정한 분배 · 무상급식
2020 인문사회 1차 모의 논술	법과 정치, 동아시아사	· 법치주의, 사회계약설, 법의 목적, 정의 · 시대와 사회적 조건, 시민의 합의
2020 경제경영 2차 모의 논술	경제	· 정부의 재정정책, · 샤워실의 바보 현상 · 총수요 부양책, · 경기부양책, · 경제 안정화 정책
2020 인문사회 2차 모의 논술	사회, 사회문화,	· 근대화, · 민주주의, · 근대화이론

2. 출제 의도

학년도	출제의도
2024 경제경영 1차 수시논술	문항은 사회·문화 현상에 대한 종합적인 이해를 적용하여 마녀사냥이라는 사회·문화적 현상을 설명할 수 있는 분석 능력을 평가하고자 하였다. 구체적으로 사회 실재론과 사회 명목론, 인간 삶에서 윤리 사상과 사회 사상이 필요한 이유, 동서양의 다양한 윤리 이론들의 윤리 문제에 대한 적용, 등을 활용하여 마녀사냥이라는 사회·문화적 현상의 원인을 분석하고 그에 대한 해결책을 모색할 수 있는지를 평가하고자 하였다.
	문항은 다양한 사회 현상에서 비용 또는 편익을 객관적·주관적으로 계량하여 설명할 수 있는가에 대해 평가하고, 제시문에 공통적으로 나타난 현상인 경제 주체의 비용과 편익이 타인에 의해 영향을 받을 수 있다는 점을 바탕으로 주어진 실험의 결과를 통해 합리적인 선택의 결과로 분석 및 해석하는 능력을 평가한다.
2024 인문사회 2차 수시논술	누리 소통망을 활용한 기부 공간 설계 계획의 긍정적 측면과 부정적 측면을 논하게 함으로써, 타당한 논거를 수집하고 적절한 글을 쓰는 능력을 평가하고자 하였다. 또한 정보화로 인한 문제, 사회 불평등, 분배의 문제, 기부 등에 대해서 글을 통해 이해하는 능력을 파악하고자 하였다.
	소수자에 대한 사회적 차별 현상의 근본적인 원인을 관습 혹은 사회적 학습과 매체의 영향이라는 측면에서 파악하고 이를 해결할 수 있는 방안을 문화 상대주의와 자아 성찰이라는 측면에서 논리적으로 설명할 수 있는 분석 능력과 비판적 읽기 및 쓰기 능력을 평가하고자 하였다.
2024 경제경영 1차 모의논술	고등학교 교과서 '경제' 교과목에 공통으로 포함된 '정보의 비대칭성' 문제를 다루고 있다. 제시문들을 통해 정보의 비대칭성으로 인해 다양한 사회 문제들이 일어남을 알 수 있다. 나아가 해당 문제에 정부가 개입해야 하는지를 묻고 있다. 이 문항은 핵심 개념을 이해하고, 해당 개념이 사회적으로 어떻게 반영되어 나타나는지 파악하고, 이를 해결하기 위한 정부의 개입에 대한 비판적인 사고가 가능한지를 보고 있다.
2024 인문사회 1차 모의논술	교육과정 <통합사회>, <생활과 윤리> 교육과정에서 학습하는 문화 상대주의, 인권의 개념, 사회 통합에 대한 문제를 주체적으로 탐색할 수 있는가를 평가하고자 하였다. 이를 위해 고등학교 통합사회와 생활과 윤리 교과서에 나온 내용과 신문기사를 참고하였으며, 인권 비정부기구인 엠네스티 인터네셔널의 인권의 정의를 활용하였다. 그리하여 교과과정에서 학습한 기본적인 개념을 바탕으로 사례를 통한 사회 통합을 이해할 수 있는 능력을 갖추었는지를 평가하고자 하였다.
2024 2차 모의논술	현대 사회에서 발생하고 있는 현상이 초래할 수 있는 부정적 결과에 대해 지문을 통해 얼마나 논리적으로 추론할 수 있는지, 그리고 해당 문제점을 해결해야 하는 당위성을 구체적으로 설명할 수 있는지 평가하고자 하였다.

학년도	출제의도
	정보 격차라는 사회현상으로 인해 직업 추구, 지적 재산 및 사회 자본 축적에 있어서 불평등이 초래될 수 있음을 추론할 수 있어야 하며, 이러한 문제점을 초래하는 정보 격차를 극복해야 하는 당위성을 '정의'와 '진화'에 대해 설명하는 지문을 통해 구체적이고 논리적으로 제시할 수 있어야 한다
2023 경제경영 수시 논술	문항은 희소성 개념과 비용 및 편익 개념 등을 활용하여 기초적 경제 활동에 대한 이해를 환경 문제에 적용할 수 있는지, 그리고 인간 중심적 관점과 생태 중심적 관점에 근거하여 환경 문제에 대한 해결방안을 비교 분석할 수 있는지를 평가하고자 하였다. 환경 문제 및 이와 관련된 경제 문제를 언급 하는 제시문들을 활용하여 적절한 수준에서 정보와 논거를 수집하고 환경 문제의 해결을 경제학의 측면에서 해석할 수 있는지를 평가하고자 하였다.
	이 문항은 국제 무역의 비교 우위 이론과 무역으로 초래될 수 있는 잠재적 사회불평등 문제를 파악하고, 그 대응 방안을 다양한 관점에서 추론해 낼 수 있는지 평가하고자 하였다. 이를 위해 이 문항은 비교 우위, 공리주의, 결과론적 평등론, 수정자본주의 등과 관련한 어떤 정책이나 사회문제의의 이론적 배경과 해결 배경을 추론할 수 있는가를 평가하고자 하였다. 그리하여 이 문항은 다양한 사회 및 도덕 분야 교과과정의 개념을 통합적으로 활용하여, 여러 시각에서 국제 무역이 초래할 수 있는 사회불평등 문제를 논술하게 함으로써 교육과정에 충실하면서도 적절한 수학 능력을 갖추었는지를 평가하고자 하였다.
2023 인문사회 수시 논술	이 문항은 사회 불평등 현상에 대한 기본적인 이해와 함께 기능론과 갈등론을 활용하여 관련 현상을 설명 및 비교할 수 있는 분석 능력을 평가하고자 하였다. 이를 위해 이 문항은 기능론과 갈등론을 다룬 사회·문화 교과서, 신분제에 대한 국사편찬위원회의 한국사 , 그리고 신분 차별에 대한 실학자의 입장을 다룬 신문 기사 등을 활용하여 사회적 불평등에 대한 입장의 차이와 공통점을 제시할 수 있는가를 평가하고자 하다.
	이 문항은 산업화와 도시화로 인해 나타난 생활양식의 변화, 개인과 사회의 관계, 정보기술의 윤리적 문제 등을 능동적으로 활용하여 고립이라는 사회 문제의 정체와 의미 등을 주체적으로 탐색할 수 있는가를 평가하고자 하였다. 이를 위해 고립감을 느끼는 청년 문제를 다룬 신문 기사, 인물의 고립을 형상화한 고전소설, 그림에 대한 비평을 실은 독서 교과서, 사회적

학년도	출제의도
	존재로서 인간의 사회화를 다룬 사회·문화 교과서, 고립감의 기술적 대안을 다룬 인문 교양 서적 등을 활용하여 고립의 양상과 원인을 분석하고 그에 대한 책임 의식을 추론할 수 있는가를 평가하고자 하였다. 그리하여 이 문항은 사회적 존재로서의 인간에 대한 의미와 의의, 그리고 고립이라는 사회 문제를 해결해야 할 책임감 등을 주어진 자료들을 연계하여 논술함으로써 교육과정에 충실하면서도 적절한 수학 능력을 갖추었는지를 평가하고자 하였다.
2023 경제경영 1차 모의논술	비용 인상 인플레이션의 개념을 다루고 있다. 제시문을 통해 비용 인상 인플레이션으로 인한 영향이 경제주체별로 다를 수 있음을 파악할 수 있다. 나아가 이와 같이 비용 인상 인플레이션으로 인해 이득을 얻는 경제주체들과 피해를 보는 경제주체들 간 부의 재분배를 위해 정부가 시장에 개입해야 하는지의 여부를 묻고 있다. 이 문항은 이러한 주제에 대해 상반된 제시문이 주장하는 내용의 상호 관계성을 파악하여 논리적 절차에 의하여 설명할 수 있는지를 평가한다.
2023 인문사회 1차 모의논술	이 문항은 희소성 개념과 비용 및 편익 개념 등을 활용하여 기초적 경제 활동에 대한 이해를 환경 문제에 적용할 수 있는지, 인간 중심적 관점과 생태 중심적 관점에 근거하여 환경 문제에 대한 해결방안을 비교·분석할 수 있는지를 평가하고자 하였다. 이를 위해 이 문항은 환경 문제 및 이와 관련된 경제 문제를 언급하는 교과서 제시문들을 활용하여 적절한 수준에서 정보와 논거를 수집하고 환경 문제의 해결을 경제학의 측면에서 해석할 수 있는지를 평가하고자 하였다.
2023 경제경영 2차 모의논술	이 문항은 사회적으로 논란이 되고 있는 치킨 가격 상승에 대하여, 공급의 변화를 통해 원인을 파악하고, 소비자의 올바른 행동의 관점에서 사람들의 대응을 다루고자 한다. 또한 제시문을 통해 정치 논리와 경제 논리 중 어떠한 논리가 적용되었는가에 따라 사회적 합의가 상이하게 도출될 수 있음을 이해하는 한편, 시점에 따라 변증법적 관점에서 다른 양상이 될 수 있음도 알 수 있다. 이 문항은 복수의 제시문에서 설명된 개념들을 유기적으로 연결시켜 논리적 절차에 의하여 설명할 수 있는지를 평가한다.
2023 인문사회 2차 모의 논술	정치양극화와 온라인 커뮤니티의 집단 갈등 사례에서 공통적 특성인 집단 극화와 극단주의의 공통된 성격을 이해하고, 개인적 요인과 사회적 요인으로서 제시된 인간사회의 특성을 활용하여 해당 현상의 원인을 분석하도록 하였다. 집단적 의사결정과 합의 과정의 필수 요소를 제시된 심의 민주주의와 담론 윤리에서 도출하고, 양방향성의 의사소통을 해결책으로 제시할 수 있도록 하였다.

학년도	출제의도
2022 경제경영 수시 논술	이 문항은 시장경제 제도의 유지를 위한 기업가의 역할과 사회 갈등을 야기하는 원인을 연계하여, 창조적 파괴와 혁신을 추구하는 기업가 정신이 기존 사회의 안정을 유지하는 법이나 제도와 맺는 관계를 탐색할 수 있는지를 평가하고자 하였다. 이를 위해 제시문을 읽고 해석하여 제시문 사이의 논리를 연결하며 유추할 수 있는 능력을 파악하고자 하였다. 이는 또한, 그래프 자료를 읽고 분석하여 정보를 얻고, 그 정보를 해석하여 작문할 수 있는 능력을 평가하고자 하였다. 이 문항은 직업 윤리와 관련된 사회·문화 현상의 하나로서 부정부패의 양상과 발생 원인 그리고 대책 등을 주체적으로 탐색할 수 있는가를 평가하고자 하였다. 이를 위해 사회 문제로서 부정부패의 발생 원인을 합리적 선택, 문화적 상대주의 등의 개념을 활용하여 설명할 수 있는지 요구하였다. 그리하여 자본주의의 규범적 특징, 삼권 분립의 의의, 참여 민주주의의 의의에 대한 자료들을 연계하여 부정부패를 방지할 방안을 논술하게 하였다.
2022 인문사회 수시 논술	정보 통신 발달의 효과를 다양한 관점에서 판단하고 그것의 인문학적 의의를 추론할 수 있는지를 평가하고자 하였다. 이를 위해 데이터와 사례 등을 통해 교과서에서 다뤄지는 정보화의 순기능을 사회집단별 정보 격차, 인공 지능의 오류에 대한 사회적 합의, 잊힐 권리에 대한 침해 등과 연계하여 비판할 수 있는지 요구하였다. 그리하여 정보 통신의 발달로 잊힐 권리가 위협받고 있는 현실에서 잊힐 권리가 갖는 의의는 르누아르 그림에 대한 해석과 연계하여 탐색하게 하였다. 인간의 기본권으로서 사생활의 개념과 의의를 주체적으로 탐색할 수 있는가를 평가하고자 하였다. 이를 위해 조선 시대의 수필인 <규중칠우쟁론기>와 백신 접종 의무화에 대한 반대 시위를 다룬 신문 기사에 대하여, 사생활을 다룬 인문학 저서와 교과서 진술 등을 활용하여 그 사회적 맥락을 추론하고 비판적으로 이해할 것을 요구하였다. 그리하여 이 문항은 인간 존엄성의 실현이 어떠한 사회적 제도와 사회 참여를 통해 이루어지는지를 주어진 자료들을 연계하여 논술하게 하였다.
2022 경영경제 1차 모의 논술	이 문항은 환경 문제를 다루고 있다. 제시문을 통해 환경 문제는 전 지구적 협력이 필요하지만, 각국의 이해관계에 따라 다르게 이해되고 있음을 알 수 있다. 세계화 시대에 선진국과 개발 도상국 간의 문제 해결을 위해서는 국제 사회의 협력이 필요한데, 제시문에서는 환경 문제와 관련된 선진국과 개발 도상국 간의 불균형 문제를 설명하고 있으며, 이러한 전 지구적 환경 문제를 해결하기 위해 제시되는 상생적, 자발적 방안들의 사례가 제시되어 있다. 이 문항은 제시문이 주장하는 내용의 상호 관계성을 파악하여 논리적 절차에 의하여 설명할 수 있는지를 평가한다.

학년도	출제의도
2022 인문사회 1차 모의 논술	제시문에서 설명하는 인간의 여러 보편적 속성들을 이해하는지 알아보고자 하였다. 이러한 속성들과 주어진 사회 현상 간 관련성을 분석적, 통합적으로 파악하고, 주어진 사회 현상에 대한 해결 방안을 논리적으로 도출할 수 있는지 평가하고자 하였다.
2022 경제경영 2차 모의 논술	이 문항은 '시장 실패'에 대해 다루고 있다. 제시문을 통해 시장 경제의 질서를 확립하고 시장 내에서 자체 해결되지 못하는 문제 발생 시 이를 해결하는 정부의 역할을 이해하는 한편, 특히 특별법에 따른 중앙행정기관인 공정거래위원회에서 독과점 방지와 불공정 거래 행위의 규제를 위해 시장에 개입할 수 있음을 알 수 있다. 공정거래위원회에서는 담합사실의 입증과 규제 확률을 높이기 위해 '자진 신고자 감면 제도(리니언시 제도)'를 도입하고 있는데, 이는 담합 가담자들로 하여금 '용의자의 딜레마'상황에 처하게 하여 담합 문제를 해결한다. 이 문항은 복수의 제시문에서 설명된 리니언시 제도의 특성과 순기능 및 역기능을 파악하여 논리적 절차에 의하여 설명할 수 있는지를 평가한다.
2022 인문사회 2차 모의 논술	제시문을 통해 인문학과 자연과학의 갈등 현상을 이해하고, 갈등 현상의 원인을 진단하며 나아가 갈등 현상을 해소할 수 있는 방안을 제시할 수 있는지 평가하고자 하였다. 아울러 다양한 성격의 제시문을 통합적. 추상적으로 이해하고 이러한 이해를 논거로 활용할 수 있는 능력도 평가하고자 함
2021 경제경영 수시 논술	수집된 데이터의 적합성을 평가하고 그래프에 내포된 정보를 선별하는 능력과 정보의 객관성, 논거의 입증 과정과 타당성, 과학적 원리의 응용과 한계 등을 비판적으로 이해하는 능력을 측정하고자 한다. 즉, 주어진 자료의 적절성을 평가하는 능력과 자료를 읽고 분석하여 정보를 얻고, 그 정보를 명확히 해석하여 상관관계나 인과관계를 인식하는 능력을 평가하였다. 이러한 능력은 적절한 의사결정을 하는 데 있어 핵심적이라고 말할 수 있다. 또한 그래프에 내포된 정보를 선별하는 능력, 즉 두 변수 간의 양/음의 관계를 도출하여 논리를 전개하는 능력을 보고자 한다
	최소비용 최대만족의 추상적인 효율성 개념이 시장 균형을 통한 총잉여의 극대화라는 구체적인 개념과 동일한 것임을 이해하고, 이러한 효율성에 대한 정확한 이해를 통해 여러 상황에서 효율성 기준이 충족되는지의 여부를 검토해 본 후, 이러한 검토를 통해 효율성의 추구가 필요한 이유와 효율성 추구의 한계점을 균형 감각을 가지고 종합적으로 검토하는 능력을 갖추고 있는지 평가하고자 하였다.
2021 인문사회 수시 논술	이 문항은 사회.문화 현상의 특성을 이해하여, 제시문에서 나타난 서열화라는 사회 문제의 맥락을 비판적으로 파악하고, 다른 제시문들에서 도출할 수 있는 타당한 근거를 활용하여 이 문제를 개선할 수 있는 방법을 모색하는 설득적인 글을 쓸 수 있는지 평가하기 위해 출제하였다.

학년도	출제의도
	첫째, 교과 내에서 배운 지식을 학교 밖/현실 층위에서 성찰할 때 새로운 문제 제기가 가능한지 살펴보았다. 둘째, 단계별 읽기 능력을 측정하고자 하였다. (사실적 읽기와 비판적 읽기) 셋째, 융합적 해결 능력, 즉, 교과 교육과정 성취기준을 구성하고 있는 학습 요소들을 논제에 따라 통합적으로 문제를 해결하고 있는지 평가하고자 한다 넷째, 문제 해결 과정에서의 '재정의, 재맥락화' 능력을 평가하고자 하였다.
2021 경제경영 1차 모의 논술	이 문항은 경제 성장, 기업, 일자리 창출 등 전반적인 경제 활동에 대해서 정부의 역할에 대한 이해를 요구한다. 경제 성장을 위해서 정부의 정책적 노력, 특히 사회 간접자본, 국민에 대한 복지, 노후 등에 관련하여 정부의 역할과 책임을 다하기 위한 경제 활동 등에 대해서 그 타당성을 지지하는 관점과 부정하는 관점으로 제시문을 구분하여야 한다. 경제 활동을 주도하고 있는 개인, 기업 등 이해관계자들에 대해서 정부가 어떠한 책임을 다하고 있으며 그 활동들이 어떠한 결과를 초래하는지에 대해서도 인식하고 지문을 통해서 장단점을 분석한다. 특히 제시문에서는 정부의 경제 활동 및 국민 복지에 대한 적극적 개입에 대해서 장단점을 분석하고 그 결과를 도출하고자 하였다. 또한 제시문들을 바탕으로 국가의 책임과 역할 수행이 경제적 측면에서 긍정적으로 작용이 되는지 부정적으로 작용이 되는지 구분하고 장단점을 도출한다.
2021 인문사회 1차 모의 논술	빅데이터, 인공지능, 사물인터넷, 증강현실 등으로 대표되는 첨단 정보기술의 발전은 사회, 경제적 측면을 포함한 우리 삶 전반에 근본적인 변화를 가져오고 있다. 정보 기술의 발전은 삶의 질을 향상시키고, 보다 평등하고 정의로운 사회를 구현하는 밑거름이 될 것으로 기대되는 한편, 오히려 정보 격차를 야기하고, 편견과 차별을 심화시키며, 이로 인해 불평등이 심화되는 결과를 초래할 수 있다는 우려도 존재한다. 정보 기술 발전의 함의와 시사점에 대한 인문사회학적 고찰은 정보 기술 발전을 통한 사회적 가치 실현에 있어 매우 중요하다고 할 수 있다. 정보 기술 발전과 정의로운 사회에 대한 교과 내용을 바탕으로 하여, 정보 기술의 가능성과 위험성에 대한 다양한 제시문들을 사회 정의의 관점에서 통합적, 체계적, 분석적으로 이해하고 서술할 수 있는지 평가하고자 하였다.

학년도	출제의도
2021 경제경영 2차 모의 논술	사회 현상 중 하나인 부의 불평등 현상과 사회 이동을 통계자료와 지문을 통해 명확히 이해하고, 자료가 제공하는 정보를 통해 추론할 수 있는지를 평가한다. 또한 상이한 지문들이 주장하는 바의 공통점과 차이점을 구분해 낼 수 있는 독해능력을 기반으로 하여 자신만의 타당한 관점을 논리적인 절차에 근거하여 수립하고 있는지를 평가한다.
2021 인문사회 2차 모의 논술	어떤 주제에 대해 일반적으로 통용되는 관점을 비판적으로 고찰하고 그 내용을 논리적으로 서술할 수 있는지 평가하는 것을 목표로 하였다. 이 문항의 핵심 주제인 표준어(공용어)는 교육과정 내에서나 사회적으로 그 필요성이나 규정 자체가 내포하고 있는 부정적 측면에 대해 비판적으로 고찰해 볼 기회가 거의 없다. 그러나 표준어(공용어)를 제정하고 그 규정을 시행하는 것은 사회적 관점에서 볼 때 긍정적인 측면 만큼 부정적인 측면도 없지는 않다. 이런 점에서 이 문항은 국어과 교과과정에 포함된 국어 규범에 대해 사회적 관점으로 시각을 넓혀 구체적 사례를 해석하고, 이를 바탕으로 비판적으로 고찰하여 논리적으로 서술할 수 있는 능력을 평가하는 데 주안점을 두었다.
2020 경제경영 수시 논술	개인의 합리적 선택과 시장 실패, 개인과 집단의 관계에 대한 이해를 바탕으로, 사회 현상의 분석 방법을 이용하여 제시된 경제 현상을 분석할 수 있는지 평가하는 것을 목표로 한다. 특히 사회 현상에 대한 다각도의 분석을 통해 부정적인 사회 현상을 해결하기 위한 방안을 도출할 수 있는지 평가하고자 출제되었다
	다국적 기업의 사례와 국가 사례를 제시한 후, 경제이론을 적용하여 다국적 기업의 생산과 투자 전략, 그리고 그 경제적 영향력을 논리적으로 분석하고 추론할 수 있는지를 파악하고자 하였다. 생산하는 상품(재화, 서비스)이 서로 다른 다국적 기업 사례와 사회 경제적 수준(소득, 인구, 산업화)이 다른 국가 사례를 교과서 지문의 형식으로 인용하여 제시하였다. 제시문 [가]는 자동차를 생산하는 우리나라의 다국적 기업의 사례이며, 제시문 [나]는 커피 전문점 회사인 미국의 다국적 기업의 사례이다. 이를 분업과 특화의 개념을 적용하여 정확하게 이해하고 있는지 평가하고자 하였다
2020 인문사회 수시 논술	언어와 사고의 연관 관계와 사회과의 문화 다양성에 대한 이해를 바탕으로, 다양한 지역에서 보이는 다양한 언어적 표현 현상을 통하여, 언어와 사고 간의 상호 상관 영향 관계를 파악하고 있는지 평가하는 것을 목표로 하였다.
	개인이 주체성을 지닌 존재이자, 집단 구성원으로서 지위를 지니고 있다는 사실에 토대를 두고, 개인이 지닌 가치관과 판단을 집단 차원에서 실현하기 위해 노력해야 한다는 점과, 자신의 관점이 집단과 갈등을 일으킬 때 정당하고 원만한 갈등 해소 방안을 모색할 수 있어야 한다는

학년도	출제의도
	점에 주안점을 두었다. 특히 정보화에 따른 변화와 문제점, 혐오 문화의 원인과 그 현황에 대해 고찰하고, 혐오 문화를 극복하기 위한 방안을 개인적, 공동체적, 시민사회적 차원에서 모색하고 있는지 평가하려는 목적을 가지고 있다.
2020 경제경영 1차 모의 논술	효율성과 형평성(공평성), 그리고 공정한 분배에 관한 이해도를 평가하고 이를 현실 세계의 실제 문제에 구체적으로 적용할 수 있는지를 확인하고자 출제되었다. 분배적 정의관을 정확히 숙지한 뒤, 무상급식 논쟁의 과정에서 등장하는 다양한 주장에 대해 그 본질을 정확히 간파할 수 있어야 한다
2020 인문사회 1차 모의 논술	근대 국가와 권력의 존립 기반으로서 사회계약설에 입각한 법치주의의 의미와 전제를 파악하고 있는지 평가하고, 법치주의 실행에서 당면하는 근원적인 문제와 이를 해결할 수 있는 방안을 주어진 자료를 종합적으로 분석하여 제시할 수 있는지 살펴보고자 하였다. 또한 여러 자료에서 주요 주장을 파악하고 그 근거를 관련 자료에서 찾아낼 수 있는지 평가하고자 하였다.
2020 경제경영 2차 모의 논술	경제 성장, 실업, 경기 변동, 정부의 역할의 이해를 요구한다. 정부가 경기 안정화 정책으로 재정정책을 취하는데, 정부의 재정정책에 대해서 그 타당성을 지지하는 관점과 부정하는 관점으로 제시문을 구분하는지 평가한다. 구체적으로 케인스 학파의 주장과 실업 문제를 이용하여 정부 재정정책의 타당성을 지지하는지 평가한다. 그리고 '샤워실의 바보' 현상과 생산성 저하에 의한 구조적 경기 하강과 관련된 지문을 이용하여 정부의 재정정책이 효과적이지 않을 수 있다는 점을 지적하는지 평가한다.
2020 인문사회 2차 모의 논술	한 동안 발전은 근대화와 동일한 의미로 해석되어 왔고, 한국과 발전도상 국가들은 발전을 향한 근대화에 모든 힘을 쏟았다. 나아가 경제적 근대화, 즉 부의 축적이 안정적 민주주의를 가져온다는 이유로 다수의 학자들 사이에서 근대화는 일종의 지도 혹은 패러다임으로 받아들여졌고, 선진국의 개발전문가들은 후진국에서 근대화의 방법을 설파해 왔다. 그러나 지배적 패러다임으로서의 근대화와 이것의 시사점으로서의 안정적 민주주의의 관계에 대한 비판도 지속되어 왔다. 나아가 법칙이 존재하지 않는 인문사회과학의 현실에서 지배적 패러다임은 부정적 효과도 발생시킬 수 있다는 점에서 이를 어떻게 평가할 수 있는가 하는 점은 매우 중요하다고 볼 수 있다. 따라서 근대화와 민주주의 간 관계와 시사점에 관해 비판적이고 분석적인 평가를 할 수 있도록 하였다.

III. 논술이란?

1. 논술이란?

1) 논술이란?

어떤 문제에 대해 자기 나름의 주장이나 견해를 내세운 다음, 여러 가지 근거를 제시하여 그 주장이나 견해가 옳음을 증명하는 글쓰기 활동을 말한다. 따라서 논술의 가장 기본적인 요소는 주장과 근거이다. 다시 말해 어떤 주제에 관해서 자신의 견해를 밝히고 자기 의견을 내세우는 글이 바로 논술이다. 때문에 논술은 특별히 논리적이어야 한다는 요구를 받게 된다. 왜냐하면 여러 가지 의견이 있을 수 있는 문제에 대해 자신의 의견을 세워 다른 사람을 설득하려면, 그 주장이 충분한 근거 위에서 논리적으로 개진될 때만 가능하기 때문이다.

2) 대한민국 논술고사는?

한국에서의 대학 입시 논술고사는 실제 교과 과정과 교과서가 기본이 되어 응용된 사고와 풀이 능력과 지식을 바탕으로 한다. 논술고사는 일반적을 비판적으로 글을 읽는 능력과 창의적으로 문제를 설정하고 해결하는 능력 그리고 논리적으로 서술하는 능력을 종합적으로 평가하는 시험이다. 비판적으로 글을 읽는다는 것은 능동적으로 자신의 관점에서 글을 읽는 것을 말하며, 창의적으로 문제를 설정하고 해결하는 능력이란 심층적이고 다각적으로 논제에 접근함으로써 독창적인 사고와 풀이를 이끌어낼 수 있는 능력을 말한다. 그리고 논리적 서술 능력은 글 구성 능력, 근거 설정 능력, 표현 능력 등을 포괄한다.

3) 인문계 논술? 그리고 그 변화

모든 글은 일반적으로 3가지 종류로 나뉘어진다. 시, 소설 등 문학 작품과 같은 글쓰기인 창작적 글쓰기(creative writing)와 설명문이나 해설문의 글쓰기는 해명적 글쓰기(expository writing), 그리고 논설문의 글쓰기인 비판적 글쓰기(critical writing)가 있다. 이 글쓰기 중 대한민국의 대학입시에서 시행되고 있는 인문계 논술은 창작적 글쓰기는 포함되지 않는다. 새로운 문학 작품을 쓰는게 아니라 제시문을 읽고 내용을 구체화시켜 잘 설명하는 설명문의 형태가 있고, 주어진 문제에 대해 생각하고 깊이있는 주장을 피력하는 비판적 글쓰기도 있다.

2. 논술의 기본 용어

1) 논제 : 논술의 문제를 의미한다.

반드시 해결하고 접근하여야 할 논술 시험의 대상이다.

(ㅂ) **중심 논제 : 채점할 때 가장 배점이 높으며, 핵심적으로 해결해야 할 논술의 문제**

(ㅅ) **세부 논제 : 큰 논제 속에 포함된 작은 문제, 각 단계별 채점의 기준이 되며 세부 채점 항목으로 필수 해결 항목이다.**

2) 논거 : 논술에서 설명하고 주장하는 논리적인 근거 혹은 이유

3) 주장 : 수험생이 생각하고 채점자에게 알리고 싶은 생각

4) 제시문 : 보기 지문을 말한다.

(ㅇ) **출제자가 논제 해결을 위해 보여주는 다양한 글**

(ㅈ) **각종 그래프, 도표, 그림 등**

자료가 정해져 있지는 않다. 하지만 고등학교 교과서를 가장 많이 인용하고, 고등학교 교과 과정으로 분석하고 판단할 수 있는 내용을 제시한다.

5) 개요 : 논제에 맞게 더 구체적으로는 세부 논제에 맞게 글의 진행 방향을 간략하게 정리하는 과정이다.

3. 논술의 명령어

논술고사 후 대학의 발표 자료를 보면 논술은 출제자의 의도에 부합하게 글을 써야 한다고 강조한다. 그런데 출제자의 의도를 파악하는 것은 자칫 상당히 모호하고 주관적인 것으로 판단하기 쉽다.

하지만 인문계 논술에서는 명령어가 한정되어 있다. 그 명령어들을 잘 익히고 의미를 파악한다면 훨씬 논술의 이해가 높아질 것이다. 또한 대학의 채점 기준에는 명령어의 요구조건을 충족하는지를 평가한다. 그러므로 인문계 논술의 명령어는 수험생에게는 아주 기초적이지만 필수적이며 절대 잊지 말아야 할 중요한 핵심이다.

1) ~ 에 대해 논술하시오.

; 주장을 밝히고 근거를 제시한다.

2) ~ 에 대해 설명하시오.

: 사실, 주장 등을 쉽게 풀어서 밝힌다.

- **~ 제시문 간의 관련성을 설명하시오.**
- **~ 제시문의 논리적 타당성과 문제점을 설명하시오.**
- **~ 제시문을 참고하여 주어진 자료의 특징을 설명하시오.**
- **~ 제시문의 관점에서 왜 그런 현상이 생기는지 그 이유를 설명하시오.**

3) ~ 의 비교하시오. 혹은 대조하시오.

: 공통점과 차이점을 중심으로 설명한다.

- **~ 공통점과 차이점을 설명하시오.**

4) ~ 을 분석하시오.

: 주제를 구성요소로 나누고 각 부분의 의미와 상호관계를 밝힌다.

5) ~ 제시문과 주어진 자료를 참고하여 현상을 예측해 보시오.

: 주어진 자료를 해석하고 자료로부터 얻을 수 있는 시간에 따른 변화나 자료의 발생 이유를 살핀다.

6) ~ 제시문의 문제점을 지적하고 그 문제점을 해결할 방법을 제시하시오.

: 보통은 수학이나 과학의 역사에서 발생했던 여러 오류나 실험과정에서 나타난 문

제점을 가지고 있다. 또한 이론이나 실험, 학생의 실험보고서 등과 같이 확실한 오류가 있는 제시문을 주기도 한다. 분명히 문제점을 파악하여 답안에 서술하고 문제점이나 해결할 수 있는 방법 등을 명확히 하여야 한다.

> **● ~ 제시문의 관점에서 왜 그런 현상이 생기는지 그 원리를 설명하고 그런 현상을 예방할 수 있는 방안을 제시하시오.**
> **● ~ 문제점을 지적하고 합리적 대안을 제안해 보시오.**
> **● ~ 주어진 관점을 검증할 수 있는 방법을 논하시오.**
> **● ~ 주어진 문제점을 해결할 수 있는 실험을 설계해 보시오.**

7) 제시문의 관점에서 주장을 비판하시오.

: 어떤 주장의 타당성이나 가치 등을 평가한다.

4. 인문계 논술 글쓰기 유의사항

① 논제의 해결이 핵심이다. 출제자가 원하는 답을 써야 한다.

② 논제에 부합하는 글을 일관성 있게 써야 한다.

③ 한편의 글을 완성하여야 한다. 나열하거나 사례를 보여주는 것은 의미가 없다.

④ 제시문을 활용, 인용하는 것과 제시문을 그대로 옮겨 쓰는 것은 다르다. 적절하게 제시문의 내용을 사용하여 논제를 해결하여야 한다. 절대 제시문의 문장을 그대로 쓰면 안 된다. 금기사항이고 감점요인이다.

⑤ 부적절한 문장 즉, 비문을 만들지 말아야 한다. 주어와 서술어가 적절하게 있어 문장의 의미를 명확히 전달하여야 한다. 주어를 생략하거나 지시어를 과도하게 사용하면 문장의 의미가 모호해 진다.

⑥ 문장은 짧고 간결하게 써야 한다. 자신의 의견을 명확히 간결하고 효과적으로 밝혀야 한다.

5. 논술 확인 사항

① 시간의 제한이 시험이다. 논술 시험은 자유롭게 글을 쓴다고 생각하고 주어진 시간을 체크하지 않는 경우가 정말 많다. 대학별로 요구하는 시간에 알맞게 답안을 구성해야 한다.

② 문단의 구성, 맞춤법, 띄어쓰기 등을 무시하면 절대 안 된다. 글쓰기의 기본은 의미의 전달 과정임으로 효율적인 연습과 준비가 되어 있어야 한다.

③ 습관적으로 물어보는 의문문, 같이 할 것을 제안하는 청유형은 사용하지 않는 것이 좋다. 문법의 오류가 아니라 격을 떨어뜨리고 글을 단조롭고 어색한 글 전개가 될 가능성이 높다.

④ 500자 미만이면 서론에 해당하는 도입과정은 과감히 생략하고 바로 논점으로 들어간다.

⑤ 한국어에는 수동태가 없다. 그러나 워낙 영어 번역하며 많이 사용하다 보니 논술

답안에도 수험생들이 자주 사용한다. 문법에 맞는 효과적인 표현이 필요하다. 학생이 수험생이 대학의 논술 고사에 응시하고 답안지에 논술 답안을 쓰는 것이다. 대학의 논술 답안지가 수험생으로부터 답안으로 쓰여지는 것이 아니다.

⑥ 많은 수험생들은 착각을 한다. 논술을 멋진 글쓰기라고 생각해 감상적이거나 비유적인 표현도 많이 사용한다. 그런데 오히려 이러한 표현은 채점자가 수험생의 사고능력 파악이 힘들어지고, 오히려 논제 해결을 했는지 판단하는데 혼동을 준다. 또한 일상에서 사용하는 구어체도 사용하면 안 된다. 논술은 글쓰기에서 쓰는 조금 딱딱한 문어체를 사용하는 것이다.

⑦ 아무리 강조해도 글씨의 중요성은 지나치지 않을 것이다. 채점하는 교수님들의 한결같은 큰 애로점은 이해할 수 없는 학생의 글씨라고 한다. 글씨체를 갑자기 바꿀 수 없지만 타인이 알 수 있게 규칙적으로 줄을 맞춰 쓰고, 분량에 맞는 큰 글씨로, 흘려 쓰지 않는 정자체로 답안을 작성하여야 한다.

IV. 인문계 논술 실전

1. 각 대학별 논술 유의사항을 파악하라!

많은 대학에서 글자수 제한을 확인하여야 한다. 그래서 원고지 형이 많지만, 문항별 칸을 만들거나 밑줄 답안 형식도 있다. 논술 시험 시간은 각 대학별로 다양하다. 60분 즉, 한 시간을 시작으로 많게는 2시간까지 (120분)까지 다양하게 있다. 대학별로 준비해야 하는 중요한 이유이다. 답안을 작성하는 필기구도 다양하다. 연필(샤프펜)의 사용이 꾸준히 증가하지만 아직까지 검정색 볼펜이나 청색 볼펜으로 사용하는 학교도 많다. 주의할 것은 수정법이다. 수정은 학교에 따라 수정액, 수정테이프의 사용을 제한하는 경우도 있고 틀리면 두줄을 긋고 써야 하는 곳도 있다. 그러므로 각 대학별 특징을 파악하고, 미리 답안 작성 연습은 물론이고 작성할 때도 대학별로 금지하는 내용을 숙지하고 시험장에 가야 한다.

각 대학별 유의사항 사례

사례 1)

가. 답안은 한글로 작성하되, 글자수 제한은 없다.
나. 제목은 쓰지 말고 특별한 표시를 하지 말아야 한다.
다. 제시문 속의 문장을 그대로 쓰지 말아야 한다.
라. 반드시 본 대학교에서 지급한 필기구를 사용하여야 한다.
마. 수정할 부분이 있는 경우 수정도구를 사용하지 말고 원고지 교정법에 의하여 교정하여야 한다.
바. 본 대학교에서 지급한 필기구를 사용하지 않거나, 수정도구를 사용한 경우, 답안지에 특별한 표시를 한 경우, 또는 원고지의 일정분량 이상을 작성하지 않은 경우에는 감점 또는 0점 처리한다.

사례 2)

Ⅰ. 필요한 경우 한 개 또는 여러 개의 제시문을 선택하여 논의를 전개하고, 사용한 제시문은 꼭 참고문헌 형태로 표시하시오.
예) …[제시문 1-4].
예) …되며[제시문 2-4], …의 경우는 ~을 보여준다[제시문 2-1].
Ⅱ. [문제 1]부터 [문제 4]까지 문제 번호를 쓰고 순서대로 답하시오.
Ⅲ. 연필을 사용하지 말고, 흑색이나 청색 필기구를 사용하시오.
Ⅳ. 인적사항과 관련된 표현을 일절 쓰지 마시오.
Ⅴ. 문제당 배점은 동일함.

사례 3)

◇ 각 문제의 답안은 배부된 OMR 답안지에 표시된 문제지 번호에 맞춰 작성하시오.
◇ 각 문제마다 정해진 글자수(분량)는 띄어쓰기를 포함한 것이며, 정해진 분량에 미달하

거나 초과하면 감점 요인이 됩니다.
◇ 답안지의 수험번호는 반드시 컴퓨터용 수성 사인펜으로 표기하시오.
◇ 답안은 검정색 필기구로 작성하시오. (연필 사용 가능)
◇ 답안 수정시 원고지 교정법을 활용하시오. (수정 테이프 또는 연필지우개 사용 가능)
◇ 답안 내용 및 답안지 여백에는 성명, 수험번호 등 개인 신상과 관련된 어떤 내용, 불필요한 기표하면 감점 처리됩니다.

사례 4)
◆ 답안 작성 시 유의사항 ◆
□ 논술고사 시간은 90분이며, 답안의 자수 제한은 없습니다.
□ 1번 문항의 답은 답안지 1면에 작성해야 하고, 2번 문항의 답은 답안지 2면에 작성해야 합니다. 1, 2번을 바꾸어 작성하는 경우 모두 '0점 처리'됩니다.
□ 연습지는 별도로 제공하지 않습니다. 필요한 경우 문제지의 여백을 이용하시기 바랍니다.
□ 답안은 검정색 또는 파란색 펜으로만 작성하며 연필, 샤프는 사용할 수 없습니다.
□ 답안 수정은 수정할 부분에 두 줄로 긋거나 수정테이프(수정액은 사용 불가)를 사용해서 수정합니다.
□ 답안지에는 답 이외에 아무 표시도 해서는 안 됩니다.
□ 답안지 교체는 고사 시작 후 70분까지 가능하며, 그 이후는 교체가 불가합니다.

2. 제시문에 먼저 눈을 두지 말고 문제를 파악하라!!!

대학별 고사인 논술의 어려운 점은 시간의 제한이 있는 글쓰기 시험이라는 것이다. 자유롭게 잘 쓸 수 있는 내용일지라도 시간의 제한이 있으면 얘기가 달라진다. 특히 지금과 같이 각 대학별로 다양하게 등장하는 시험에 익숙하지 않은 수험생에게는 더 큰 부담으로 작용을 한다.

대학에서는 다양하게 제시문과 문제를 분포시킨다. 문제를 등장시키고 제시문이 등장하는 경우, 그림과 도표, 그래프 등과 같이 자료를 제시하고 제시문과 문제를 함께 등장시키는 경우, 제시문을 많이 등장시키고 마지막에 문제를 제시하는 경우 등... 이렇듯 다양한 문제에 시간의 적절한 활용은 대학별 고사의 실전에서는 당락을 결정하는 중요 요소이다.

이러한 실전적 논술에서 핵심은 바로 목적을 가지고 제시문의 읽기가 선행되어야 한다. 글 읽기의 핵심은 문제을 통해 논제를 구체적으로 파악하고 그 논제에 부합하게 제시문을 분석하는 것이다.

① 문제를 먼저 확인하라!! - 제시문을 읽고 문제를 보면 다시 긴 제시문을 또 읽어 시간을 낭비한다.
② 세부 논제 확인하라!! - 한 문제라도 그 문제 속에 다루는 논제는 여러 개가 될 수 있

다. 그 질문 내용을 파악하라. 그리고 요구한 논제에 맞게 글을 구성한다.
③ 전제적 요건 파악하라!! - 각 문제의 전제적 요건 및 글로 표현된 부연 설명 등이 중요한 키워드가 될 수 있다.

V. 서강대학교 기출

1. 2024학년도 서강대 경제경영 1차 수시 논술

[문 제 1] 제시문 [가]의 현상이 발생하는 원인을 [나]와 [다]를 활용하여 분석하고, [가]의 현상을 해결할 수 있는 방안을 [라], [마], [바]를 바탕으로 제시하시오. (800~1,000자)

[가] 역사상 특이한 현상들이 많지만 '마녀사냥' 만큼 이해하기 힘든 현상도 드물 것이다. 이 세상에 악마와 내통하는 자들이 있어서 이들이 사회 전체를 위험에 빠뜨리려는 음모를 꾸미고 있으며, 이웃집 아줌마가 밤에 고양이로 변신해서 관악산의 마녀 모임에 다녀왔다는 혐의를 받는다면 그것을 믿을 수 있을까? 그런데 실제로 유럽에서는 종교 재판소를 설치하여 사회 전체를 위협하는 악마적인 세력을 소탕하는 마녀사냥 운동을 벌였다. ...(중략)... 마녀사냥은 중세적인 배경을 가졌지만 본질적으로는 근대적 현상이라는 점을 다시 주목할 필요가 있다. 근대로 들어오면서 일반 민중들은 정치적으로, 종교적으로 큰 에너지를 띠게 된다. 다스리는 자 입장에서는 이들을 그 상태 그대로 방치해서는 안 되고 질서 체계 안으로 끌어들여야 할 것이다. 질서를 부과한다는 것은 곧, 그것을 거부하는 자들을 억압한다는 것을 뜻한다. ...(중략)... 현대인들은 스스로를 합리적이라고 생각하지만 오늘날에도 '마녀' 라는 이름만 '된장남', '된장녀' 등으로 바뀌었을 뿐, 마녀사냥은 심심찮게 행해지고 있다. 특히 집단이 개인을 상대로 근거 없이 무차별적으로 공격하는 '인격 살인' 이 대표적인데, 이는 인터넷과 같은 여론 매체의 발달과 관련이 깊다. 사람들은 여론 매체의 의견이 사실인지를 확인한 뒤 이를 이성적이고 비판적으로 판단하기보다는, 그 의견을 무비판적으로 받아들여 상대를 맹목적으로 비난한다.

-『고등학교 독서』 교과서 재구성

[나] 꼭두각시 극장을 생각해봐요. 줄에 매달린 꼭두각시들이 조그마한 무대 위에서 줄이 당겨짐에 따라 이리저리 움직이면서 그들의 지정된 배역을 소화하고 있잖아요. 우리도 이와 유사한 모습을 보일 때가 있어요. 꼭두각시와 인간의 차이는, 인간은 자신들이 사회의 교묘한 끈에 매달려 있음을 알고, 이를 바라만 보고 있지 않아요. 우리는 행동 중에 멈추어 서서 고개를 들어 우리를 움직이는 장치를 자각할 수 있는데요, 이 행위에 자유를 향한 첫걸음이 놓여 있다고 할 수 있어요. 인간은 사회의 제약에서 자유롭지는 않지만, 그 제약이 갖는 모습을 깨닫고 이를 변혁시키기 위해 노력한다는 점에서 꼭두각시와 다릅니다.

-『고등학교 사회・문화』 교과서 재구성

[다] 사랑을 느끼게 하는 것과 두려움을 느끼게 하는 것 중에서 어느 편이 더 나은가에 대해서는 논쟁이 있었습니다. 제 견해는 사랑도 느끼게 하고 동시에 두려움도 느끼게 하는 것이 바람직하다는 것입니다. 그러나 동시에 둘 다 얻는 것은 어렵기 때문에, 굳이 둘 중에서 하나를 선택해야 한다면 저는 사랑을 느끼게 하는 것보다는 두려움을 느끼게 하는 것이 훨씬 더 안전하다고 생각합니다. ...(중략)... 군주는

자신의 군대를 통솔하고 많은 병력을 지휘할 때, 잔인하다는 평판쯤은 개의치 말아야 합니다. 왜냐하면 군대란 그 지도자가 거칠다고 생각되지 않으면 군대의 단결을 유지하거나 군사 작전에 적합하게 만반의 태세를 갖추지 못하기 때문입니다.

- 『고등학교 독서』 교과서

[라] 소득 불평등, 소수 집단 우대 정책, 병역 등을 둘러싼 논쟁은 정치 철학의 문제이다. 이 문제들은 함께 살아가는 시민들을 상대로 우리의 도덕적·정치적 신념을 분명히 하고 정당화하라고 촉구한다. 한층 더 까다로운 상대는 사상가들이다. 고대와 근현대 사상가들은 시민의 삶에 생기를 불어넣는 개념들을 때로는 급진적이고 놀라운 방식으로 이해한다. ...(중략)... 이들의 사상을 공부하는 목적은 누가 누구에게 영향을 미쳤는지 알려주는 정치 사상사들을 다루는 데 있는 것이 아니다. 자신의 견해를 정립하고 비판적으로 검토하도록 만들어, 자신이 무엇을 왜 그렇게 생각하는지 알도록 하는 데 있다.

- 『고등학교 윤리와 사상』 교과서

[마] 개인의 도덕적 행위는 사회 집단의 도덕적 행위와 구별되어야 한다. 인간 집단은 개인에 비해 충동을 올바르게 인도하고 억제할 수 있는 이성과 자기 극복의 능력 그리고 타인의 욕구를 수용하는 능력이 훨씬 결여되어 있다. 개인들이 보여 주는 것에 비해 훨씬 심한 이기주의가 모든 집단에서 나타나고, 이러한 집단의 이기심은 피할 수 없는 것처럼 보인다. 따라서 사회의 갈등은 도덕적 권고만으로 해결하는 데 한계가 있다. 사회 구조와 제도의 차원에서 사회 정의의 실현을 통해 극복할 수 있다. 개인은 이타성 함양을 통해 도덕적인 인간으로 성장하고, 사회는 사회 구조와 제도의 정의를 지향할 때 도덕적인 사회로 나아갈 수 있다.

- 『고등학교 생활과 윤리』 교과서 재구성

[바] 수령이 자신을 단속하고 법을 받들어 엄정하게 임하면 백성이 죄를 범하지 않을 것이니, 그렇다면 형벌은 쓰지 않아도 좋을 것이다. 한 국가를 다스리는 것이 한 가정을 다스리는 것과 마찬가지인데, 하물며 한 고을에 있어서랴. 그렇다면 어찌 가정 다스리는 것을 살펴보지 않겠는가? 예를 들어 보자. 가장이 날마다 꾸짖고 성내어 자제를 매질하고 종아리 치며, 노비를 묶어 놓고 두드린다. 돈 1전을 훔치고 국 한 그릇을 엎질러도 용서하지 않으며, 심하면 쇠망치로 어깨를 치고 다듬잇방망이로 볼기를 친다. 그러나 자제들의 눈속임은 더욱 심하고 노비들의 도둑질도 더욱 늘어 간다. ...(중략)... 이러한 일로 미루어 보건대, 말소리와 얼굴빛은 백성을 교화하는 일에 있어 말단이며, 형벌도 사람을 바로잡는 일에 있어 말단이다. 수령 자신이 바르면 백성도 바르지 않을 수 없고, 수령이 스스로 바르지 않으면 비록 형벌을 내리더라도 바르지 않게 되는 것이다.

- 『고등학교 독서』 교과서

[문 제 2] 제시문 [다], [라], [마], [바]의 내용을 제시문 [나]에 나타난 선택의 근거와 연결하여 설명하고, 이들의 공통점을 바탕으로 [가]의 실험 결과가 [나]에서 정의된 합리적 선택이라는 주장을 뒷받침하는 논거를 제시하시오. (800~1,000자)

[가] 10명의 사람을 모아 다음과 같은 실험을 하였다. 각 사람은 자신에게 배정된 50장의 표를 '개인'이라고 씌어 있는 흰색 상자와 '공공'이라고 씌어 있는 푸른색 상자에 나누어 넣게 된다. 어떤 사람이 표 1장을 흰색 상자(개인)에 넣으면 실험이 끝난 후 그 사람은 1000원을 받고, 표 1장을 푸른색 상자(공공)에 넣으면 그 집단에 속하는 모든 사람이 500원을 받게 된다. 만약 내가 가진 표 50장 전부를 흰색 상자(개인)에 넣으면 나는 실험이 끝난 후 5만 원을 받지만 다른 구성원들은 0원을 받게 된다. 반면, 내가 가진 표 50장 전부를 푸른색 상자(공공)에 넣으면 나는 실험이 끝난 후 2만 5천 원을 받고, 다른 구성원들도 나로 인해 모두 2만 5천 원씩 돈을 얻게 된다. ... (중략)... 실험의 결과는 평균적으로 자신이 가진 표의 40~60퍼센트에 이르는 표를 푸른색 상자(공공)에 넣는 것으로 드러났다.

-『고등학교 독서』 교과서 재구성

[나] 모든 선택에는 대가가 따른다. 여러 가지 기회 중 하나를 선택했다는 것은 다른 어떤 기회를 포기했다는 말과 같다. 이때 선택의 대가, 즉 선택의 비용은 그 선택으로 포기한 기회의 가치이며, 이를 기회비용이라고 한다. ...(중략)... 모든 선택에는 비용이 들지만 동시에 선택에 따른 이득, 즉 편익도 발생한다. 합리적 경제 주체라면 선택의 비용과 편익을 면밀히 비교·검토하여 선택의 근거로 삼아야 한다. 이처럼 선택의 문제가 발생하였을 때 비용과 편익을 철저히 따져 봄으로써 합리적으로 선택하려는 사고방식을 경제적 사고라고 하며, 선택 대안의 비용과 편익을 분석, 평가, 비교하여 의사 결정을 하는 방식을 비용편익 분석이라고 한다. 비용-편익 분석에서 비용이란 기회비용을 뜻하며, 편익은 선택으로 발생하는 모든 이득을 말한다. 비용편익 분석은 모든 비용과 편익을 객관적으로 평가하고 계량화해서 비교하는 것이 원칙이지만, 계량화하기 어려울 때에는 비용과 편익을 주관적으로 평가하여 적용하기도 한다.

-『고등학교 경제』 교과서

[다] 다음은 세계적인 인터넷 기업의 창시자 마크 저커버그(Mark Zuckerberg)가 딸의 출산 기념으로 자신이 보유한 주식의 99%를 평생에 걸쳐 기부하겠다고 밝히며 쓴 편지의 일부이다. "우리 딸에게 보내는 편지. 너의 세대가 더 좋은 세상에서 살게 해 주기 위해 우리 세대가 할 수 있는 일은 수도 없이 많아. 오늘 엄마와 아빠는 세상을 위해 조금이나마 도움이 될 수 있는 인생을 살기로 했단다. 아빠는 계속해서 아빠가 운영하는 회사의 최고경영자(CEO)로 남아 있을 테지만, 미래를 위한 준비는 나이를 먹고 시작하기에는 너무나도 중요해서 기다릴 수가 없단다. ...(중략)... 우리는 전 세계의 다른 사람들과 함께 다음 세대의 아이들을 위해 사람의 잠재력을 진화시키고 평등을 촉진할 수 있는 일들을 할 거란다."

-『고등학교 사회·문화』 교과서

[라] 홀리가 올림머리에 진주 목걸이, 검정 원피스를 차려입고 보석 가게 티파니의 진열장 앞에 서 있고, 손에는 샌드위치와 커피가 들려 있다. 영롱한 다이아몬드에 경외의 눈빛을 보내며 아침을 먹고 있는 것이다. 그녀에게 값비싼 보석은 그림의 떡이지만, 우울할 때마다 택시를 잡아타고 티파니로 달려온다. 티파니의 다이아몬드를 소유하면 상류층이 됨과 동시에 자신의 과거를 지울 수 있다고 믿는 홀리에게 티파니는 결코 어떤 나쁜 일도 일어날 수 없는 안식처이다. ...(중략)... 사치재인 보석은 어떤 면에서 하등의 쓸모가 없지만 자아 정체성과 사회적 지위를 드러내는 하나의 상징으로서는 매우 효과적이다.

-『고등학교 사회·문화』 교과서

[마] 마릴라는 꿈꾸는 표정으로 앤의 말을 듣고 있었다. "앤, 네가 여기에 있어 준다면, 나야 더할 나위 없이 좋지. 하지만 나 때문에 널 희생시킬 수는 없단다. 그건 말이 안 돼." 앤이 경쾌하게 웃었다. "그런 말이 어디 있어요! 희생이라뇨? 초록 지붕 집을 포기하는 것보다 더 큰 희생은 없어요. ...(중략)... 전 레드먼드에 가지 않아요. 여기 남아서 아이들을 가르칠 거예요. ...(중략)... 전 훌륭한 교사가 될 거예요. 그리고 아주머니 시력을 지켜드릴 거예요. 게다가 집에서 독학으로 대학 과정도 조금씩 공부할 거고요. 아, 계획이 참 많아요, 아주머니. 일주일 내내 생각했어요. 이곳에서 최선을 다해 살면 틀림없이 그만한 대가가 돌아올 거라고 믿어요. ...(중략)... 이제 전 길모퉁이에 이르렀어요. 그 모퉁이에 뭐가 있는지는 모르지만 가장 좋은 것이 있다고 믿을 거예요."

-『고등학교 독서』 교과서

[바] 편승 효과(밴드왜건 효과)는 다른 사람들이 가지고 있으니까 자신도 따라서 구매하려는 것으로, 유행에 따라 상품을 구매하는 소비 현상이다. 밴드왜건(bandwagon)은 서커스나 정치 집회 때 행렬 맨 앞에서 밴드를 태우고 다니며 분위기를 유도하는 자동차를 뜻한다. 밴드왜건을 따라 무리가 이동하는 것처럼 자신의 주관이나 기호보다는 다른 사람의 영향을 받아 소비하는 행위를 말한다. 또래의 친구들이 구매하는 것을 따라 사거나, 새로운 패션을 따라가려고 구매하는 것 또는 유명 연예인이 사용하는 것을 보고 따라서 구매하는 행위가 그 예이다.

-『고등학교 통합사회 교과서

수시 논술전형 답안지

❶ 본 답안지는 연습용입니다. 실제 시험 답안지와는 다릅니다.

서강대학교
SOGANG UNIVERSITY

모집단위

답안지	성명	응시계열	
인문/인문·자연계열		인문/인문·자연계열	○
		자연	○

수험번호									
N	A	A							

생년월일 (예:030418)					

① 인적사항 (모집단위, 성명, 수험번호, 생년월일)은 반드시 검은색 필기구(연필 제외)로 정확히 기재하기 바라며, 수정이 불가능합니다.
② 답안 작성은 검은색 필기구(연필 포함)를 사용하기 바랍니다(수정테이프 및 지우개 사용가능).
※ 검은색 이외의 필기구 절대 사용 불가
③ 성명에 반드시 감독관의 날인을 받아야 합니다.
④ 반드시 답안 영역 안에 작성하시기 바랍니다.

문제 1번 (800~1,000자 범위에서 작성하시오)

50
100
150
200
250
300
350
400
450
500
550

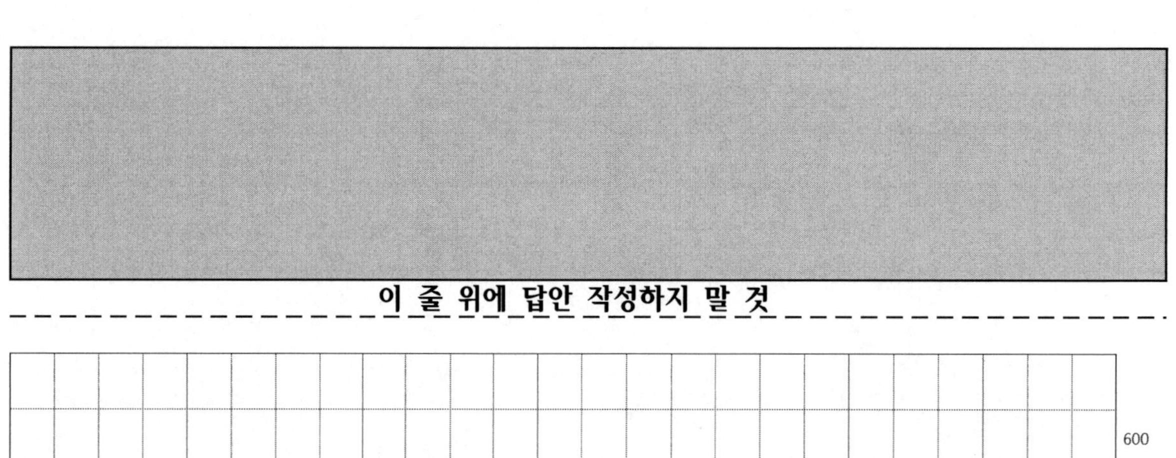

이 줄 위에 답안 작성하지 말 것

600

650

700

750

800

850

900

950

1000

이 줄 아래에 답안 작성하지 말 것

문제 2번 (800~1,000자 범위에서 작성하시오)

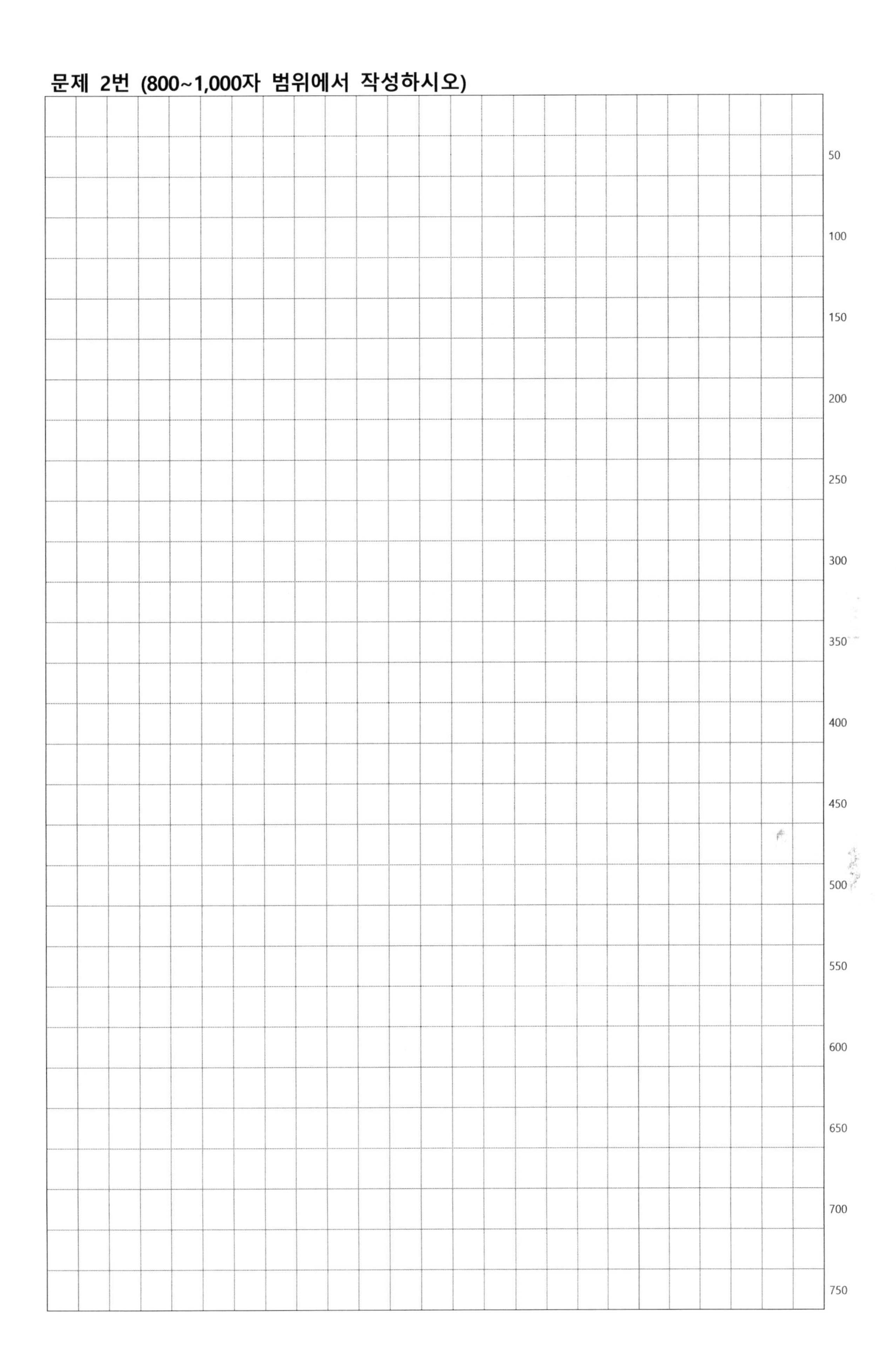

이 줄 위에 답안 작성하지 말 것

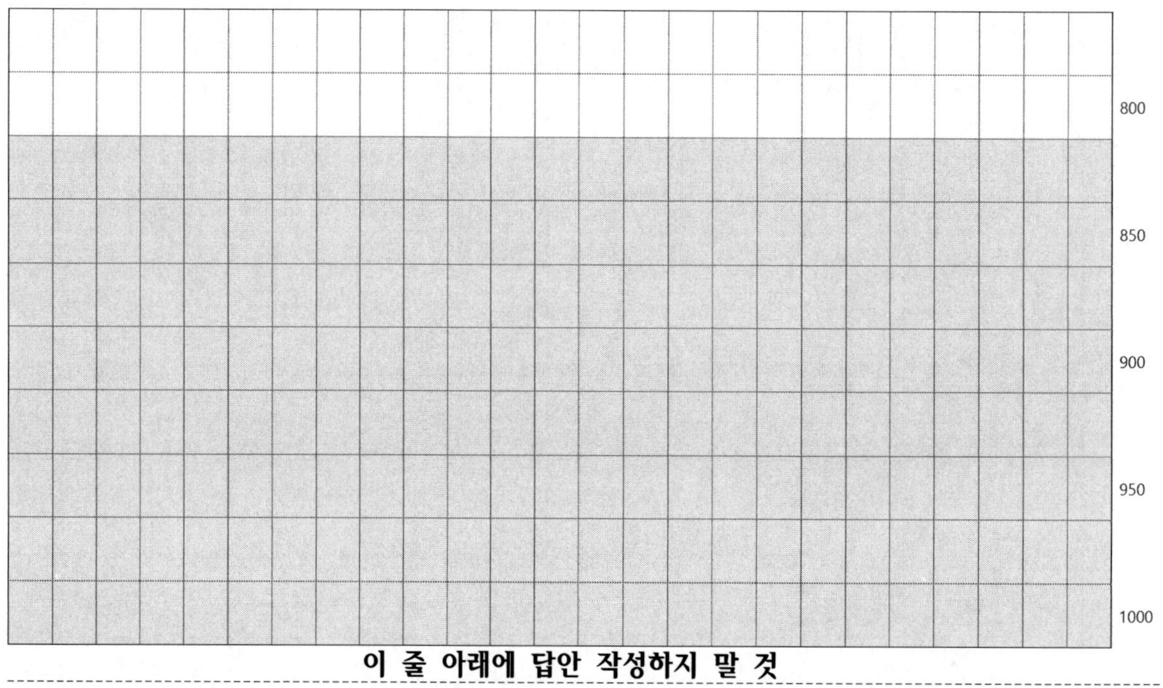

이 줄 아래에 답안 작성하지 말 것

2. 2024학년도 서강대 인문사회 2차 수시 논술

[문 제 1] 제시문 [가]와 같이 누리 소통망을 활용한 기부 공간을 만들고, 모금 참여자들이 댓글로 지지하는 비율에 따라 기부금 지원 대상을 결정하려는 계획의 긍정적 측면과 부정적 측면을 [나], [다], [라], [마], [바]를 활용하여 논하시오. (800~1,000자)

[가] 인터넷 기부는 누리 소통망이 등장하면서 또 한 번의 도약을 하게 된다. 업체들이 정한 틀 안에서 기부가 이루어지던 기존의 문화와는 다르게, 누리 소통망은 기부에 참여할 수 있는 공간을 열어 주어, 누리꾼들이 직접 기부의 형태나 내용을 정해 기부를 이끌고 홍보 행위를 할 수 있게끔 새로운 인터넷 기부 문화를 만들어 가고 있다. ...(중략)... 여기에서는 응용 프로그램에 결제 모듈이 들어가 있어 바로 기부가 가능하고, 누리 소통망과 연동할 수 있어 누리 소통망을 통해 입소문을 낼 수도 있다.

-『고등학교 언어와 매체』 교과서

[나] 공정 무역 인증은 가난한 나라의 노동자에게 더 높은 임금을 보장해 주는 것을 목적으로 하며, 주로 바나나, 초콜릿, 커피, 설탕, 차 등 개발 도상국의 생산 작물에 적용된다. 일반 커피보다 몇 달러 더 주고 공정 무역 커피를 사면 가난한 나라 사람들에게 얼마나 도움이 될까? 객관적 증거에 따르면 실망스러운 수준이다. 공정 무역 제품을 산다고 해서 무조건 가난한 나라의 빈곤층에 수익이 돌아가는 것은 아니다. 공정 무역 인증 기준은 상당히 까다롭다. 가난한 나라의 농부들은 이 기준을 충족하기 어렵다. 그렇기 때문에 상대적으로 부유한 나라의 공정 무역 제품을 사는 것보다 최빈국의 비공정 무역 상품을 사는 것이 더 효율적일 수 있다.

-『고등학교 독서』 교과서 재구성

[다] 매체를 기반으로 하여 여론이 형성되고 널리 퍼진 대표적인 사례로 '재스민 혁명'을 들 수 있다. 2010년 튀니지의 지방 도시에서 어느 청년이 정부 정책의 부당함에 항의하다 죽음에까지 이르는 사건이 발생하였다. 청년의 죽음은 국민의 공분을 샀고 반정부 시위가 전국적으로 확산되는 원인이 되었다. 이러한 운동이 일어날 수 있었던 결정적인 원인은 바로 누리 소통망이라는 매체의 전파력에 있었다. 당시 튀니지 정부는 강력한 언론 통제 정책을 펼쳤는데, 이러한 탄압을 피해 누리 소통망으로 청년의 이야기가 널리 퍼져 나갔고 이것이 결국 재스민 혁명으로 이어졌던 것이다.

-『고등학교 언어와 매체』 교과서 재구성

[라] 네트워크란 점과 선으로 연결된 형태를 말한다. 사회 네트워크에서는 개인들 하나하나가 점이 되고 그 개인의 사회관계가 선이 되어, 가족, 친지, 친구, 직장 동료 등이 선으로 연결된 네트워크가 된다. 네트워크 이론에서는 점을 '노드'라고 하고, 선을 '연결선'이라고 한다. 네트워크는 생긴 모양에 따라 고속도로망 같은 네트워크와 항공망 같은 네트워크로 나눌 수 있다. 고속도로망 같은 네트워크는 각 노드에 연결되는 선의 수가 거의 균일한 형태를 띠는 것을 말한다. 그리고 항공망

같은 네트워크는 각 노드에 연결되는 선이 몇 개의 노드에 집중되는 허브를 가지고 있어 복잡한 형태를 띠고 있는 것을 말한다. 평균 연결선 개수를 쉽게 정할 수 있는 고속도로망과는 달리 항공망에서는 각 노드를 연결하는 선의 개수가 적은 노드부터 연결이 많은 허브까지, 분포가 넓어서 특정한 숫자를 정할 수 없다. 그런데 우리가 살고 있는 세상을 네트워크로 표현해 보면 많은 경우 복잡한 형태인 항공망 같은 네트워크가 된다. 그렇다면 세상이 왜 항공망처럼 허브를 가진 네트워크가 될까? 논문을 쓸 때 연구자들은 유명하지 않은 논문보다는 유명한 논문을 인용하고 싶어 한다. 한번 유명한 논문이 되면 그 논문은 계속해서 더 많이 인용되면서 자연스럽게 그 논문에 연결선이 많아지는 네트워크가 되는 것이다. 이것은 누리 문서라든가 친구 관계에도 마찬가지이다.

-『고등학교 독서』 교과서 재구성

[마] 정보화는 우리 삶의 편의성을 증대시켜 준 한편, 다양한 사회 문제를 야기하였다. 예를 들어, 정보가 사회 구성원들 사이에 불균등하게 배분됨에 따라 정보 격차가 나타날 수 있다. 정보 격차는 정보 기기 소유 여부, 정보 활용 능력의 차이, 고급 정보에의 접근성 차이 등으로 인해 나타나게 된다. (중략)... 정보 사회에 존재하는 다양한 사회 문제에 어떻게 대응하느냐에 따라 우리는 사회를 더 나은 방향으로 이끌 수도 있고 그렇지 못할 수도 있다. 정보 격차를 줄이기 위해서는 누구나 기본적인 수준의 정보 접근은 가능하도록 기기 및 인터넷 서비스 지원이 이루어져야 한다. 더불어 교육적 지원을 통 해 정보를 활용할 수 있는 능력을 갖출 수 있도록 해야 한다.

-『고등학교 사회・문화』 교과서 재구성

[바] '21세기형 가짜 뉴스'의 특징은 그 논란의 중심에 국제적인 정보 통신 기업이 있다는 점이다. 가짜 뉴스는 더 이상 동요나 입소문을 통해 퍼지지 않는다. 누구나 쉽게 이용하는 매체에 '정식 기사'의 얼굴을 하고 나타난다. 감쪽같이 변장한 가짜 뉴스들은 사람들의 입맛에만 맞으면 쉽게 유통・확산된다. 대중이 뉴스를 접하는 경로가 신문・방송 같은 전통적 매체에서 인터넷 사이트, 누리 소통망(SNS) 등 디지털 매체 쪽으로 옮겨 가면서 벌어진 일이다.

-『고등학교 독서』 교과서

[문 제 2] 제시문 [가]와 같은 문제가 발생하는 근본 원인을 [나]와 [다]를 활용하여 각각 설명하고, 이를 극복할 수 있는 방안을 [나]와 관련해서는 [라]를 근거로, [다]와 관련해서는 [마]를 근거로 제시하시오. (800~1,000자)

[가] 사회적 소수자란 한 사회에서 신체적 또는 문화적 특징 때문에 다른 구성원에게 차별을 받으며, 스스로 차별받는 집단에 속해 있다는 의식을 가진 사람을 말한다. 즉 인종, 성별, 장애, 종교, 사회적 출신 등을 이유로 다른 사회 구성원으로부터 소외와 차별을 받는 사람들을 일컫는다. 현재 우리 사회에서는 장애인이나 이주 외국인, 노인, 여성, 북한 이탈 주민 등을 사회적 소수자로 볼 수 있으며, 이들은 부당한 대우를 받거나 지속해서 차별받는 일이 많다.

- 『고등학교 통합사회』 교과서

[나] 한 사회에서 아주 어린 아이들조차 금세 오른손잡이와 왼손잡이라는 두 부류의 사람들이 있다는 걸 배우고, 옷과 머리 모양과 같은 표시를 사용해 그 두 부류의 아이들과 어른들을 구분하는 데 금방 능숙해진다. 또한 이런 구분에 대해 너무나 호들갑을 떨고 강조하기 때문에 아이들은 오른손잡이냐 왼손잡이냐에 따라 무언가 근본적으로 중요한 것이 있다고 여기게 될 가능성이 크다. 아이들은 특정 손을 잘 쓰는 사람이 된다는 것이 무슨 뜻인지 알고 싶어 하고, 어느 한 손을 잘 쓰는 아이와 다른 손을 잘 쓰는 아이를 구분 짓는 것이 무엇인지 배우고 싶어 하게 된다.

- 『고등학교 독서』 교과서

[다] 우리는 동일한 정보를 책이나 신문, 텔레비전, 인터넷 등의 다양한 매체에서 다양한 방식으로 접할 수 있는 시대를 살고 있다. ...(중략)... 어떤 대상이나 사건을 전달하기 위해 특정한 언어와 요소를 선택하는 행위에는 생산자 자신의 관점과 가치를 드러내려는 의도가 담겨 있다. 즉 생산자는 정보를 있는 그대로, 객관적으로 제시하는 것이 아니라 자신이 선택하고 재구성한 내용을 수용자에게 보여 주는 것이다. 매체 자료에도 생산자의 목적과 의도에 따른 다양한 관점과 가치가 담겨 있다. 제시하는 정보는 같더라도 생산자의 관점과 가치에 따라 주요 내용과 다루는 정보의 비중 등이 달라진다.

- 『고등학교 언어와 매체』 교과서

[라] 우리는 문화적 차이를 인정하면서도 인권이나 자유, 평등과 같은 보편 윤리의 차원에서 타 문화를 성찰해 보아야 한다. 또한 타 문화뿐만 아니라 자문화도 보편 윤리 차원에서 성찰해 보아야 한다. 우리는 흔히 자문화를 당연하게 생각하고 비판 없이 받아들이고는 한다. 그래서 자기 문화가 보편 윤리에 어긋나는 측면이 있다 하더라도 이를 인식하지 못할 수 있다. 예를 들어 우리 사회 깊숙이 퍼져 있는 연고주의 문화를 보편 윤리에 근거하여 성찰해 볼 필요가 있다. 연고주의 문화는 공동체 내에 가족적이고 친화적인 분위기를 조성해 공동체의 결속력을 강화하는 등의 긍정적 측면을 지닌다. 하지만 객관적 기준에 따른 공정한 평가와 선택이 요구되는 상황에서 혈연, 지연 등을 우선시하도록 하여 개인이 누려야 할 공정한 기회를 박

탈하는 등 개인의 인권을 침해할 수 있다. 따라서 우리는 다양한 문화의 고유한 의미와 가치를 존중하는 문화 상대주의적 태도를 지니면서도, 보편 윤리에 근거하여 타 문화와 자문화를 성찰함으로써 어떤 문화든 무조건 인정하고 포용해야 한다는 극단적 문화 상대주의에 빠지지 않도록 경계해야 한다.

-『고등학교 통합사회』 교과서

[마] 천하 만물 중에 지켜야 할 것은 오직 '나' 뿐이다. 내 밭을 지고 도망갈 사람이 있겠는가? 그러니 밭은 지킬 필요가 없다. 내 집을 지고 달아날 사람이 있겠는가? 그러니 집은 지킬 필요가 없다. 내 동산의 꽃나무와 과실나무들을 뽑아 갈 수 있겠는가? 나무뿌리는 땅속 깊이 박혀 있다....(중략)... 그러나 유독 이 '나' 라는 것은 그 성품이 달아나기를 잘하며 출입이 무상하다. 아주 친밀하게 붙어 있어 서로 배반하지 못할 것 같지만 잠시라도 살피지 않으면 어느 곳이든 가지 않는 곳이 없다. 이익으로 유혹하면 떠나가고, 위험과 재앙으로 겁을 주면 떠나가며, 질탕한 음악 소리만 들어도 떠나가고, 미인의 예쁜 얼굴과 요염한 자태만 보아도 떠나간다. 그런데 한번 떠나가면 돌아올 줄 몰라 붙잡아 만류할 수 가 없다. 그러므로 천하 만물 중에 잃어버리기 쉬운 것으로는 '나' 보다 더한 것이 없다. 그러니 꽁꽁 묶고 자물쇠로 잠가 '나' 를 굳게 지켜야 하지 않겠는가?

-『고등학교 독서』 교과서

수시 논술전형 답안지

❶ 본 답안지는 연습용입니다. 실제 시험 답안지와는 다릅니다.

서강대학교
SOGANG UNIVERSITY

모집단위

수험번호									
N	A	A							
			⓪	⓪	⓪	⓪	⓪	⓪	⓪
			①	①	①	①	①	①	①
			②	②	②	②	②	②	②
			③	③	③	③	③	③	③
			④	④	④	④	④	④	④
			⑤	⑤	⑤	⑤	⑤	⑤	⑤
			⑥	⑥	⑥	⑥	⑥	⑥	⑥
			⑦	⑦	⑦	⑦	⑦	⑦	⑦
			⑧	⑧	⑧	⑧	⑧	⑧	⑧
●	●	●	⑨	⑨	⑨	⑨	⑨	⑨	⑨

생년월일 (예:030418)					
⓪	⓪	⓪	⓪	⓪	⓪
①	①	①	①	①	①
②	②	②	②	②	②
③	③	③	③	③	③
④	④	④	④	④	④
⑤	⑤	⑤	⑤	⑤	⑤
⑥	⑥	⑥	⑥	⑥	⑥
⑦	⑦	⑦	⑦	⑦	⑦
⑧	⑧	⑧	⑧	⑧	⑧
⑨	⑨	⑨	⑨	⑨	⑨

답안지	성명	응시계열	
인문/인문-자연계열		인문/인문-자연계열	○
		자연	○

① 인적사항 (모집단위, 성명, 수험번호, 생년월일)은 반드시 검은색 필기구(연필 제외)로 정확히 기재하기 바라며, 수정이 불가능합니다.
② 답안 작성은 검은색 필기구(연필 포함)를 사용하기 바랍니다(수정테이프 및 지우개 사용가능).
※ 검은색 이외의 필기구 절대 사용 불가
③ 성명에 반드시 감독관의 날인을 받아야 합니다.
④ 반드시 답안 영역 안에 작성하시기 바랍니다.

문제 1번 (800~1,000자 범위에서 작성하시오)

50
100
150
200
250
300
350
400
450
500
550

이 줄 위에 답안 작성하지 말 것

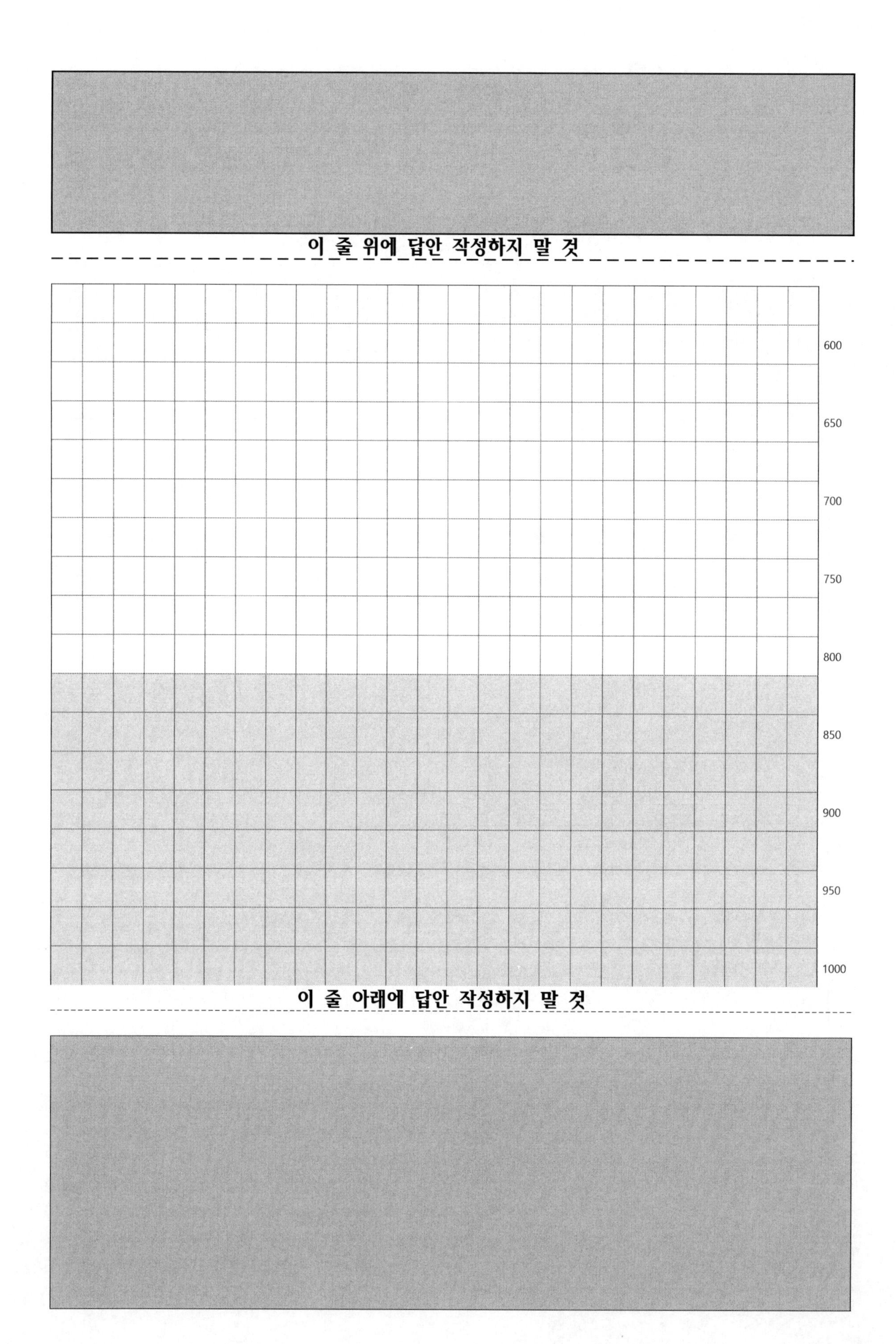

이 줄 아래에 답안 작성하지 말 것

문제 2번 (800~1,000자 범위에서 작성하시오)

50
100
150
200
250
300
350
400
450
500
550
600
650
700
750

이 줄 위에 답안 작성하지 말 것

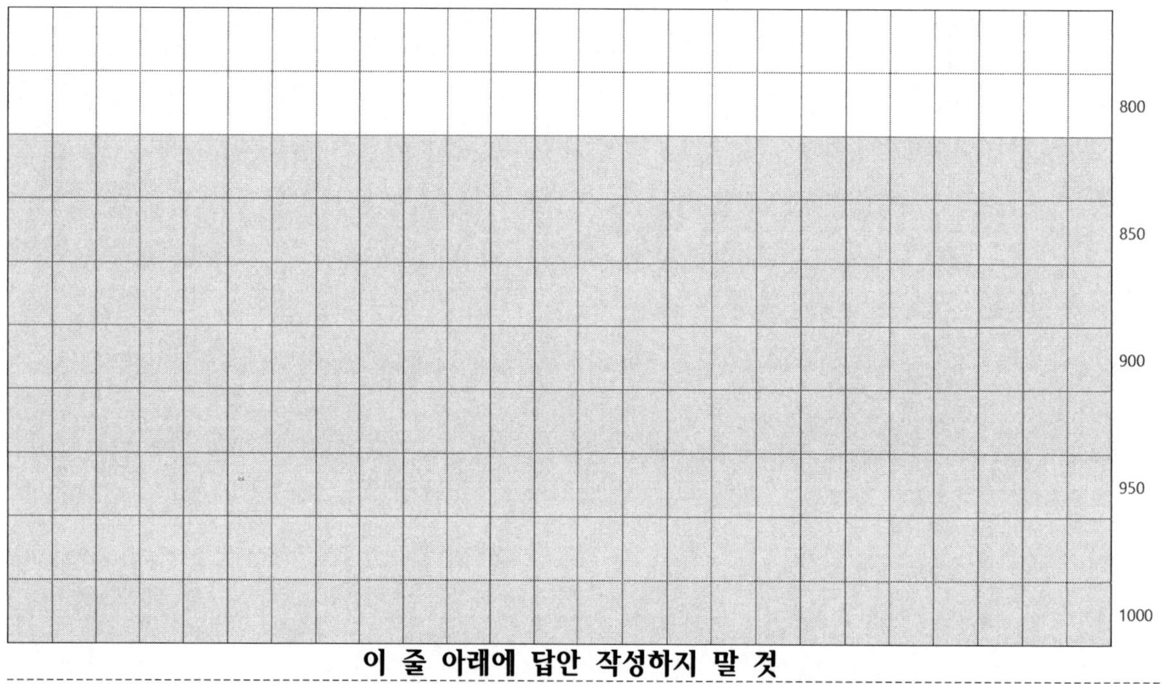

이 줄 아래에 답안 작성하지 말 것

3. 2024학년도 서강대 경제경영 1차 모의 논술

■ 모의논술 유의사항
1. 시험시간은 50분입니다.
2. 답안분량은 800~1,000자입니다. ※ 서강대 모의 논술은 계열별 1문항만 출제함

[문 제] 지문 [가]를 이용하여 [나]와 [다]를 설명하고, 지문 [라]와 [마]를 이용하여 [바]와 [사]에 대해 논하시오.

[가] 사람마다 가지고 있는 정보가 서로 다를 때 정보의 비대칭성이 있다고 한다. 예를 들어 근로자는 고용주보다 자신의 근무 태도를 더 잘 알고 있으며, 중고차 판매상은 고객보다 차의 성능을 더 잘 알고 있다. 정보를 더 많이 가진 근로자는 자신의 행동을 감출 유인이 있고, 중고차 판매상은 차의 속성을 감출 유인이 있다.

- 고등학교 『경제』 교과서 재구성
『경제』 천재교육 박형준 외 p. 85

[나] 연립·다세대주택(빌라)은 아파트와 달리 실거래가 신고 의무가 없다. 애초에 매매 사례가 많지도 않아 정확한 시세를 알기 어렵다. 이 때문에 건축주와 임대사업자, 중개업자 사이의 모종의 담합을 통한 시세 조작이 만연해 있다. 적정 매매가가 2억원(공시가격 1억4000만원)인 경우 전세보증금반환보증은 2억1000만원까지 한도를 내주므로 세입자에게 보험 가입을 권유하고 전세보증금을 2억1000만원으로 부를 수 있기 때문이다. 세입자는 전세가와 매매가가 같더라도 보증보험 가입으로 자신의 돈을 지킬 수 있다고 생각해 임대인의 깡통전세 계약 요구에 응하게 된다.

- 『매일경제』 2023.01.27 재구성

[다] 바이오산업은 개인 투자자의 정보 접근성이 유독 낮은 영역이다. 공시 내용조차 난해한 전문 용어로 가득한 데다 수익구조가 뚜렷하지 않은 업종 특성상 매출이나 영업이익으로 기업의 가치를 가늠하기도 어렵다. 투자의 중요한 판단 근거인 통계치나 기술이전 계약 관련 내용도 학회 엠바고나 영업기밀을 내세워 공개하지 않는 경우가 다반사다. 여기에 바이오 기업의 허위 공시나 늑장 공시로 인한 소액주주 피해 사례가 증가하면서 주주의 불만이 커졌다는 분석이다. 바이오 업종은 임상 등 정보 공개에 따라 주가 변동성이 큰데, 바이오 기업의 임직원이 미공개 정보를 사전에 입수한 뒤 주식을 팔아 이익을 보는 행태가 자주 적발된다.

- 『비즈워치』 2023.01.17 재구성

[라] 불완전 경쟁에서 생겨나는 시장의 비효율성을 개선하고자 정부는 다양한 법을 제정하고 제도를 도입한다. 정부는 정보를 더 가진 사람이 정보를 덜 가진 사람에게 신호 보내기를 통해 사적 정보를 전달하도록 유도할 수 있다. 또한 정부는 정보를 덜 가진 사람은 정보를 더 가진 사람에게 골라내기를 통해 사적 정보를 공개하도록 유도할 수 있다. 정부의 개입이 문제를 충분히 해결하지 못하거나 오히려 악화시킬 때도 있다. 이 경우에 정부 실패가 발생하였다고 한다. 정부 실패가 생기는 가장 본질적인 원인은 정부도 다른 경제 주체들처럼 필요한 정보를 충분히 가지지

못하는 데 있다. 또한, 공공 부문의 비효율성이나 정부가 의도하지 않은 효과가 나타나 정부 실패가 발생할 수도 있다.

- 고등학교 『경제』 교과서 재구성
『경제』 천재교육 박형준 외 p. 88-89

[마] "따라서 특혜나 제한을 부여하는 제도가 완전히 제거되면 명백하고 단순한 자연적 자유 체제가 저절로 확립된다. 정의의 법칙을 위반하지 않는 한 모든 사람은 자신의 방식대로 이익을 추구하고 자신의 산업 및 자본을 다른 사람이나 계급의 산업 및 자본과 자유롭게 경쟁할 수 있다. 이렇게 되면 어떠한 지혜나 지식도 충분하지 않아 군주를 수많은 망상에 빠뜨리는, 개인의 노동을 감독하고 이를 사회의 이익에 가장 적합하게 사용되도록 인도하는 의무를 군주는 수행할 필요가 없게 된다"

- 『국부론』, 애덤 스미스, - R. H. 캠벨, A.S. 스키너 편집 (1978), p. 687

[바] 내년 3월부터 게임 내 확률형 아이템의 확률 정보 공개가 의무화된다. 확률형 아이템은 게임 속 캐릭터의 능력을 키우거나 꾸미는데 필요한 장비인 아이템을 돈을 내고 무작위로 받는 것을 의미한다. 좋은 아이템은 많은 돈을 쏟아부어도 나올 가능성이 매우 희박한데도 게임 회사가 확률을 공개하지 않고 수시로 바꾸기까지 해 2021년 게이머들이 트럭 시위와 불매운동에 나서는 등 논란이 됐다. 이에 따라 국회는 본회의에서 게임사의 확률형 아이템 정보 공개 의무화를 골자로 하는 게임산업진흥법 개정안을 가결했다. 개정안은 게임을 제작·배급·제공하는 업체가 확률형 아이템의 종류와 종류별 공급 확률정보를 해당 게임 및 홈페이지, 광고 등에 표시하도록 했다.

- 『서울경제』 2023.02.27 재구성

[사] 정부가 상장회사 임원과 주요 주주의 주식 거래 시 최소 30일 전에 매매계획을 공시하도록 의무화하는 제도를 도입한다. 불법·불공정 내부자 거래를 막고 소액 주주를 보호하기 위한 조치다. 기업들은 과도한 규제로 시장 혼란만 부추길 것이란 우려를 내놓고 있다. 기업 내부자의 정상적인 주식 대량 거래마저 사실상 '올스톱' 될 수 있다는 우려도 나온다. 투자은행(IB) 업계 관계자는 "거래 내용이 사전에 공개될 경우 가격 급등락으로 인해 블록딜(시간 외 대량매매) 등 대규모 주식 거래 자체가 불발될 가능성이 높다"고 지적했다.

- 『한국경제』 2022.09.12 재구성

수시 논술전형 답안지

● 본 답안지는 연습용입니다. 실제 시험 답안지와는 다릅니다.

서강대학교 SOGANG UNIVERSITY

모집단위

답안지	성명	응시계열	
인문/인문-자연계열		인문/인문-자연계열	○
		자연	○

수험번호									
N	A	A							
			⓪	⓪	⓪	⓪	⓪	⓪	⓪
			①	①	①	①	①	①	①
			②	②	②	②	②	②	②
			③	③	③	③	③	③	③
			④	④	④	④	④	④	④
			⑤	⑤	⑤	⑤	⑤	⑤	⑤
			⑥	⑥	⑥	⑥	⑥	⑥	⑥
			⑦	⑦	⑦	⑦	⑦	⑦	⑦
			⑧	⑧	⑧	⑧	⑧	⑧	⑧
●	●	●	⑨	⑨	⑨	⑨	⑨	⑨	⑨

생년월일 (예:030418)					
⓪	⓪	⓪	⓪	⓪	⓪
①	①	①	①	①	①
②	②	②	②	②	②
③	③	③	③	③	③
④	④	④	④	④	④
⑤	⑤	⑤	⑤	⑤	⑤
⑥	⑥	⑥	⑥	⑥	⑥
⑦	⑦	⑦	⑦	⑦	⑦
⑧	⑧	⑧	⑧	⑧	⑧
⑨	⑨	⑨	⑨	⑨	⑨

① 인적사항 (모집단위, 성명, 수험번호, 생년월일)은 반드시 검은색 필기구(연필 제외)로 정확히 기재하기 바라며, 수정이 불가능합니다.
② 답안 작성은 검은색 필기구(연필 포함)를 사용하기 바랍니다(수정테이프 및 지우개 사용가능).
※ 검은색 이외의 필기구 절대 사용 불가
③ 성명에 반드시 감독관의 날인을 받아야 합니다.
④ 반드시 답안 영역 안에 작성하시기 바랍니다.

문제 1번 (800~1,000자 범위에서 작성하시오)

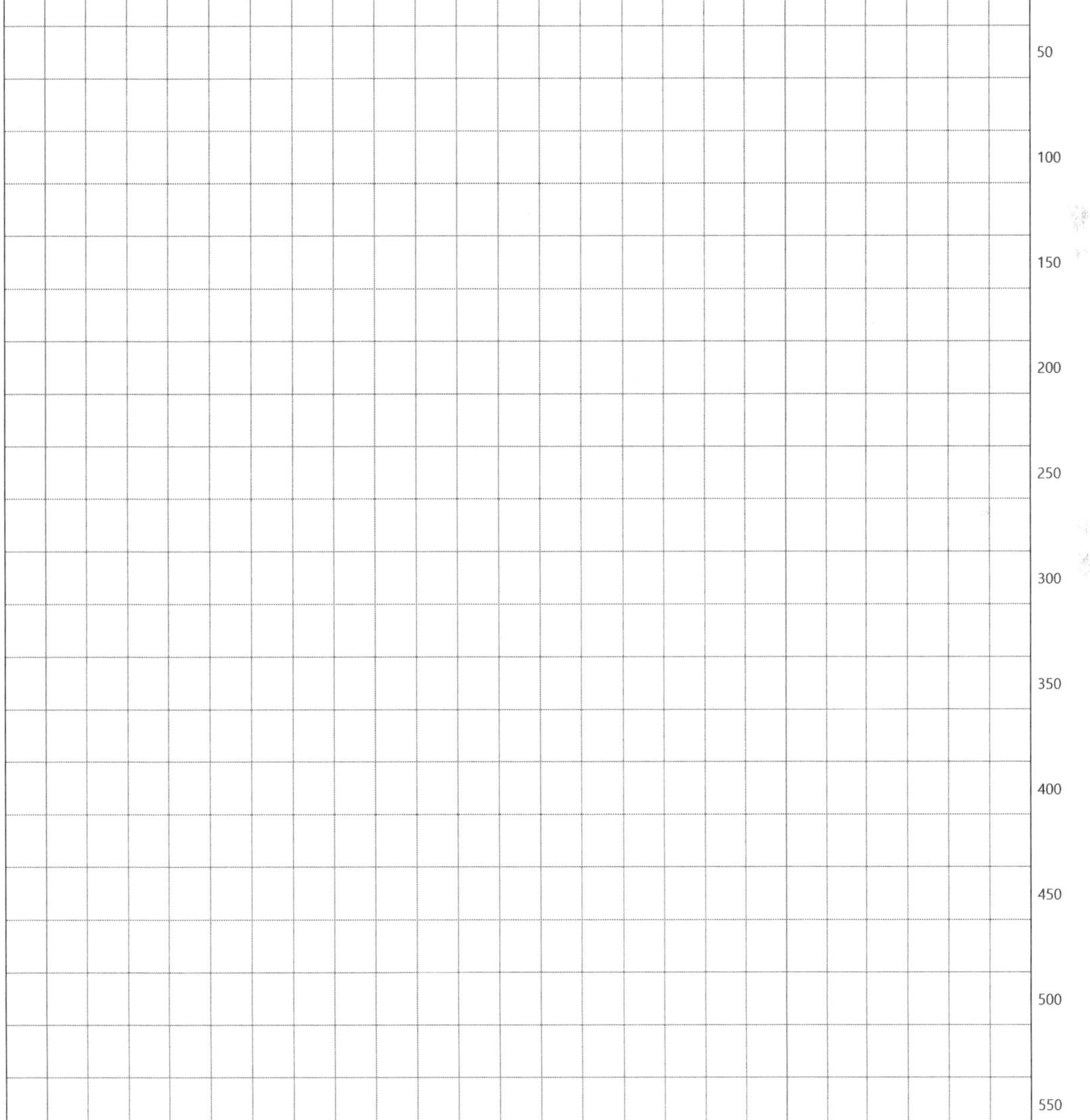

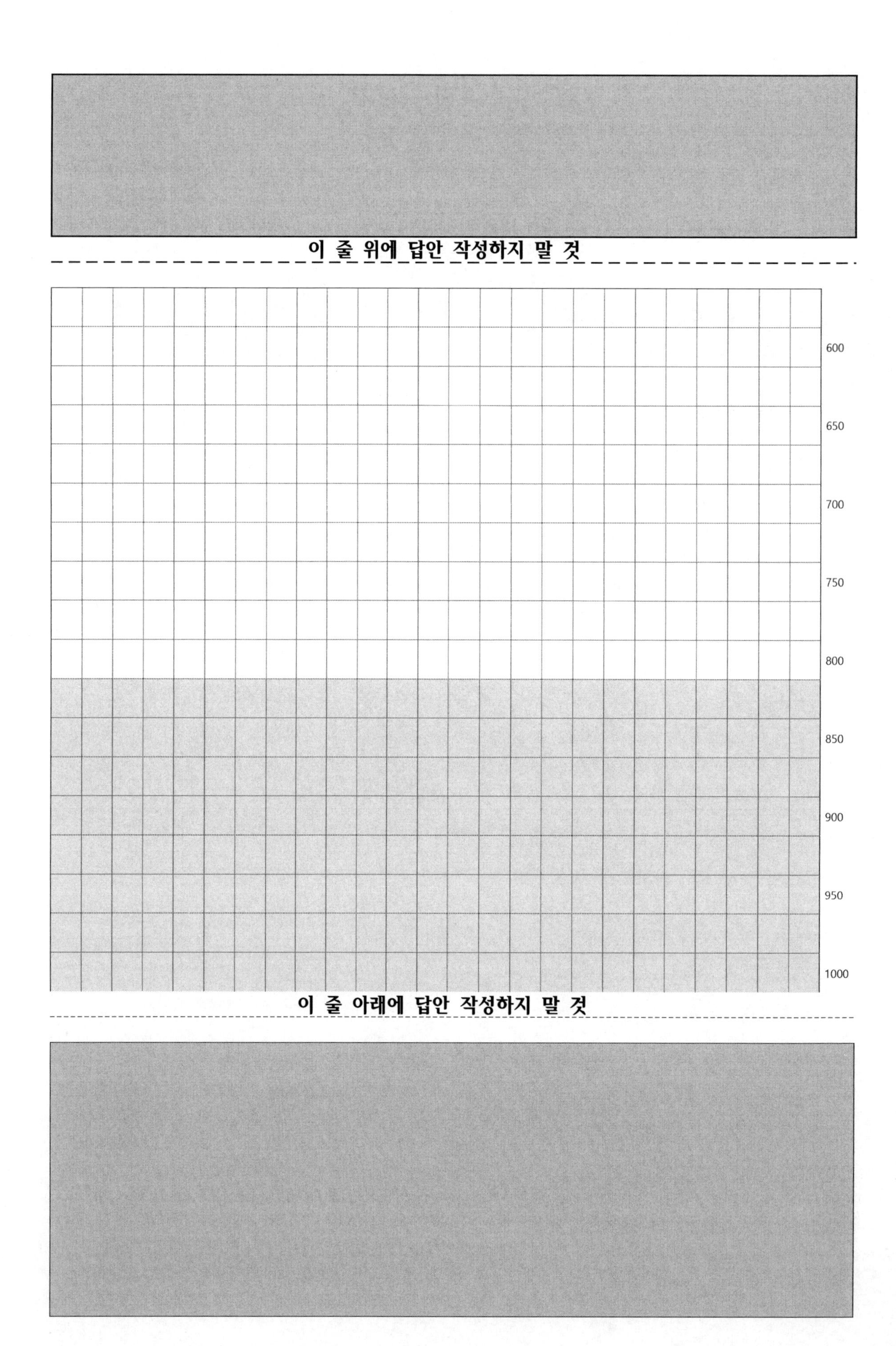

이 줄 위에 답안 작성하지 말 것
600
650
700
750
800
850
900
950
1000
이 줄 아래에 답안 작성하지 말 것

4. 2024학년도 서강대 인문사회 1차 모의 논술

■ 모의논술 유의사항
1. 시험시간은 50분입니다.
2. 답안분량은 800~1,000자입니다. ※ 서강대 모의 논술은 계열별 1문항만 출제함

[문 제] [가]에서 나타난 사건에 대한 자신의 입장을 [나]와 [다]에 기술된 개념을 활용하여 서술하고, [다]와 [라]를 바탕으로 [마]에서 제시된 모형 중 우리 사회가 수용할 수 있는 가장 적합한 모형을 근거와 함께 제시하시오.

[가] 이라크의 한 유명 여성 유튜버가 가족을 떠나 혼자 살았다는 이유로 아버지에게 살해됐다. 이라크 출신의 티바 알-알리(22)는 이라크 남부 디와니야에서 아버지의 손에 숨졌다. 알리는 2017년 가족과 함께 튀르키예로 여행을 갔다가 이라크로 돌아오지 않고 튀르키예에 홀로 정착했다.

사건은 알리가 지난달 개최한 '아라비안 걸프 컵'(Arabian Gulf Cup)에 출전한 자국 대표팀을 응원하기 위해 이라크를 다시 찾았을 때 발생했다. 알리의 귀국 사실을 알게 된 가족이 그를 납치해 디와니야에 위치한 본가로 데려갔고, 딸이 타국에서 혼자 사는 것에 불만을 품고 있던 그의 아버지가 알리가 잠든 틈을 타 그를 살해한 것이다. 알리의 아버지는 이후 경찰에 범행을 자백하면서 "수치스러움을 씻어내기 위해 딸을 죽였다"고 진술한 것으로 파악됐다.

알리의 죽음에 이라크 사회는 이슬람권을 중심으로 자리 잡은 악습인 명예 살인을 규탄하고 나섰다. 이라크 정치인 알라 탈라바니는 트위터에 "우리 사회의 여성은 법적 제재 및 정부 대책이 부재한 탓에 후진적 관습의 인질이 됐다" 면서 이라크에서 빈번하게 발생하는 가정 폭력 범죄에 정부가 안일하게 대처하고 있다고 비판했다.

인권단체 NGOs도 "이라크 형법은 소위 '명예 범죄' 에 관대하다" 면서 "이라크 당국이 여성과 소녀를 보호하기 위한 강력한 법을 받아들이지 않으면 우리는 계속해서 끔찍한 살인을 목격할 수밖에 없을 것" 이라고 지적했다.

- 『연합뉴스』 2023.02.04. 재구성

[나] 문화는 각 사회가 처한 자연환경이나 사회적 상황에 따라 다양하게 나타난다. 각 사회의 문화적 차이를 인정하지 않으면 서로 간에 문화 갈등이 발생할 수 있다. 문화 갈등은 사회 통합을 방해하고 문화의 발전을 저해할 수 있으며, 때로는 극단적인 사회 충돌로 이어져 유혈사태를 초래하기도 한다. 따라서 문화적 차이에 따른 갈등을 방지하고 다양한 문화의 공존을 도모하기 위해서는, 서로 다른 문화 간의 우열을 가리려는 태도를 경계하고 각 사회의 문화를 그 사회의 특수한 환경과 역사적 상황 및 사회적 맥락 속에서 이해하려는 문화 상대주의적 태도가 필요하다. 오늘날 세계화가 급속히 진행됨에 따라 여러 문화가 유입되고 문화 간의 교류가 활발해지면서 문화 상대주의의 필요성을 더욱 커지고 있다.

- 고등학교 『통합사회』 재구성

[다] 인권은 사람이 사람이기에 가지는 가장 기본적인 권리입니다. 인권은 모든 사람이 각자 본래부터 가지고 있는 것입니다. 인종·국적·성별·종교·정치적 견해·신분이나 지위 등 그 어떤 것에도 관계되거나 차별됨 없이 모든 인간은 존엄성과 권리에서 자유롭고 평등합니다. 누구도 다른 사람의 인권을 박탈할 수 없습니다.

인간의 존엄성을 인정받기 위해서는, 자유, 안전, 일정 수준 이상의 삶의 조건이 보장되어야 합니다. 사람들은 정부에 이러한 기본적인 권리의 보장을 법률로 제정하라고 요구해 왔습니다. 인권을 법률로 제정한다는 것은 정부가 인권을 보호할 책임을 받아들인다는 것을 의미합니다.

각국이 채택한 '국제인권규정'을 비롯한 인권규정은 정부가 인권과 관련하여 자국 영토에 거주하는 사람들을 위해 해야 할 것과 하지 말아야 할 것들을 제시하고 있습니다. 이러한 공식적인 법률에 명시된 인권규정은 앰네스티 탄원의 법적인 근거가 됩니다. 국가가 자국법과 '국제인권규정'에 명시된 '인권 보장의 의무'를 지키지 못했다면, 그것은 명백한 인권침해 행위입니다. 인권은 곧 인간 생명에 대한 존중과 인간 존엄성의 인정이며, 이는 세계 전역에서 벌어진 자유와 평등을 위한 투쟁의 역사에 그 뿌리를 두고 있습니다.

- 엠네스티 인터네셔널 (인권이란)

[라] 10대 소년의 죽음으로 파리와 마르세유 등에서 일어난 대규모 시위는 프랑스 내부에 곪아있던 인종·종교 갈등이 터진 결과라는 분석이 제기된다. 지난달 27일부터 6일째 프랑스 전역을 뒤덮고 있는 대규모 시위의 근본적인 배경은 아랍·이슬람계 이민자들의 누적된 불만에 있다고 분석된다.

프랑스는 유럽 내에서도 이민 정책에 적극적인 국가 중 하나로 꼽힌다. 이주민 비율은 유럽 평균(11.6%)에 비해 높은 13%다. 전체 인구(6,530만명) 중 약 855만명이 이민자다. 이 중 아프리카 출신이 절반에 가깝고 이슬람을 믿는 북아프리카 3국(알제리·튀니지·모로코) 출신이 약 30%에 달한다.

이민 정책에 있어 프랑스는 확고한 원칙을 갖고 있다. 바로 공적인 영역에서 종교의 철저한 분리를 뜻하는 '라이시테'다. 여성 축구선수의 히잡(이슬람 여성이 얼굴과 머리를 둘러싸는 천) 착용 금지를 지지한 프랑스 헌법재판소의 판결이 대표적인 사례다. 축구 경기에 종교가 개입돼서는 안 된다는 것이다.

이슬람 이민자들은 이 라이시테가 프랑스에 만연한 이슬람·아랍 이민자에 대한 차별을 정당화하고 있다고 보고 있다. 종교·인종 차별이 실재하는 상황에서 이를 언급하는 것 자체가 금기시되기 때문이다.

- 『한국경제』 2023.07.03. 재구성

[마] 우리나라는 2016년 현재 국내 체류 중인 외국인이 200만 명을 넘어서면서 다문화 사회로 빠르게 진입하였다. 일반적으로 한 사회가 다문화주의를 받아들이는 데는 차별적 배제 모형, 동화 모형 그리고 다문화 모형을 고려할 수 있다.

차별적 배제 모형은 이주민을 특정 목적으로만 받아들이고, 내국인과 동등한 권리를 인정하지 않는다. 동화 모형은 '용광로 모형'이라고도 하는데, 이주민이 출신국의 언어·문화·사회적 특성을 포기하고 주류 사회의 일원이 되게 한다. 다문화 모형은 '샐러드 볼' 또는 '모자이크'에 비유한다. 이것은 한 사회 안에서 다양한 문화를 평등하게 인정하며 다문화 정책의 목표를 다양한 문화의 공존에 둔다.

- 고등학교 『생활과 윤리』

수시 논술전형 답안지

❶ 본 답안지는 연습용입니다. 실제 시험 답안지와는 다릅니다.

서강대학교 SOGANG UNIVERSITY

모 집 단 위

답 안 지	성 명	응시계열	
인문/인문·자연계열		인문/인문·자연계열	○
		자연	○

① 인적사항 (모집단위, 성명, 수험번호, 생년월일)은 반드시 검은색 필기구(연필 제외)로 정확히 기재하기 바라며, 수정이 불가능합니다.
② 답안 작성은 검은색 필기구(연필 포함)를 사용하기 바랍니다(수정테이프 및 지우개 사용가능).
※ 검은색 이외의 필기구 절대 사용 불가
③ 성명에 반드시 감독관의 날인을 받아야 합니다.
④ 반드시 답안 영역 안에 작성하시기 바랍니다.

수 험 번 호									
N	A	A							
			⓪	⓪	⓪	⓪	⓪	⓪	⓪
			①	①	①	①	①	①	①
			②	②	②	②	②	②	②
			③	③	③	③	③	③	③
			④	④	④	④	④	④	④
			⑤	⑤	⑤	⑤	⑤	⑤	⑤
			⑥	⑥	⑥	⑥	⑥	⑥	⑥
			⑦	⑦	⑦	⑦	⑦	⑦	⑦
			⑧	⑧	⑧	⑧	⑧	⑧	⑧
●	●	●	⑨	⑨	⑨	⑨	⑨	⑨	⑨

생년월일 (예:030418)					
⓪	⓪	⓪	⓪	⓪	⓪
①	①	①	①	①	①
②	②	②	②	②	②
③	③	③	③	③	③
④	④	④	④	④	④
⑤	⑤	⑤	⑤	⑤	⑤
⑥	⑥	⑥	⑥	⑥	⑥
⑦	⑦	⑦	⑦	⑦	⑦
⑧	⑧	⑧	⑧	⑧	⑧
⑨	⑨	⑨	⑨	⑨	⑨

모의 논술 문제(800~1,000자 범위에서 작성하시오)

50

100

150

200

250

300

350

400

450

500

550

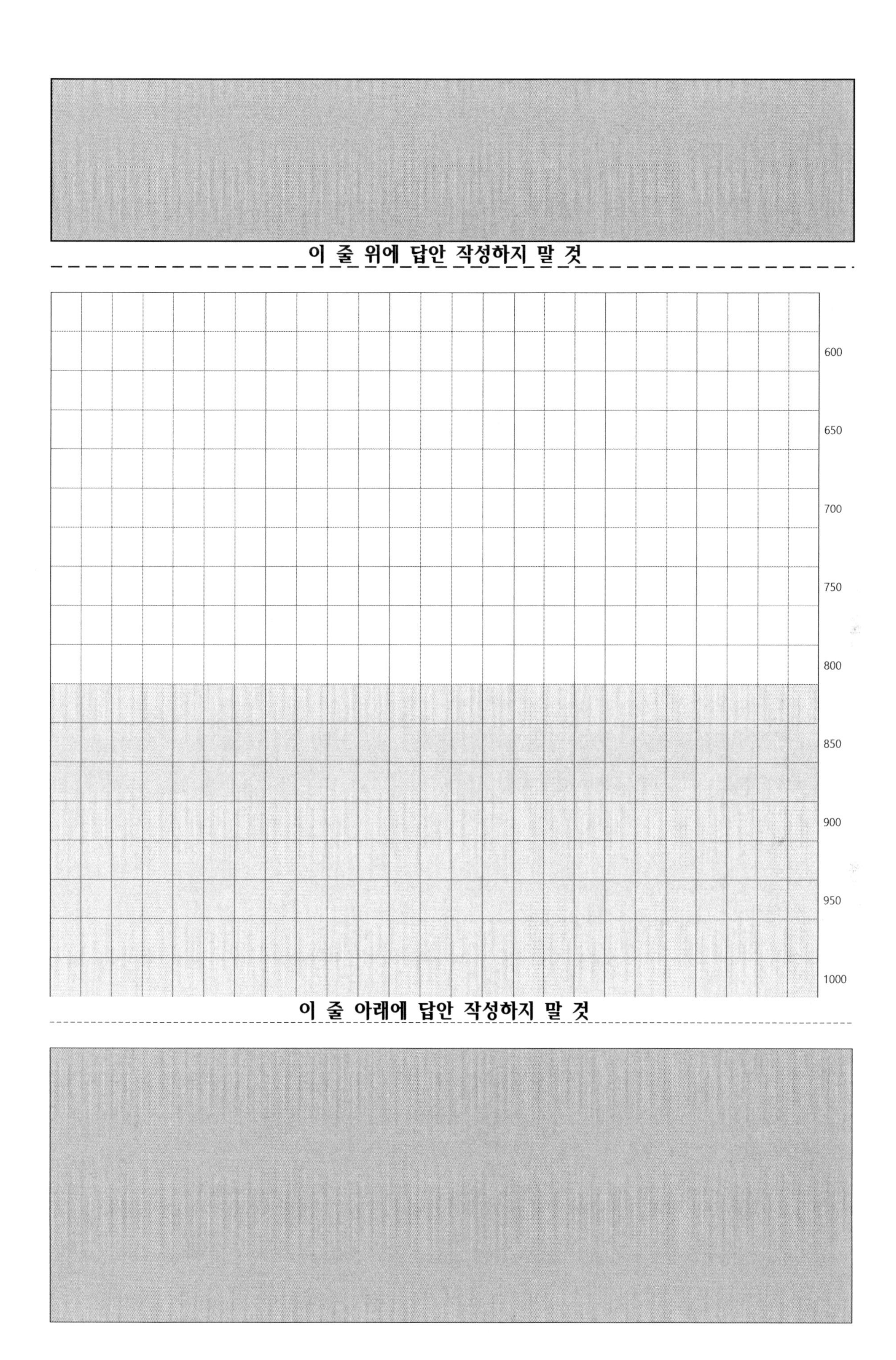
이 줄 위에 답안 작성하지 말 것
600
650
700
750
800
850
900
950
1000
이 줄 아래에 답안 작성하지 말 것

5. 2024학년도 서강대 2차 모의 논술

■ 모의논술 유의사항
1. 시험시간은 50분입니다.
2. 답안분량은 800~1,000자입니다. ※ 서강대 모의 논술은 계열별 1문항만 출제함

[문 제] [가] 현상으로 인해 초래될 수 있는 문제점에 대해 제시문 [나], [다], [라]를 각각 연결하여 설명하고, [가] 현상을 극복해야 하는 당위성을 [마]와 [바]를 바탕으로 서술하시오. (800~1,000자)

[가] 「2015 정보 격차 실태 조사」에 따르면 일반 국민 대비 취약 계층(장애인, 저소득층, 장노년층, 농어민 등)의 스마트 정보화 수준이 59.7%로 나타났다. 스마트 정보화 수준은 유선 PC 및 모바일을 통합하여 정보화 수준을 측정한 지표로, 정보화 기기에 대한 접근 및 역량 수준, 활용 수준을 보여 주며, 각 수치는 일반 국민의 정보화 수준을 100이라고 가정했을 때의 비교 수준이다.

- 『고등학교 사회·문화』 교과서

[나] 제2의 기계 시대에는 그동안 인간만이 할 수 있던 지식 기반 업무도 상당 부분 로봇에 의해 대체된다. 로봇이 복잡한 계산 업무를 대시하는 수준을 넘어서서 사람만의 영역이었던 인지적 판단이나 고도의 지적이고 정신적인 업무마저 넘보기 시작했다. 3차 산업이라고 불리는 서비스업 가운데 부가 가치와 전문성이 높은 영역도 로봇과의 경쟁에 직면했다. 기자, 의사, 약사, 변호사, 회계사, 세무사, 교수 등의 전문 직종도 예외가 아니다. 재교육을 받고 새로운 기기나 기술, 서비스 방법을 익히는 것만으로도 예전에는 충분히 경쟁력을 유지할 수 있었으나 이제는 그렇지 않다. 경쟁 상황과 시장 조건이 근본적으로 달라졌기 때문이다.

- 『고등학교 국어』 교과서

[다] 빌 게이츠는 『컴퓨터 노트』라는 잡지에 '컴퓨터 애호가들에게 보내는 편지'를 실었다.

"우리 회사의 베이식 프로그램을 사용한다고 말하는 수백 명의 사람에게 받은 회신은 모두 긍정적인 것이었습니다. 그런데 두 가지 놀라운 사실이 드러났습니다. 첫째는 대부분의 베이식 사용자들이 돈을 주고 베이식을 구매하지 않았다는 것입니다. 그리고 두 번째, 프로그램을 판매하여 받은 사용료의 총액을 베이식 제작에 들어간 시간으로 나누어 계산해 보았더니, 시간당 2달러도 안 되는 임금으로 일한 결과가 나왔습니다. 왜 이런 일이 벌어졌을까요? 여러분 중 대다수가 소프트웨어를 훔쳤기 때문입니다. 여러분들이 하는 짓은 좋은 소프트웨어의 발전을 가로막는 일입니다. 아무런 대가 없이, 꼬박 한 해 동안 프로그램을 작성하고 버그를 찾아내면서 자신의 프로그램을 무료로 배포할 사람이 누가 있겠습니까?"

- 『고등학교 통합사회』 교과서

[라] 사회 자본이란 사람들 사이에 협력을 가능하게 하는 공유된 제도, 규범, 관계망, 신뢰 등과 같은 무형의 자본을 뜻한다. 지금까지 경제학은 물적 자본과 인적

자본을 중심으로 대부분의 논의를 전개해 왔다. 그런데 1990년대 후반에 이르러 사회 자본이 사회적 거래 비용을 절감시켜 물적·인적 자원의 생산성을 높인다는 점이 밝혀지면서 경제학에서도 사회 자본에 많은 관심을 두게 되었다. 이른바 사회 자본을 잘 갖춘 나라들의 경제 발전이 더 용이하다는 것이다. ...(중략)... 개인적 차원에서도 사회 자본이 긍정적인 영향, 즉 경제적 이득을 준다는 사실이 많은 연구에서 검증된 것이다. 그래서 사회 자본 연구자들은 누리 소통망(SNS) 활동에도 관심을 두게 되었다. 누리 소통망은 이용자가 기존에 아는 사람이든 모르는 사람이든 서로 친구를 맺고 정보를 나누며 친교를 도모하는 장을 제공한다. 인터넷에서라도 친구를 맺는다는 것은 인적 관계망 활동에 해당한다. 따라서 누리 소통망 활동이 이용자의 인적 관계망 활동을 향상시켜 사회 자본을 늘리는 데 긍정적인 영향을 준다면, 사람들의 누리 소통망 활동은 경제적으로 유의미한 결과를 추구하는 활동으로 볼 수 있게 된다.

- 『고등학교 독서』 교과서

[마] 아리스토텔레스에 따르면, 정의란 사람들이 옳은 일을 하도록 하고, 옳게 행동하게 하며, 옳은 것을 원하게 하는 성품이다. 정의롭지 못한 여러 가지 모습을 살펴보면 정의의 의미를 쉽게 알 수 있다. 법을 지키지 않거나, 욕심이 많고, 불공정한 사람은 모두 정의롭지 못하다. 공동체를 행복하게 만드는 조건들이 많아지게 하는 행위는 정의롭다. 정의는 우리 이웃과의 관계에서 완전한 덕이며, 모든 덕 가운데 가장 크다. 정의의 영역에는 모든 덕이 다 들어 있다. 정의의 덕이 완전한 까닭은 그 덕을 가진 사람이 자신뿐만 아니라 자기의 이웃을 위해서도 그것을 쓸 수 있기 때문이다.

- 『고등학교 생활과 윤리』 교과서

[바] 다윈은 다양한 핀치의 부리 모양과 먹이의 관계를 관찰한 결과, 13종의 핀치는 원래 하나의 종이었으나 오랜 세월 저마다 처한 환경에서 가장 능률적으로 구할 수 있는 먹잇감을 찾는 동안 다양하게 변화해 왔을 것이라고 생각했다. 여기서 흥미로운 것은 시간의 흐름에 따라 핀치들이 하나의 우수한 종으로 통합되는 쪽이 아니라, 여러 개의 다양한 종으로 쪼개졌다는 것이다. ...(중략)... 다양한 생물 종이 아무리 제각각 다양한 자원을 나누며 살아간다고 해도, 생물의 가짓수에 비해 자원의 가짓수는 적을 수밖에 없다. 따라서 같은 자원을 놓고 여러 생물 종이 경쟁해야 하는 일은 피할 수 없다. 그러나 이런 상황에서도 서로 다른 종을 없애고 모든 자원을 차지하기 위해 욕심을 부리지는 않는다. 아니, 실제로 많은 생물 종은 서로를 내쫓기 위해 싸움을 벌이기보다는 서로 공존하는 방식을 찾고는 한다. 이러한 다양한 예를 들며 실제로 경쟁보다는 공생이 진화의 원동력이라고 주장하는 학자도 많다.

- 『고등학교 독서』 교과서

수시 논술전형 답안지

● 본 답안지는 연습용입니다. 실제 시험 답안지와는 다릅니다.

서강대학교
SOGANG UNIVERSITY

모집단위

답안지	성명	응시계열	
인문/인문·자연계열		인문/인문·자연계열	○
		자연	○

① 인적사항 (모집단위, 성명, 수험번호, 생년월일)은 반드시 검은색 필기구(연필 제외)로 정확히 기재하기 바라며, 수정이 불가능합니다.
② 답안 작성은 검은색 필기구(연필 포함)를 사용하기 바랍니다(수정테이프 및 지우개 사용가능).
※ 검은색 이외의 필기구 절대 사용 불가
③ 성명에 반드시 감독관의 날인을 받아야 합니다.
④ 반드시 답안 영역 안에 작성하시기 바랍니다.

수험번호									
N	A	A							

생년월일 (예:030418)

모의 논술 문제(800~1,000자 범위에서 작성하시오)

50
100
150
200
250
300
350
400
450
500
550

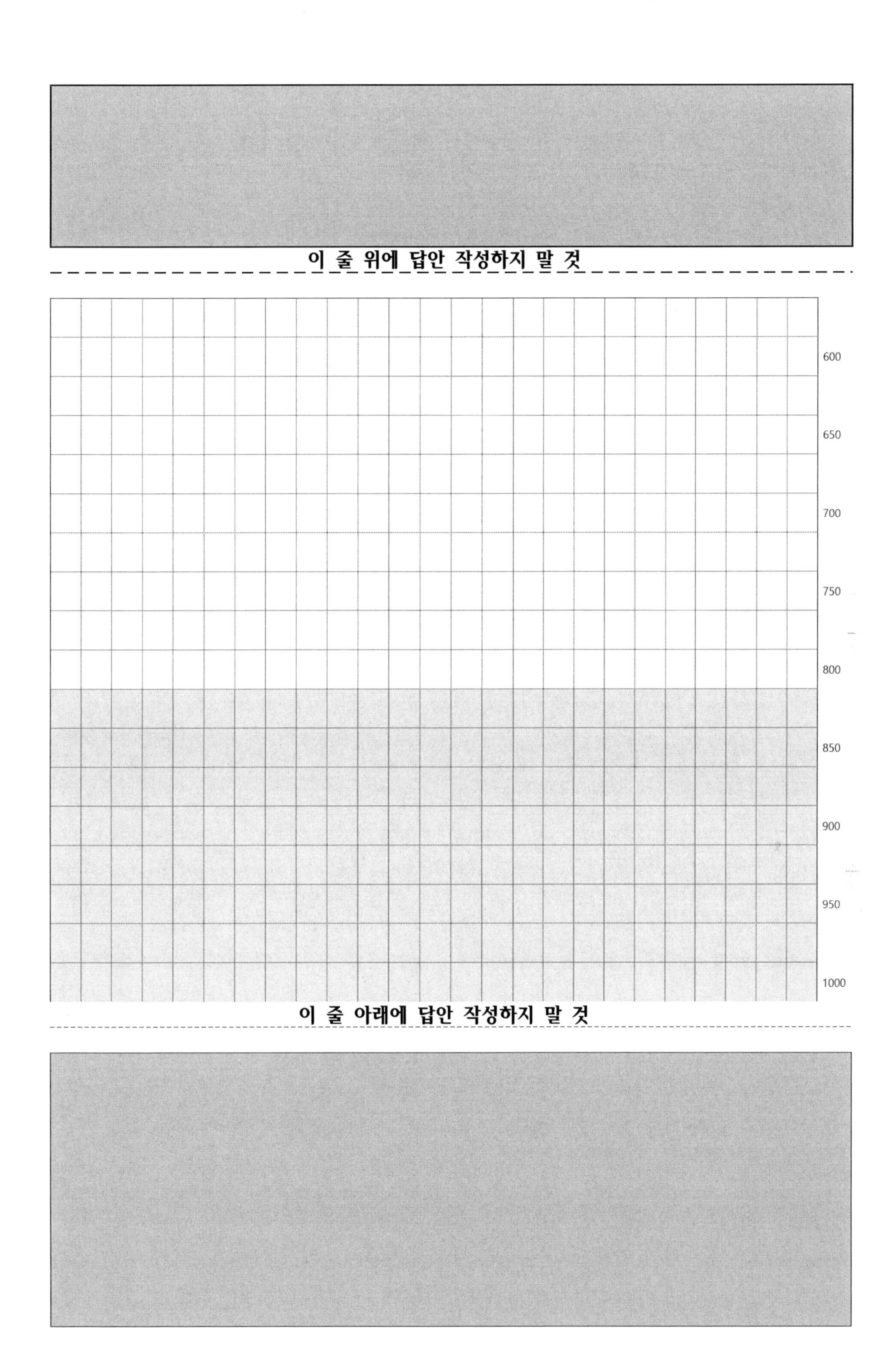
이 줄 위에 답안 작성하지 말 것
600
650
700
750
800
850
900
950
1000
이 줄 아래에 답안 작성하지 말 것

6. 2023학년도 서강대 경제경영 수시 논술

[문제 1] 제시문 [가]의 입장을 뒷받침하는 논리를 [나]에서 도출하고, 이를 바탕으로 [다]의 두 가지 관점에서 각각 [라]의 사례를 설명하시오. (800~1,000자)

[가] 개발과 보존의 딜레마, 즉 자연 개발과 자연 보존 중 어느 것이 우선인가에 대한 논의는 환경 문제에 관한 쟁점 중 하나이다. 두 입장 중 어느 한쪽을 선택하기는 쉽지 않지만, 이러한 딜레마를 해결하기 위해서는 생태 지속 가능성을 고려해야 한다. 이러한 인식을 바탕으로 제시된 개념이 '환경적으로 건전하고 지속 가능한 발전'이다. 이것은 생태 지속 가능성의 범위에서 환경 개발을 추구함으로써 인간과 자연이 공존하며, 개발과 보존을 양자택일이 아니라 균형의 관점에서 바라보자는 것이다. 오늘날 환경 문제는 인간의 무분별한 행위에 의해 발생한 것이며, 인류의 생존을 위협하고 있다. 따라서 우리는 생태계와 미래 세대에 대한 책임 의식을 갖고 생태 지속 가능한 발전을 통해 기후 변화 등 환경 문제에 적극적으로 대처해야 한다.

- 고등학교 생활과 윤리 교과서 재구성

[나] 모든 사람의 삶은 경제 생활의 연속으로 이루어진다. 우리는 경제 활동을 하면서 자원의 희소성 때문에 선택의 상황에 직면한다. 희소성이란 사람의 욕구는 무한한 데 비해서 욕구를 채워줄 재화나 서비스를 원하는 만큼 생산하기에는 자원이 부족한 상태를 말한다. 희소성은 항상 일정한 것이 아니라 지역이나 시기에 따라 달라지는 특성이 있다. 과거에는 깨끗한 물이 희소하지 않아 누구든지 대가를 지불하지 않고도 얻을 수 있는 재화인 무상재였지만, 이제는 희소해서 대가를 지불해야 얻을 수 있는 재화인 경제재가 되었다. 또한 사막에서는 무상재인 모래가 우리나라에서는 돈을 주고 사야 하는 경제재이다. 한편, 사람들은 대부분 맛있는 음식, 멋진 옷, 아름다운 집을 갖고 싶어 한다. 물질에 대한 욕망은 끝이 없을 정도로 크다. 사회가 가진 자원은 한정되어 있으므로 사람들은 선택을 할 때 일정한 욕구의 충족을 위해 자신이 가진 자원 중에서 가장 비용이 적게 드는 수단을 선택하거나, 일정한 수단을 사용하여 최대한으로 욕구를 충족하려고 한다. 이를 경제 원칙 혹은 효율성이라고 하며, 이러한 경제 원칙에 따른 의사 결정을 합리적 선택이라고 한다. 원하는 재화와 서비스 생산에 자원을 사용하면 그만큼 다른 재화와 서비스를 생산하기 어렵다. (…) 현실적으로 모든 사람이 합리적인 것은 아니지만, 경제학에서는 사람들이 효율성을 추구하기 때문에 의사 결정을 할 때는 항상 합리적인 선택을 하려 한다고 가정한다. 개인뿐 아니라 정부도 재화와 서비스의 종류, 수량, 생산 방법, 그리고 생산된 재화와 서비스를 그 사회의 구성원에게 배분할 때 어떻게 하면 좋을지에 관한 합리적 선택을 추구한다.

- 고등학교 경제 교과서 재구성

[다] '환경'은 말 그대로 주변을 뜻하며 중심이 필요하다. 여기서 주변이란 자연을 말하고 중심에는 인간이 자리 잡고 있다. 따라서 우리가 말하는 환경 보호란 결

국 인간의 이익을 위해 자연을 보호해야 한다는 결론에 도달하게 된다. 과거의 경제학은 환경과 경제를 별개의 것으로 취급하였다. 환경 시스템이 제공하는 토지와 천연자원은 별도로 경제 시스템에 투입되는 생산요소로만 보아왔다. 그러나 맑은 공기, 물 등이 아무런 경제적 비용 없이 관리될 수 없다는 사실을 깨달았을 때 이미 이러한 것들은 무상으로 얻을 수 있는 재화가 아닌 경제재가 된 것이다. (…) 환경경제학은 삶을 영위하고자 하는 인간이라는 주체의 행위를 연구하는 동시에 인간의 욕망을 충족시켜 주기 위해서 제한된 자원인 환경을 효율적으로 소비, 관리, 분배하는 개인 및 사회적 행위에 관한 연구라고 볼 수 있을 것이다. 한편, '생태'의 개념에서는 중심이란 존재할 수 없다. 세상의 모든 종들이 각자 동등한 위치에 존재하게 된다. 생태계에서 인간은 하나의 종에 불과하다. 생태 사상에서 자연은 더 이상 인간의 이익을 위해 존재하는 것이 아니라 자연 자체에 고유한 가치를 가지고 있다. 그래서 인간은 자연을 훼손할 자격이 없게 된다. 생태학은 살아 있는 유기체와 유기체 사이의 관계, 유기체와 이를 둘러싸고 있는 무기체 사이의 관계를 연구하는 학문이다. 구성요소의 개체 수 혹은 생물량 균형과 구성요소의 다양성을 통한 안정을 연구하는 생태학과, 수요와 공급 간의 균형과 가격을 통한 안정을 연구하는 경제학은 유사한 듯하면서도 매우 다르다. 경제학은 인간 중심적 혹은 기술 중심적으로 사고하지만 생태학은 인간도 다른 생물체와 마찬가지로 생태계를 구성하는 한 요소에 불과하다는 생태 중심주의를 취한다. 생태경제학은 생태학에 기반을 두고 생태계의 일부로서 경제학을 생각하는 학문분야이다.

- 박환재, 새 환경경제학 재구성

[라] 우리나라에서는 대규모 간척 사업을 통해 갯벌이 농경지나 공장 부지, 주거 단지 등으로 바뀐 곳이 많다. 그런데 최근 간척 사업을 통해 육지로 만든 땅을 간척 이전의 상태로 돌려놓는 '역간척' 사업에 관한 논의가 활발하다. 충청남도가 역간척 사업을 시행하는 이유는 수천억 원을 들여 갯벌을 없애고 간척지를 조성했지만 환경오염만 심각해졌고, 갯벌이 생태계의 보고로서 그 경제적 가치가 훨씬 더 크리라 판단했기 때문이다. 충청남도는 역간척 사업을 통해 바닷물의 순환을 유도하고 갯벌을 복원하여 다양한 생물이 서식하는 생태계를 만들고, 생태 체험 공간을 조성할 계획이다.

- 고등학교 통합사회 교과서 재구성

[문제 2] 제시문 [가]의 A국이 취한 정책의 이론적 배경을 [나]를 통해 간략히 설명하고, [다]와 [라]를 참고해 A국의 사회 문제가 발생한 원인을 분석하시오. 이러한 사회 문제를 해결할 방안을 [마], [바]의 입장을 반영하여 각각 추론하시오. (800~1,000자)

[가] A국은 1990년대 초 "쌀은 수입해서 먹으면 된다." 라며 농업 투자를 절반으로 줄이고, 본격적인 산업화를 추진하였다. 그 결과 A국은 2000년대에 들어 세계 최대의 쌀 수입국이 되었다. 이후 국제 곡물 가격이 폭등하여 국내 쌀 가격이 2배나 올랐다. 그러자 어떤 사람들은 쌀을 구하려고 배급소 앞에서 오랫동안 기다리거나, 쌀 부족 현상에 항의하는 시위를 멈추지 않았다.

- 고등학교 통합사회 교과서 재구성

[나] '산중 놈은 도끼질, 야지 놈은 괭이질' 이라는 속담이 있다. 산에 사는 사람은 어려서부터 나무 베는 일을 많이 할 것이고, 들에 사는 사람은 어려서부터 밭을 가는 일을 많이 할 것이다. 시간이 흐를수록 숙련도와 기술에 차이가 나타나면서 산에 사는 사람은 들에 사는 사람보다 땔감을 더 적은 비용으로 생산하게 되고, 들에 사는 사람은 산에 사는 사람보다 곡식과 채소를 더 적은 비용으로 생산하게 된다.

- 고등학교 경제 교과서

[다] 1920년대 중국의 내전 중에 병사들을 이끌고 적진을 향해 가던 한 장수가 큰 강을 만나게 되었다. 장수는 참모에게 강의 평균 수심이 얼마냐고 물었다. 참모는 평균 수심이 1.4미터라고 대답했다. 답변을 들은 장수는 평균 수심이 1.4미터이고 병사들의 평균 키가 1.65미터이므로 걸어서 행군이 가능하다고 판단하고 진격을 명했다. 그런데 이 강은 강 가운데를 비롯해 여러 곳의 수심이 병사들의 평균 키보다 깊었다. 이로 인해 물에 빠져 죽는 병사들이 생겨났으며, 특히 평균 키보다 작은 키의 병사들의 희생이 컸다.

- 고등학교 독서 교과서

[라] 인간은 본성상 고통과 쾌락이라는 두 가지 주인의 지배를 받고 있다. 한편으로는 옳음과 그름의 기준과 다른 한편으로는 원인과 결과의 사슬이 이 두 주인의 지배를 받고 있는 것이다. 인간의 모든 판단과 행위는 고통을 피하고 쾌락을 추구하려는 경향에 따라 좌우된다. (…) 공동체의 이익이란 도덕 용어에서 나올 수 있는 가장 일반적인 표현에 속한다. 공동체란 그 구성원으로 간주되는 개인들의 집합에 불과한 가공일 뿐이다. 그렇다면 공동체의 이익이란 무엇인가? 공동체 구성원들의 이익의 총합일 뿐이다.

- 고등학교 윤리와 사상 교과서 재구성

[마] '배리어 프리(barrier free)' 란 고령자나 장애인들의 물리적·제도적 장벽을 허물자는 운동을 말해요. 1970년대 초반부터 여러 선진국을 중심으로 휠체어를 탄 고령자나 장애인들도 일반인과 다름없이 편하게 살 수 있도록 주택이나 공공시설을 지을 때 문턱을 없애자는 운동으로 시작되었어요. 경남 진주시는 2015년에 '무장애 도시' 관련 조례를 제정하여 도시 내 시설의 장애물을 제거하고 있어요. 횡단

보도에 배리어 프리 디자인을 도입했고 사람들이 많이 이용하는 시설에 '문턱 없애기' 운동을 추진하고 있어요.

- 고등학교 통합사회 교과서 재구성

[바] 정부가 몇 개의 낡은 병에 지폐를 채워 폐광에 적당한 깊이로 묻고 탄갱을 지면까지 쓰레기로 채운 후, 개인 기업으로 하여금 그 지폐를 다시 파내게 한다면, 실업은 사라질 것이다. 또한 그 파급 효과로 한 사회의 실질 소득과 그 자본의 부도 크게 늘어날 것이다.

- 고등학교 윤리와 사상 교과서

수시 논술전형 답안지

❶ 본 답안지는 연습용입니다. 실제 시험 답안지와는 다릅니다.

서강대학교
SOGANG UNIVERSITY

모집단위

답안지	성명	응시계열	
인문/인문·자연계열		인문/인문·자연계열	○
		자연	○

수험번호									생년월일 (예:030418)					
N	A	A												

① 인적사항 (모집단위, 성명, 수험번호, 생년월일)은 반드시 검은색 필기구(연필 제외)로 정확히 기재하기 바라며, 수정이 불가능합니다.
② 답안 작성은 검은색 필기구(연필 포함)를 사용하기 바랍니다(수정테이프 및 지우개 사용가능).
※ 검은색 이외의 필기구 절대 사용 불가
③ 성명에 반드시 감독관의 날인을 받아야 합니다.
④ 반드시 답안 영역 안에 작성하시기 바랍니다.

문제 1번 (800~1,000자 범위에서 작성하시오)

50
100
150
200
250
300
350
400
450
500
550

이 줄 위에 답안 작성하지 말 것

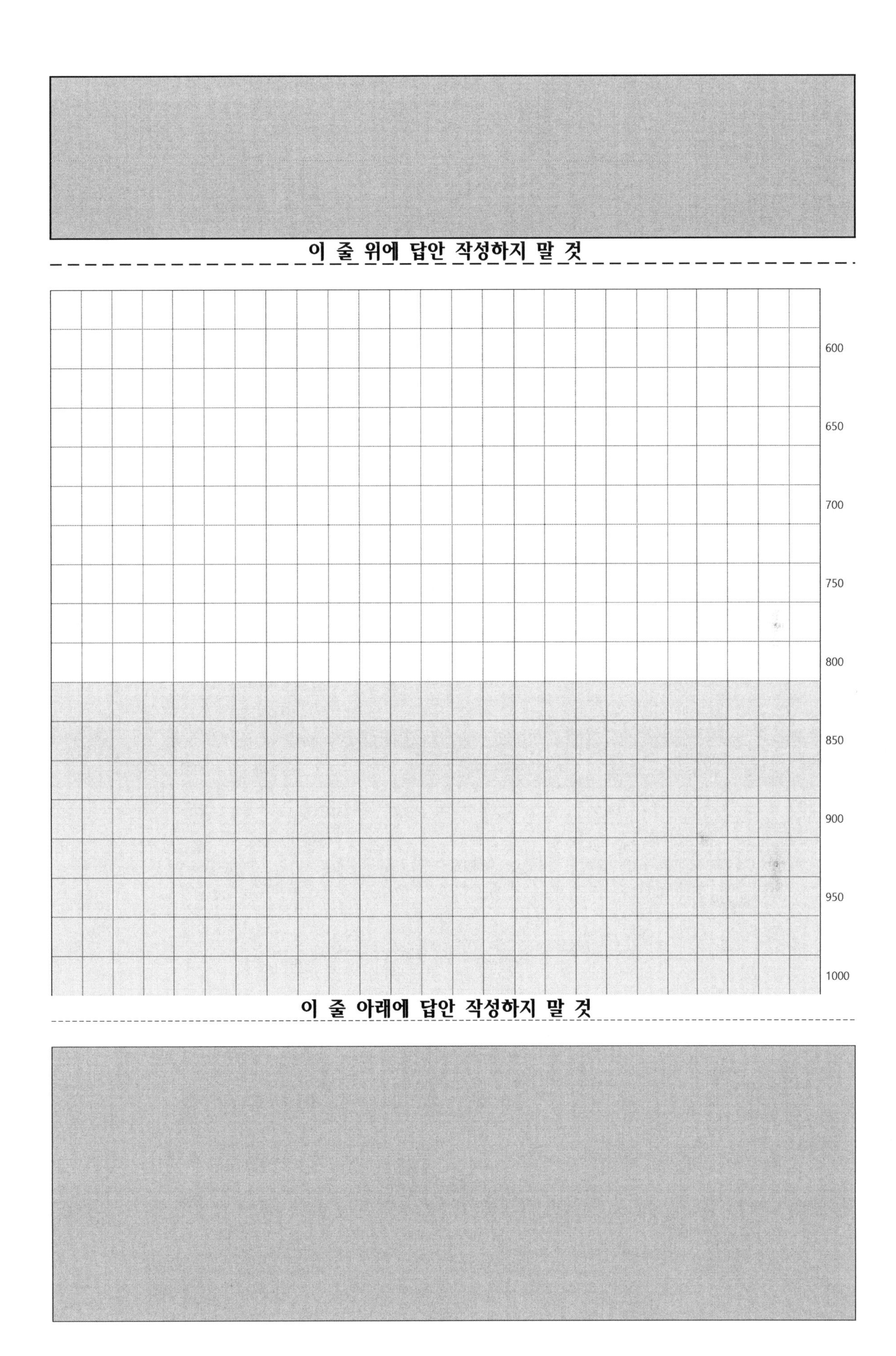

이 줄 아래에 답안 작성하지 말 것

문제 2번 (800~1,000자 범위에서 작성하시오)

50
100
150
200
250
300
350
400
450
500
550
600
650
700
750

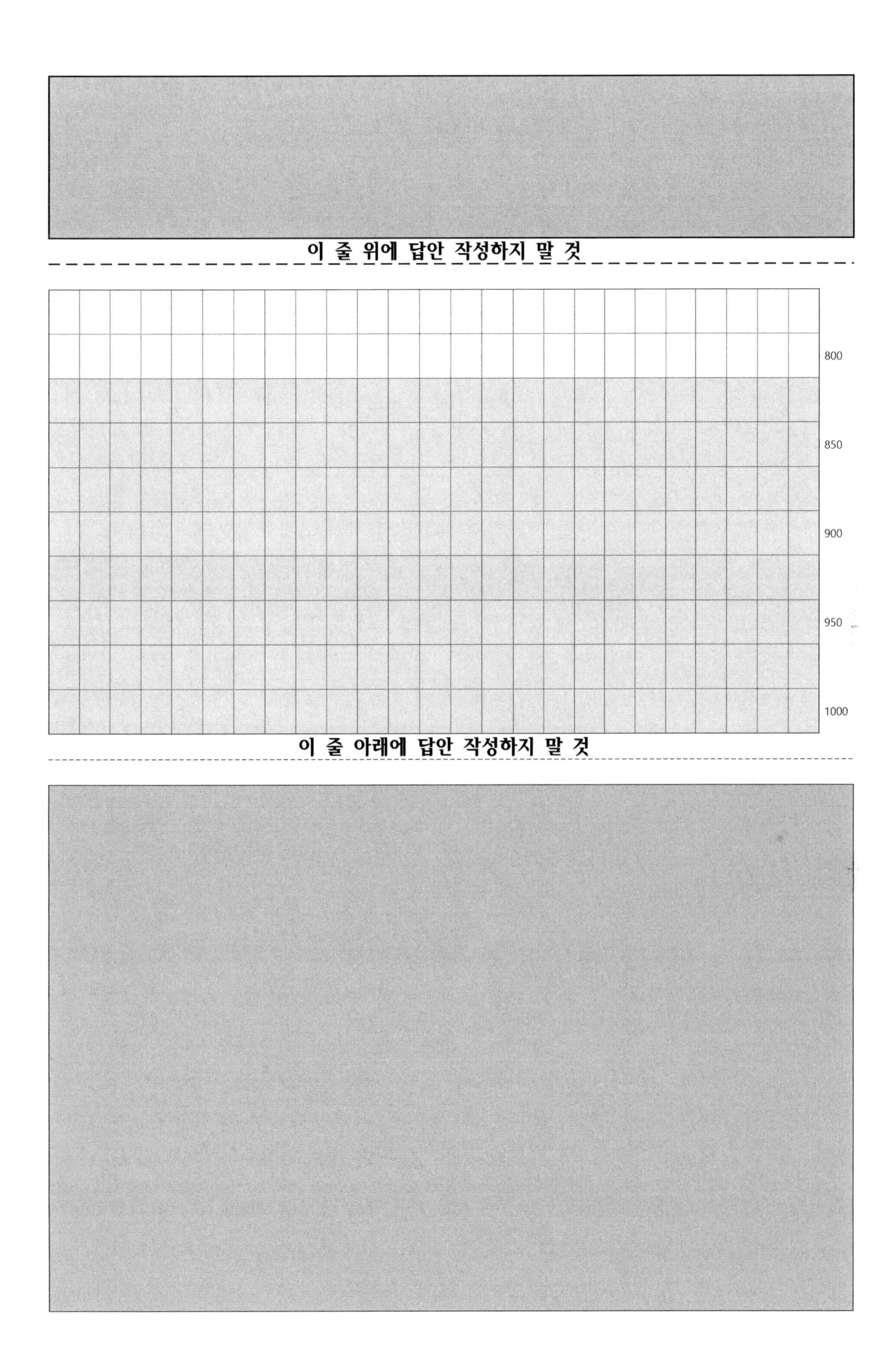
이 줄 위에 답안 작성하지 말 것
800
850
900
950
1000
이 줄 아래에 답안 작성하지 말 것

7. 2023학년도 서강대 인문사회 수시 논술

[문제 1] 제시문 [가], [나]를 참고하여 [다]를 요약하고, 제시문들의 함축된 의미에 기초해 [가]와 [나], [나]와 [다], [다]와 [가]에 대해 각각 두 제시문 간의 유사점과 차이점을 설명하시오. (단, 유사점은 나머지 한 제시문과 대비해 서술할 것) (800~1,000자)

[가] 기능론에서는 사회적 희소 자원의 분배 기준에 대해 사회 구성원들이 합의한 것으로 전제하고, 사회 불평등 현상을 개인의 능력과 노력, 사회에 기여하는 정도에 따라 사회 자원이 합리적으로 분배된 결과라고 본다. 이 관점에서는 사람들이 하는 일은 기능적 중요도가 다르고, 사회적으로 중요한 일을 담당할 수 있는 사람의 수는 제한되어 있으므로 기능적으로 중요한 일을 하는 사람에게 더 많은 보상을 주는 것, 즉 사회적 자원을 차등적으로 분배하는 것이 공정하다고 주장한다. 개인들은 열심히 노력하게 되며, 사회 구성원들은 이를 당연한 것으로 여긴다는 것이다. 따라서 기능론에서는 개인의 능력이나 사회적 기여도에 따른 차등 분배로 인한 불평등이 구성원들의 성취동기를 높이고, 경쟁을 유발함으로써 인재를 적재적소에 배치하게 되므로 사회의 원활한 운영과 발전을 위해 불가피한 것으로 본다.

- 고등학교 사회·문화 교과서 재구성

[나] 갈등론에서는 사회 불평등 현상을 지배 집단이 자신의 기득권을 유지하기 위해 사회적 자원을 불공정하게 분배한 결과라고 본다. 이 관점에서는 사회 구성원들이 담당하고 있는 일의 기능적 중요성을 정확히 판단하기 어려운데, 지배 집단이 자신들의 이익에 부합하는 분배 기준을 만들어 적용하고 있어서 불평등이 나타난다고 본다. 또한 사회적 희소 자원이 개인의 능력이나 노력보다는 권력이나 가정의 사회·경제적 배경과 같은 요인에 의해 차등 분배된다고 주장한다. 사회 불평등은 기득권을 가지고 있는 지배 집단의 권력 및 강제에 의한 것이기 때문에 기존의 불평등한 계층 구조를 재생산하게 된다고 본다. 그러므로 이는 사회 구성원들이 각자의 능력을 최대한 발휘할 수 있는 기회를 제한하고, 나아가 집단 간 대립과 갈등을 유발한다고 강조한다.

- 고등학교 사회·문화 교과서 재구성

[다] 신분은 사실상 인간사회에서 불평등을 인정하는 것이며, 이것은 전통사회에서만 존재하였고 근대 사회에서는 소멸된 개념이라고 할 수 있다. (…) 조선왕조는 새 왕조의 개창 직후부터 노비변정도감(奴婢辨正都監)을 설치하고 여말 이래로 문란해진 신분제도를 정비하였다. 조선의 신분제도는 고려시대의 그것을 계승하면서 신분질서를 정비하여 나갔던 것이다. 따라서 조선시대의 신분은 크게 양인과 천인으로 대별되며 이들은 다시 양반·중인·양민·천민의 4분법적 체제로 세분화되고 있었다. 여기서 각 신분의 권리와 의무는 다르며, 이들은 고정 세습되어 자손에게 전수되고 있었다. 양인 신분 중에서 오랫동안에 걸친 관직·문벌·토지소유·노비소유 등의 경쟁을 통하여 우세한 지위를 차지하는 특권적인 지배신분층이 나타나게 되었다. 이러한 특권적 지배신분층은 그들이 차지한 각종 특권을 유지하고 강화하기 위

하여 국가의 권력을 장악하고 이를 통해 법제적으로 피지배신분을 더욱 속박하게 되었다. 조선사회에서 이와 같은 지배신분층의 지위를 확보한 것은 양반이었다. 성리학으로 무장한 양반 관료들은 절대적인 권위와 지배적인 지위를 차지하였고, 이를 당연한 것으로 생각하고 법률적으로 신분적인 제약을 가하여 그들의 권위를 보장받으려 하였다.

- 국사편찬위원회, 한국사 재구성

양반과 다른 세 계층의 신분 차별이 경국대전 (1460년)에 법적으로 명문화되었고, 노비는 호적이나 재산목록에도 등록되었다. 18세기 실학자들은 신분제를 어떻게 생각했을까. '실학의 시조' 반계 유형원은 신분의 귀하고 천한 차별이 불변의 이치이자 추세라고까지 말한다. "천지에 자연히 귀한 자가 있고 천한 자가 있어, 귀한 자는 남을 부리고, 천한 자는 남에 의해 부림을 당한다. 이것은 불변의 이치이고 역시 불변의 추세이기도 하다."(반계수록) '실학의 집대성자' 다산 정약용은 1731년 노비종모법을 실시한 이래 노비가 감소하자 이를 비판하며 오히려 그 이전의 악습인 일천즉천(부모 중 한 사람이 노비면 그 자식도 노비) 방식으로 돌아갈 것을 주장했다. "신해년(1731년) 이후 출생한 모든 사노(私奴)의 양처(양인 신분의 처) 소생은 모두 어미를 따라 양인이 되게 하니, 이때부터 위는 약해지고 아래가 강해져서 기강이 무너지고 민심이 흩어져 통솔할 수 없게 되었다. (…) 그러므로 노비법을 복구하지 않으면 어지럽게 망하는 것을 구할 수 없을 것이다."(목민심서) 정약용의 '나는 나라의 모든 백성이 통틀어 양반이 될까 걱정한다. 다 귀하면 성공하지 못하고 이롭지 못하다'는 주장은 그런 맥락에서 나온 것으로 보인다.(여유당전서)

- 중앙선데이 , 2018. 4. 7. 재구성

[문제 2] 제시문 [가]에 나타난 사회 문제에 대한 분석을 참조하여 [나]에서 놀부가 고립되는 양상과 원인을 해석하고, 이러한 사회 문제에 대해 우리가 책임감을 느껴야 할 이유를 [다]~[마]를 바탕으로 각각 논술하시오. (800~1,000자)

[가] 홀로 살아가는 청년 '고독생' 문제가 심상치 않다. 은둔까진 아니어도 고립감을 느끼는 청년이 적지 않다. 행정안전부에 따르면 지난달 기준 전체 주민등록 인구 중 1인 가구는 970만 3,699가구로 전체의 41%에 달한다. 지난 7일 국무조정실이 개최한 청년정책 DIY 프로젝트 '청년정책 공작소'엔 100여 명의 청년이 모여 '1인 가구'를 주제로 한 현실적인 어려움을 생생하게 전했다. 이날 발제자로 나선 권○○ 교수는 "외로움으로 세상을 등진 청년들의 숙소에서 취업 관련 서적이 발견되고 있다는 사실에 주목해야 한다."며 "청년을 노동력을 제공하는 자원으로만 볼 것이 아니라 각 개인이 개성을 지닌 인격으로 존중받을 수 있는 사회를 만드는 게 문제 해결의 시작점이 돼야 할 것."이라고 밝혔다.

\- 중앙일보 , 2022. 10. 28. 재구성

[나] 몹시 주저하다 남의 종놈 모양으로 뜰 아래 가 아랫사람이 윗사람에게 절하듯 인사하며, "형님 나 왔소." 인사하니, 다정한 형 같으면 '내 동생 날이 추우니 어서 오르라' 하련마는 박하게 대하는 말투가 주리를 할 놈이었다. 느릿한 목소리를 내어, "어이 왔노?" 흥보 엎드려 빌 때 두 손 합장하고 무릎 꿇고 지성으로 비는 말이, "형님 통촉하옵시오. 형님은 뉘시오며 흥보는 뉘오니까. 골육형제 나 아니오. 천륜지정 생각하여 동생 흥보 살려주오. 길을 두고 뫼로 갈까, 의탁할 길 없는 동생이 아니 불쌍하오. 어제 저녁 그저 있고 오늘 아침 못 먹었소. (…)" 백가지로 빌 적에, 놀보 놈이 앉아 듣더니 두 주먹을 불끈 쥐어, 긴 창 작은 창 잠근 문을 휘어 당겨 탁 펼치며 눈을 딱 부릅뜨고, "이놈 흥보야 말 듣거라. 돈 한 돈이나 주자 한들 옥으로 장식한 장막을 친 방의 가죽나무 궤에 묶음을 지어 넣은 돈을 너 주려고 헐며, 한 되 쌀 주자 한들 큰 마루에 있는 큰 뒤주에 가득가득 담았으니 너를 주자고 창고 문 열며, 한 말 벼 주자 한들 천록방을 향해 높은 곡식 다물다물 쌓였으니 너 주려고 노적 헐며, 찬밥이나 주자 한들 새끼 낳은 암캐 열두 칸 창고 문 앞 마당에 구석구석 누웠으니 너를 주고 개 굶기며, 싸라기나 주자 한들 엉긴 닭이 오십 마리라 너를 이제 주면 병아리를 어이하며, 지게미나 주자 한들 궂은 방 우리 안에 돼지 떼 들었으니 너를 주고 돼지 굶기리. 열없는 놈 어서 가라. (…)"

\- 「흥부전」, 정충권, 흥보전・흥보가・옹고집전

[다] 「모나리자」에서는 신비로운 유려함을 통해 풍경과 인물이 하나가 되고 있는데, 이는 "모든 것은 자신이 아닌 다른 무엇에서부터 비롯된 것이므로, 세상의 어떤 것이든 다른 것으로 바뀔 수 있다."라는 레오 나르도의 확신과 일맥상통하는 것이다.

묘하게도 작품 속의 공간들은 하나로 일치되어 있는 것같이 보이는데, 예를 들면

레오나르도 다빈치,
「모나리자」(1503~1506)

이 작품을 보는 이는 여인이 앉아 있는 의자를 쉽게 알아볼 수가 없다. 레오나르도는 르네상스의 화가들이 좋아했던 단선적 원근법을 버리고 그 자신이 '공기 중의 원근법' 이라고 불렀던 독특한 투시법을 사용했다. 즉, 경계선을 흐릿하게 하고 밝은 색을 사용함으로써 작품 속의 공간이 뒤로 물러나는 듯한 환상이 들게끔 한 것이다.

- 고등학교 독서 교과서

[라] 인간은 사회적 존재이다. 인간이 사회생활에 필요한 언어와 지식 등을 습득하고, 한 사회의 가치와 규범 등을 내면화하면서 사회적 존재로 성장해 가는 과정을 사회화라고 한다. 사회화는 개인에게는 물론 사회적으로도 의미가 있다. 사회화는 개인적 차원에서 언어와 지식, 기술, 행동 양식 등을 습득하고, 자아 정체성과 인성을 형성하게 한다. 한편, 사회적 차원에서는 그 사회의 가치와 규범 등을 학습하여 사회를 지속시키며 한 세대의 문화를 다음 세대로 이어지게 한다.

- 고등학교 사회문화 교과서

[마] 로봇과의 사랑과 우정은 또 다른 커다란 위험의 전조다. 그 위험이란 우리가 사람과의 상호작용보다 로봇과의 상호작용을 선호하게 되리라는 것이다. 수줍음 많은 아이는 축구팀에 들지 않기로, 학교 연극 오디션을 보지 않기로, 생일 파티에 가지 않기로 결정한다. 집에서 로봇과 있는 것이 더 편하기 때문이다. 로봇은 당신의 잘못을 지적하면서 성가시게 굴거나 당신의 견해에 문제를 제기하는 현실 친구

와 다르다. "설계자와 프로그래머는 상업적 요구 때문에 우리 기분이 좋아지게 반응하는 기기를 만든다. 이런 기기는 우리가 스스로를 성찰하거나 고통스러운 진실에 관해 숙고하도록 돕는 일은 하지 않는다." 인간과 로봇 관계 전문가인 예일대 교수 ○○○은 썼다. (…) 우리가 서로에게 필요하지 않는다면 무엇 때문에 서로의 요구나 권리나 욕구를 존중하겠는가? 기계가 보살핌의 영역에서 인간을 대체하고 돌보미의 역할을 자처하는 세계는 포용적 민주주의, 호혜성, 연민, 돌봄과 같은 토대와 근본적으로 양립할 수 없는 세계다.

- 노리나 허츠, 고립의 시대 재구성

수시 논술전형 답안지

❶ 본 답안지는 연습용입니다. 실제 시험 답안지와는 다릅니다.

서강대학교 SOGANG UNIVERSITY

모집단위

답안지	성명	응시계열	
인문/인문-자연계열		인문/인문-자연계열	○
		자연	○

수험번호									
N	A	A							

생년월일 (예:030418)					

① 인적사항 (모집단위, 성명, 수험번호, 생년월일)은 반드시 검은색 필기구(연필 제외)로 정확히 기재하기 바라며, 수정이 불가능합니다.
② 답안 작성은 검은색 필기구(연필 포함)를 사용하기 바랍니다(수정테이프 및 지우개 사용가능).
※ 검은색 이외의 필기구 절대 사용 불가
③ 성명에 반드시 감독관의 날인을 받아야 합니다.
④ 반드시 답안 영역 안에 작성하시기 바랍니다.

문제 1번 (800~1,000자 범위에서 작성하시오)

50
100
150
200
250
300
350
400
450
500
550

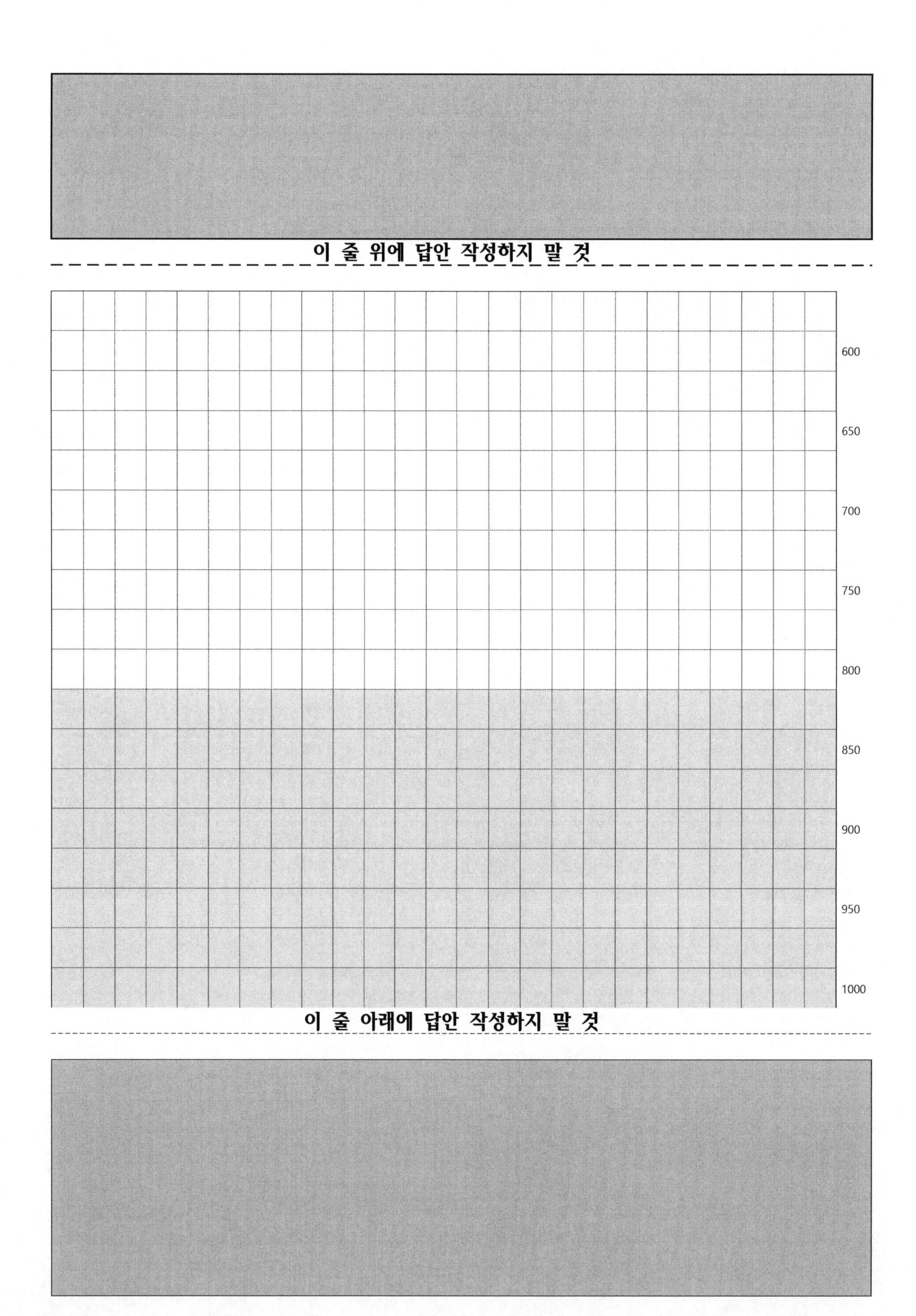
이 줄 위에 답안 작성하지 말 것
600
650
700
750
800
850
900
950
1000
이 줄 아래에 답안 작성하지 말 것

8. 2023학년도 서강대 경제경영 1차 모의 논술

■ 모의논술 유의사항
1. 시험시간은 50분입니다.
2. 답안분량은 800~1,000자입니다. ※ 서강대 모의 논술은 계열별 1문항만 출제함

제시문 [가]에 설명된 개념을 바탕으로 제시문 [나]의 문제를 제시문 [다]의 관점에서 분석하고, 제시문 [라]와 [마]의 관점을 대비하여 해결책을 논술하시오.

[가] 인플레이션(inflation)은 국민 경제 전체의 수요(총수요)가 늘어나거나 국민 경제 전체의 공급(총공급)이 줄어들 때 발생할 수 있다. (중략) 국민 경제 전체의 공급이 감소할 때도 인플레이션이 발생하는데, 이를 비용 인상 인플레이션이라고 한다. 상품을 생산하는 데 필요한 비용인 임금, 임대료, 원자재 가격 등이 상승하면 국민 경제 전체의 공급이 감소하며, 이에 따라 물가가 상승한다. 그 결과 물가 상승과 경기 침체가 함께 발생하기도 하는데, 경기 침체(stagnation)와 물가상승(inflation)을 합하여 스태그플레이션(stagflation)이라고 한다. 국제 유가의 급등 때문에 일어난 석유 파동이 대표적인 예이다.

- 고등학교 『경제』 교과서

[나] 국제유가가 가파르게 치솟으며 우리나라는 물론 세계 경제의 주름살이 깊어지고 있다. 러시아의 우크라이나 침공에 따른 러시아산 원유 수출 금지 가능성이 커지며, 국제유가가 장중 배럴당 130달러를 돌파했기 때문이다. 국제 유가가 배럴당 130달러를 넘어선 것은 2008년 이후 14년 만에 처음이다. 이미 시장에서는 에너지 수급 부족으로 국제유가가 배럴당 200달러까지 급등할 수 있다는 전망까지 나오고 있다. 에너지 공급 차질이 경제 성장을 짓누르고 물가 상승을 부채질하면서 스태그플레이션 위험이 확대되고 있는 것이다.

- 『조선비즈』 2022.03.07. 재구성

[다] 1920년대 중국의 내전 중에 병사들을 이끌고 적진을 향해 가던 한 장수가 큰 강을 만나게 되었다. 장수는 참모에게 강의 평균 수심이 얼마냐고 물었다. 참모는 평균 수심이 1.4 미터라고 답했다. 답변을 들은 장수는 평균 수심이 1.4 미터이고 병사들의 평균 키가 1.65 미터이므로 걸어서 행군이 가능하다고 판단하고 진격을 명했다. 그런데 이 강은 강 가운데를 비롯해 여러 곳의 수심이 병사들의 평균 키보다 깊었다. 이로 인해 물에 빠져 죽는 병사들이 생겨났으며, 특히 평균 키보다 작은 키의 병사들의 희생이 컸다.

- 고등학교 『독서』 교과서

[라] 국제유가 상승 후폭풍으로 물가가 뛰는 오일플레이션(Oil+Inflation)이 전 세계에 몰아치자 각국은 기름값 대책 마련에 머리를 싸매고 있다. 한국 역시 마찬가지다. 역대급 호황을 누리는 정유사에 세금을 더 매기는 이른바 '횡재세'를 도입해야 한다는 목소리가 커지고 있다. 횡재세는 정제마진 증가 등으로 초호황을 누리는 에너지기업을 대상으로 한 핀셋 증세다. 스페인 정부는 에너지 기업에 2023~2024년

2년 간 한시적으로 횡재세를 부과해 70억 유로(9조 1755억원)를 거둬들이겠다고 밝혔다. 스페인 정부는 횡재세로 인한 조세수입 증가분을 수도 마드리드의 공공주택 1만2000호 건설에 사용하고 9~12월에 국영철도 무임승차권 발급하기로 했다. 16세 이상 장학생 대상 월 100유로씩 추가 장학금 지급 등도 검토하고 있다.

- 『한국일보』 2022.06.26. 및 『매일경제』 2022.07.13. 재구성

[마] 자유시장경제의 가장 큰 장점은 국부의 원천인 기업들을 끊임없이 자극하고 경쟁을 유도하는 것이다. 가장 낮은 비용으로 소비자의 수요를 충족시키는 제품과 서비스가 등장하는 비결이다. 정부는 선하고 착한 의도로 시장에 개입한다고 주장한다. 착한 정부는 큰 정부를 자처하기 십상이다. 소기업 등 이른바 경제적 약자를 보호하기 위해 시장에 규제를 가한다. 가난한 사람을 위해 가격을 통제하고 복지정책을 무더기로 내놓는다. 그러나 약자들을 위한다는 정부의 화려한 약속은 좋은 의도와는 달리 우울한 성과만을 낳을 뿐이다. 약자들을 더욱 고통스러운 상황에 직면하게 만들기 때문이다.

- 『화려한 약속, 우울한 성과』 밀턴 프리드먼

수시 논술전형 답안지

❶ 본 답안지는 연습용입니다. 실제 시험 답안지와는 다릅니다.

서강대학교 SOGANG UNIVERSITY

모집단위

답안지	성명	응시계열	
인문/인문-자연계열		인문/인문-자연계열	○
		자연	○

수험번호									
N	A	A							
			⓪	⓪	⓪	⓪	⓪	⓪	⓪
			①	①	①	①	①	①	①
			②	②	②	②	②	②	②
			③	③	③	③	③	③	③
			④	④	④	④	④	④	④
			⑤	⑤	⑤	⑤	⑤	⑤	⑤
			⑥	⑥	⑥	⑥	⑥	⑥	⑥
			⑦	⑦	⑦	⑦	⑦	⑦	⑦
			⑧	⑧	⑧	⑧	⑧	⑧	⑧
●	●	●	⑨	⑨	⑨	⑨	⑨	⑨	⑨

생년월일 (예:030416)					
⓪	⓪	⓪	⓪	⓪	⓪
①	①	①	①	①	①
②	②	②	②	②	②
③	③	③	③	③	③
④	④	④	④	④	④
⑤	⑤	⑤	⑤	⑤	⑤
⑥	⑥	⑥	⑥	⑥	⑥
⑦	⑦	⑦	⑦	⑦	⑦
⑧	⑧	⑧	⑧	⑧	⑧
⑨	⑨	⑨	⑨	⑨	⑨

① 인적사항 (모집단위, 성명, 수험번호, 생년월일)은 반드시 검은색 필기구(연필 제외)로 정확히 기재하기 바라며, 수정이 불가능합니다.
② 답안 작성은 검은색 필기구(연필 포함)를 사용하기 바랍니다(수정테이프 및 지우개 사용가능).
※ 검은색 이외의 필기구 절대 사용 불가
③ 성명에 반드시 감독관의 날인을 받아야 합니다.
④ 반드시 답안 영역 안에 작성하시기 바랍니다.

모의 논술 문제(800~1,000자 범위에서 작성하시오)

50
100
150
200
250
300
350
400
450
500
550

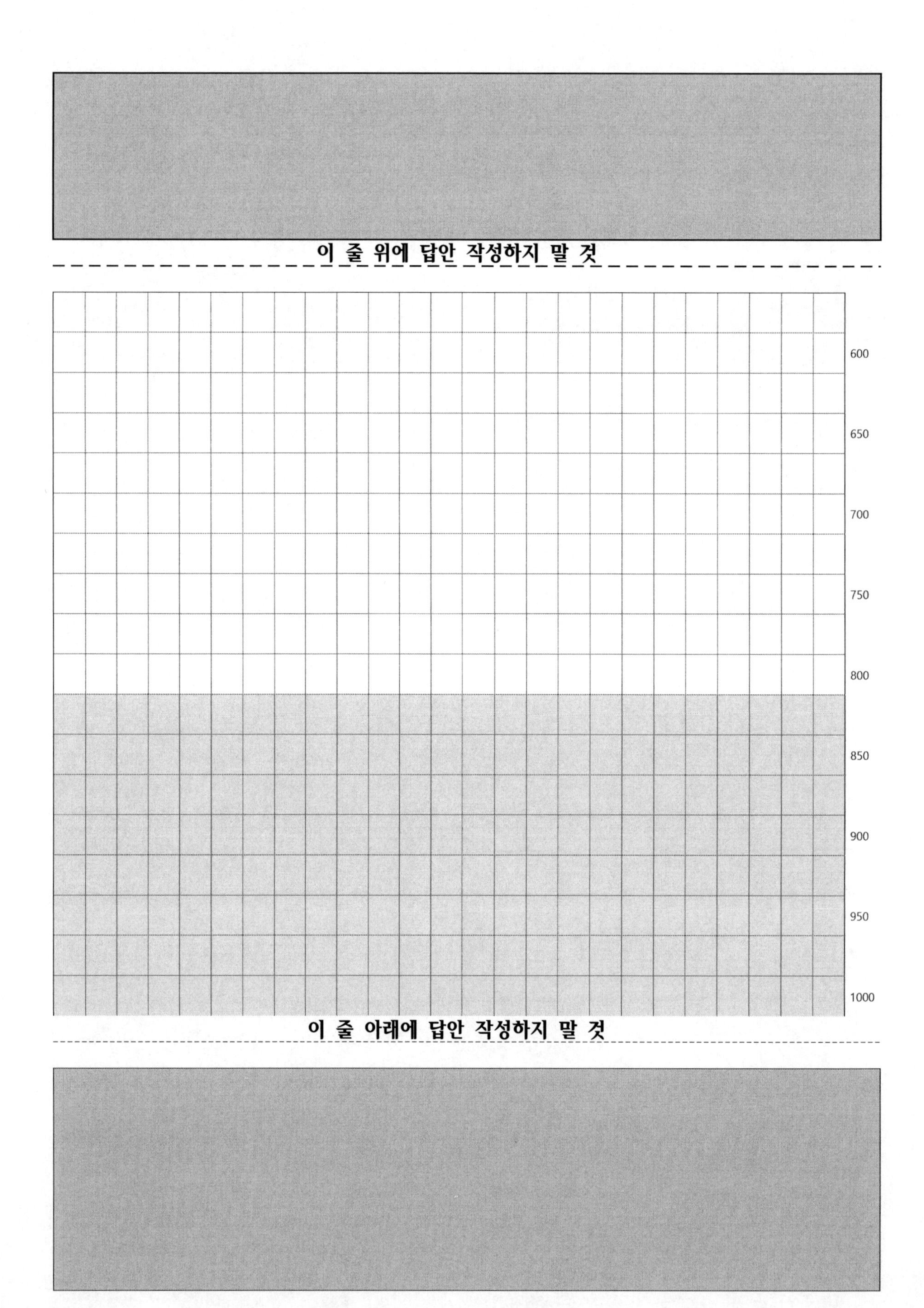
이 줄 위에 답안 작성하지 말 것
600
650
700
750
800
850
900
950
1000
이 줄 아래에 답안 작성하지 말 것

9. 2023학년도 서강대 인문사회 1차 모의 논술

■ 모의논술 유의사항
1. 시험시간은 50분입니다.
2. 답안분량은 800~1,000자입니다 ※ 서강대 모의 논술은 계열별 1문항만 출제함

[가]-[다]의 상황을 [라]-[마]의 관점에서 평가하고, 이를 바탕으로 [바]에 나타난 인물들에 대한 서술자의 태도를 분석하되, 서술자가 추구하는 행복을 실현할 수 있는 방법을 논의하라.

[가] 우리 사회에서 상당수가 이들과 같은 '번아웃 증후군(Burnout Syndrome)'을 겪고 있는 것으로 나타났다. 번아웃은 어떤 일에 몰두하다가 신체적·정신적 스트레스가 계속돼 무기력증이나 불안감, 우울감이 생기는 현상을 뜻한다. 전문가들은 번아웃에서 탈출하기 위해 제주 한 달 살기와 같은 거창한 계획을 세우지 않아도 일상에서 의도적으로 쉼을 찾고 평소 자신이 좋아하는 일의 리스트를 만들며 회복탄력성을 키우라고 강조한다. (중략)

20대는 번아웃을 느끼는 이유로 남들과의 비교(39.8%)와 완벽주의적 성향(35.0%)을 가장 많이 꼽았다. 30대에서는 성공에 대한 압박(35.5%)을 꼽은 이들이 가장 많았다. 전문가들은 한국의 MZ세대가 조기교육과 입시, 취업의 무한 경쟁에 노출되면서 과거에 비해 번아웃을 빨리 겪고 있다고 진단했다. 설문 응답자인 A씨(26)는 "대학 졸업 후 취업에 실패하면서 취업에 성공한 다른 사람들과 나를 비교하게 됐고 늘 무기력한 상태가 됐다"고 했다. 사무직 여성 B씨(32) 역시 "비전이 없는 일을 앞으로도 계속해야 한다는 압박감에 소화불량과 만성피로가 왔다"고 말했다.

- 동아일보 , 2022.7.12.

[나] 소득불평등을 나타내는 대표적인 지표로 지니계수가 있듯이 유사한 산출방식으로 '행복지니계수'도 구할 수 있다. 외국의 여러 행복 실증연구는 행복지니계수가 소득지니계수의 절반 정도라고 보고한다. 이에 비춰보면 2016년 유엔 행복보고서에 나타난 한국의 '행복평등 96위'(총 157개국)는 한국만의 '특이한 현상'임에 틀림없다. 소득의 성장과 분배 구조에 비해 행복총량의 분배 구조가 훨씬 더 나쁜 상태인 것이다. (중략)

한국의 행복불평등은 동아시아 국가 중에서도 가장 높다. 유엔 행복보고서의 '삶의 만족도'를 보면, 개별 응답자들의 만족도가 국민 전체 평균(척도 10점 만점)으로부터 떨어져 있는 정도인 표준편차는 한국(2.16점), 중국(1.99점), 일본(1.88점) 순이다. '자신이 느끼는 행복감'에서의 격차가 우리 사회 내부에 크게 벌어져 있는 것이다.

- 한겨레 , 2016.11.4.

[다] 우리 노동시장에서는 청년들의 체감실업률은 높은 반면 중소기업은 구인난에 시달리는 역설적인 상황이 발생하고 있다. 임금근로자 대부분이 중소기업에 고용되어 있음에도 이들의 임금, 근속기간 등 근로조건이 대기업 근로자에 비해 열악하며

그 격차가 계속 확대되는 상황이다. 따라서 청년들은 구직기간이 길어지더라도 대기업에 들어가길 원하며, 또 중소기업에 취업하더라도 대기업이나 공기업으로 이직하기 위한 발판으로 생각하는 직원들이 많은 실정이다. 즉, 일자리 사다리가 원활하게 작동하지 않고 임금 격차도 큰 노동시장 이중구조로 인해 중소기업, 비정규직, 무(無)노조로 대변되는 2차 노동시장 진입을 기피하고, 대기업, 정규직, 유(有)노조로 대변되는 1차 노동시장에 진입하기 위한 직업 탐색기간이 늘어나고 있다. 노동시장 이중구조란 노동시장이 임금, 일자리 안정성 등 근로조건에서 질적 차이가 있는 두 개의 시장으로 나뉘어 있고, 두 시장 간 이동이 자유롭지 못하다는 것을 의미한다.

- 경기일보 , 2020.2.25.

[라] 사람들 각자가 가진 행복의 기준과는 별개로 사람이 사람답게 살기 위해서는 갖추어져야 할 몇 가지 조건이 있다. 우선, 인간의 기본적인 삶의 문제를 해결할 수 있는 안전하고 위생적인 정주 환경이 갖추어져야 한다. 정주 환경이란 인간이 정착하여 살아가고 있는 지역의 생활 환경을 말한다. 경제적 안정 역시 행복한 삶을 실현하기 위해 필요한 기본적인 조건이다. 경제적으로 궁핍하거나 불안정한 상태에서 인간은 최소한의 생계를 유지하는 데 급급하게 된다.

-고등학교, 통합사회

[마] 행복과 소득의 (이스털린의) 역설은 다음과 같이 말할 수 있다. 한 국가 내에서든 국가들 사이에서든, 특정 시점에서 행복은 소득과 정의 관계를 보이면서 변한다. 그러나 시간이 지나면서 행복의 추세는 소득의 추세와 정의 관계를 보이지 않는다. 우리는 장기적인 경향에서 행복과 소득의 추세는 아무런 관계가 없다는 사실에 주목해야 한다. 단기적으로 보면 행복과 소득은 대체로 함께 증가하거나 감소한다. (중략)

대학 졸업 후 희망 소득에 대한 사고 실험에서는 두 가지 선택지를 제공했다. A는 10만 달러를 벌지만 동기들은 20만 달러를 버는 경우, B는 5만 달러를 벌지만 동기들은 2만 5천 달러를 버는 경우다. 실제로 내가 가르쳤던 학생들 중 약 3분의 2가 B를 선택했다. 다른 사람들이 버는 소득은 이 학생들이 자신의 소득에 얼마나 만족하는가에 결정적인 영향을 주었다. 이들은 절대적인 금액이 더 적더라도 자신의 소득이 다른 사람들보다 훨씬 더 많은 상황을 선호했다. 최근 심리학자 대니얼 카너먼과 에이머스 트버스키는 사람들이 특정한 상황을 평가하는 경우, 그들이 상황을 판단할 때 마음속으로 생각하는 기준인 준거 기준을 대체로 염두에 둔다는 사실을 밝혀냈다. 이러한 준거 기준은 대부분 사회적 비교, 즉 다른 사람들의 상황을 관찰하면서 설정된다.

-이스털린, 지적 행복론 재구성

[바] 비행기를 탈 때 한국 신문을 하나 집어 들었어. 정치 기사는 대충 넘겼고, 경제 칼럼을 정독했지. 그런 거 읽다 보면 영어로 배운 경제 용어나 회계 용어가 한국어로 어떻게 되는지 알 수 있어서 유용하거든. 초저금리 시대를 어떻게 살아야

하나 그런 내용이 나왔더라고. 자산이 있다고 안심하지 말고, 현금흐름을 잘 관리해야 한다는 조언이 있더라. 매달 100만원씩 들어오는 수입이랑 자산 7억원을 같은 거라고 생각해야 한대. (중략)

밥을 먹는 동안 나는 행복도 돈과 같은 게 아닐까 하는 생각을 했어. 행복에도 '자산성 행복'과 '현금흐름성 행복'이 있는 거야. 어떤 행복은 뭔가를 성취하는 데서 오는 거야. 그러면 그걸 성취했다는 기억이 계속 남아서 사람을 오랫동안 조금 행복하게 만들어 줘. 그게 자산성 행복이야. 어떤 사람은 그런 행복 자산의 이자가 되게 높아. 지명이가 그런 애야. '내가 난관을 뚫고 기자가 되었다.'는 기억에서 매일 행복감이 조금씩 흘러나와. 그래서 늦게까지 일하고 몸이 녹초가 되어도 남들보다 잘 버틸 수 있는 거야.

어떤 사람은 정반대지. 이런 사람들은 행복의 금리가 낮아서, 행복 자산에서 이자가 거의 발생하지 않아. 이런 사람은 현금흐름성 행복을 많이 창출해야 돼. 그게 엘리야. 걔는 정말 순간 순간을 살았지.

여기까지 생각하니까 갑자기 많은 수수께끼가 풀리는 듯하더라고. 내가 왜 지명이나 엘리처럼 살 수 없었는지, 내가 왜 한국에서 살면 행복해지기 어렵다고 생각했는지.

나는 지명이도 아니고 엘리도 아니야. 나한테는 자산성 행복도 중요하고, 현금흐름성 행복도 중요해. 그런데 나는 한국에서 나한테 필요한 만큼 현금흐름성 행복을 창출하기가 어려웠어. 나도 본능적으로 알았던 거지. 나는 이 나라 사람들 평균 수준의 행복 현금흐름으로는 살기 어렵다, 매일 한 끼만 먹고 살라는 거나 마찬가지다, 하는 걸.

미연이나 은혜한테 이런 걸 알려 주면 좋을 텐데. 걔들은 방향을 완전히 잘못 잡고 있어. 시어머니나 자기 회사를 아무리 미워하고 욕해 봤자 자산성 행복도, 현금흐름성 행복도 높아지지 않아. 한국 사람들이 대부분 이렇지 않나. 자기 행복을 아끼다 못해 어디 깊은 곳에 꽁꽁 싸 놓지. 그리고 자기 행복이 아닌 남의 불행을 원동력 삼아 하루하루를 버티는 거야. 집 사느라 빚 잔뜩 지고 현금이 없어서 쩔쩔매는 거랑 똑같지 뭐.

어떤 사람들은 일부러라도 남을 불행하게 만들려고 해. 가게에서 진상 떠는 거, 며느리 괴롭히는 거, 부하 직원 못살게 구는 거, 그게 다 이 맥락 아닐까? 아주 사람 취급을 안 해주잖아.

-장강명, 한국이 싫어서

수시 논술전형 답안지

● 본 답안지는 연습용입니다. 실제 시험 답안지와는 다릅니다.

서강대학교 SOGANG UNIVERSITY

모집단위

답안지	성명	응시계열	
인문/인문-자연계열		인문/인문-자연계열	○
		자연	○

수험번호: N A A

생년월일 (예:030418)

① 인적사항 (모집단위, 성명, 수험번호, 생년월일)은 반드시 검은색 필기구(연필 제외)로 정확히 기재하기 바라며, 수정이 불가능합니다.
② 답안 작성은 검은색 필기구(연필 포함)를 사용하기 바랍니다(수정테이프 및 지우개 사용가능).
※ 검은색 이외의 필기구 절대 사용 불가
③ 성명에 반드시 감독관의 날인을 받아야 합니다.
④ 반드시 답안 영역 안에 작성하시기 바랍니다.

모의 논술 문제(800~1,000자 범위에서 작성하시오)

50
100
150
200
250
300
350
400
450
500
550

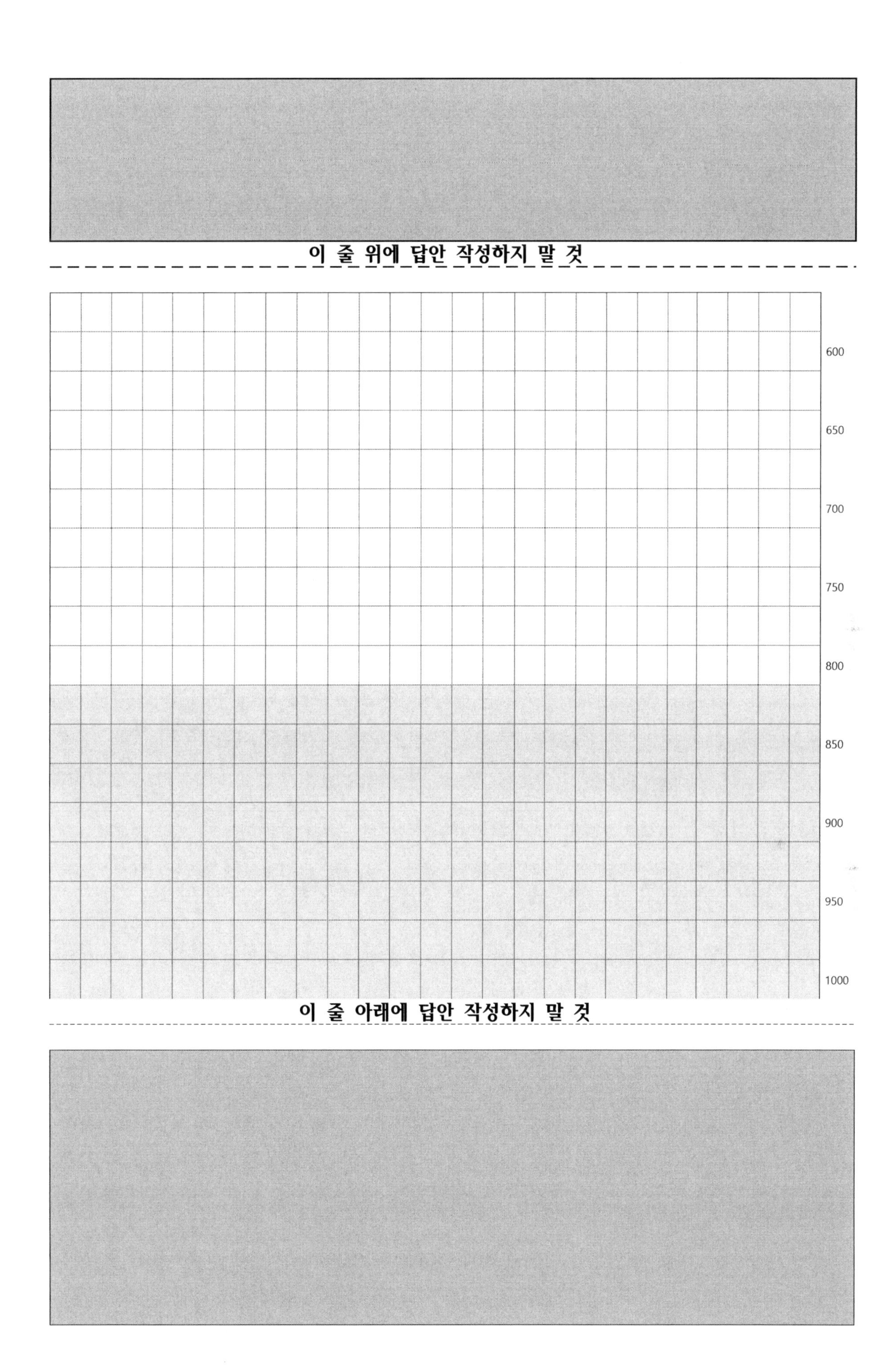
이 줄 위에 답안 작성하지 말 것
600
650
700
750
800
850
900
950
1000
이 줄 아래에 답안 작성하지 말 것

10. 2023학년도 서강대 경제경영 2차 모의 논술

■ 모의논술 유의사항
1. 시험시간은 50분입니다.
2. 답안분량은 800~1,000자입니다 ※ 서강대 모의 논술은 계열별 1문항만 출제함

지문 [가]와 [나]를 이용하여, [마]와 [바]를 설명하고, 지문 [다]와 [라]를 이용하여 [바]에서 언급된 '통큰치킨'에 대해 논하라.

[가] 공급 곡선은 '다른 조건들이 일정할 때' 가격과 공급량의 관계를 나타낸 것이다. 가격이 변화하면 공급량이 변화하는데, 이는 공급 곡선상 점의 이동으로 나타낼 수 있다. 만약 다른 조건들이 변화한다면 가격이 변하지 않아도 공급량이 달라질 수 있으므로 이를 가격의 변화에 따른 공급량의 변화와 구분하여 공급의 변화라고 한다. 이는 가격 이외 요인이 변화함에 따라 각각의 가격에 대응하는 공급량이 변하는 것을 가리킨다. 공급의 변화는 공급 곡선의 이동으로 나타난다. 공급 곡선의 이동이 곧 공급의 변화이다. 공급 곡선을 이동시키는 대표적인 요인에는 생산요소의 가격, 생산 기술, 공급자의 수, 미래에 대한 기대 등이 있다.

- 『고등학교 경제』 교과서

[나] 개인은 소비자로서의 역할에도 충실해야 한다. 우선, 합리적 소비를 실천할 수 있어야 한다. 가격과 품질 등 상품에 대한 정보를 바탕으로 비용보다 편익이 큰 합리적 소비를 해야 하며, 소득 수준에 맞지 않는 무분별한 과소비는 지양해야 한다. 또한, 환경과 건강을 해치는 상품이나 부당한 영업 행위에 대한 감시 등을 통해 소비자 주권을 확립해 나아가야 한다. 이와 더불어 노동자의 인권, 환경 보호 등을 고려하는 윤리적 소비에 대해서도 많은 관심을 기울여야 할 것이다.

- 『고등학교 통합사회』 교과서

[다] 한 사회의 정치·경제와 관련된 문제는 정치적으로 접근하느냐 경제적으로 접근하느냐에 따라 보는 시각이 달라진다. 정치 논리에서는 공평성을 중시하고 경제 논리에서는 효율성을 중시하는데, 두 기준 가운데 어느 것을 더 중요시하느냐에 따라 문제 인식과 해법이 크게 달라진다. 정치 논리는 '누구에게 얼마를' 이라는 식의 자원 배분의 논리로서 주로 분배 측면을 중시한다. 반면에 경제 논리는 효율성 혹은 '최소의 비용으로 최대의 효과' 를 얻고자 하는 경제 원칙에 입각한 자원 배분의 논리이다. 정치인은 정책을 투입의 관점에서 보는 반면, 경제인은 효과의 측면에서 본다. 경제인은 효율성 원칙에 따라 여러 가지 정책을 수립하고 예상되는 정책 효과를 기준으로 하여 그 정책의 우선순위를 정한다. 그러나 정치인의 입장에서 보자면 정책이 미래에 가져올 효과는 정확히 측정하기 어려운 반면, 어느 지역에 어떤 정책을 시행했고 어느 정도의 자원(예산)을 투입했는지는 정확히 파악할 수 있다. 따라서 정치인은 유권자에게 제시하기 쉬운 투입을 기준으로 하여 정책을 결정하는 경향이 있다.

- 『고등학교 독서』 교과서 재구성

[라] 우리는 흔히 옳은 행위에 대한 견해나 확신에서 시작한다. 그러고는 그렇게 확신하는 이유를 생각하며 근거가 되는 원칙을 찾는다. 그다음 그 원칙에 반하는 상황을 맞닥뜨리면 혼란스러워지기 시작한다. 이러한 혼동되는 상황을 생각하고 이를 정리해야 한다는 압박을 느끼는 것이 바로 철학으로 가는 기폭제다. 이러한 긴장에 직면했을 때, 옳은 행위에 대한 판단을 재고하거나 애초에 옹호하던 원칙을 재검토할 수도 있다. 새로운 상황에 직면하면, 자신의 판단과 원칙 사이를 왔다 갔다 하면서, 판단에 비추어 원칙을 재조정하기도 하고, 원칙에 비추어 판단을 재조정하기도 한다. 이처럼 행동의 세계에서 이성의 영역으로, 다시 이성의 영역에서 행동의 세계로 마음을 돌리는 것이 바로 도덕적 사고의 근간을 형성한다.

- 마이클 샌델, 『정의란 무엇인가』

[마] 치킨 가격이 치솟는 이유는 복합적이지만, 크게 공급과 유통으로 나눌 수 있다. 치킨은 가축 전염병 등으로 닭고기 공급량이 줄면 가격이 오를 수 있다. 한국육계협회에 따르면 지난해 도계(도축한 닭) 평균 가격(9·10호)은 ㎏당 3340원이다. 10년 전인 2012년(3564원)보다 되레 6.7% 싸다. 그렇다면 인건비·배달료 등 운영비 부담이다. 올해 국내 최저임금은 9160원으로, 코로나19가 발생한 2020년보다 6.6% 올랐다. 현 정권이 들어선 2017년보단 41% 상승했다. 여기에 배달비 부담이 커졌다. 배달 매출은 배달 중개업체·앱에 중개수수료·배달비를 지불해야 해 매장(포장) 매출보다 이익이 적다. 2만원짜리 치킨을 팔아도 실제 손에 쥐는 것은 1만6000원 수준이다. 그런데 매출에서 배달이 차지하는 비중이 커진 데다 배달비도 오르고 있다.

- The JoongAng 2022년 1월 24일

[바] 고물가 현상이 지속 중인 가운데 소비자들 사이에서 프랜차이즈 치킨 불매운동 조짐이 나타나고 있다. 주요 프랜차이즈가 올해 상반기 잇따라 가격 인상을 선언한 데 이어 최근 배달비 논란까지 재점화됐기 때문이다. 19일 복수의 온라인 커뮤니티와 카페 등에는 '보이콧 프랜차이즈 치킨(Boycott Franchise Chicken)'이라고 적힌 포스터가 공유되고 있다. 지난 2019년 일본 제품 불매운동 당시 포스터를 기반으로 만든 '치킨 불매운동 포스터'다. 포스터를 만든 이는 치킨 사진을 게재하고 하단에 '주문 안 합니다', '먹지 않습니다'라는 문구를 적었다. 또 '통큰치킨을 잃고 12년, 치킨값 3만원 시대, 소비자는 선택할 권리가 있습니다'라는 문구도 덧붙였다. 통큰치킨은 지난 2010년 롯데마트가 5000원에 판매했던 것으로 당시 소비자들 사이에서 가성비의 상징처럼 여겨졌다. 그러나 한국프랜차이즈산업협회의 할인 자제 요청과 치킨 프랜차이즈의 존재를 위협한다는 논란 등이 불거지면서 찾아볼 수 없게 됐다.

- 매일경제 2022년 7월 19일

수시 논술전형 답안지

● 본 답안지는 연습용입니다. 실제 시험 답안지와는 다릅니다.

서강대학교
SOGANG UNIVERSITY

모집단위

수험번호									
N	A	A							
			⓪	⓪	⓪	⓪	⓪	⓪	⓪
			①	①	①	①	①	①	①
			②	②	②	②	②	②	②
			③	③	③	③	③	③	③
			④	④	④	④	④	④	④
			⑤	⑤	⑤	⑤	⑤	⑤	⑤
			⑥	⑥	⑥	⑥	⑥	⑥	⑥
			⑦	⑦	⑦	⑦	⑦	⑦	⑦
			⑧	⑧	⑧	⑧	⑧	⑧	⑧
●	●	●	⑨	⑨	⑨	⑨	⑨	⑨	⑨

생년월일 (예:030418)					
⓪	⓪	⓪	⓪	⓪	⓪
①	①	①	①	①	①
②	②	②	②	②	②
③	③	③	③	③	③
④	④	④	④	④	④
⑤	⑤	⑤	⑤	⑤	⑤
⑥	⑥	⑥	⑥	⑥	⑥
⑦	⑦	⑦	⑦	⑦	⑦
⑧	⑧	⑧	⑧	⑧	⑧
⑨	⑨	⑨	⑨	⑨	⑨

답안지	성명	응시계열	
인문/인문·자연계열		인문/인문·자연계열	○
		자연	○

① 인적사항 (모집단위, 성명, 수험번호, 생년월일)은 반드시 검은색 필기구(연필 제외)로 정확히 기재하기 바라며, 수정이 불가능합니다.
② 답안 작성은 검은색 필기구(연필 포함)를 사용하기 바랍니다(수정테이프 및 지우개 사용가능).
※ 검은색 이외의 필기구 절대 사용 불가
③ 성명에 반드시 감독관의 날인을 받아야 합니다.
④ 반드시 답안 영역 안에 작성하시기 바랍니다.

모의 논술 문제(800~1,000자 범위에서 작성하시오)

50
100
150
200
250
300
350
400
450
500
550

이 줄 위에 답안 작성하지 말 것

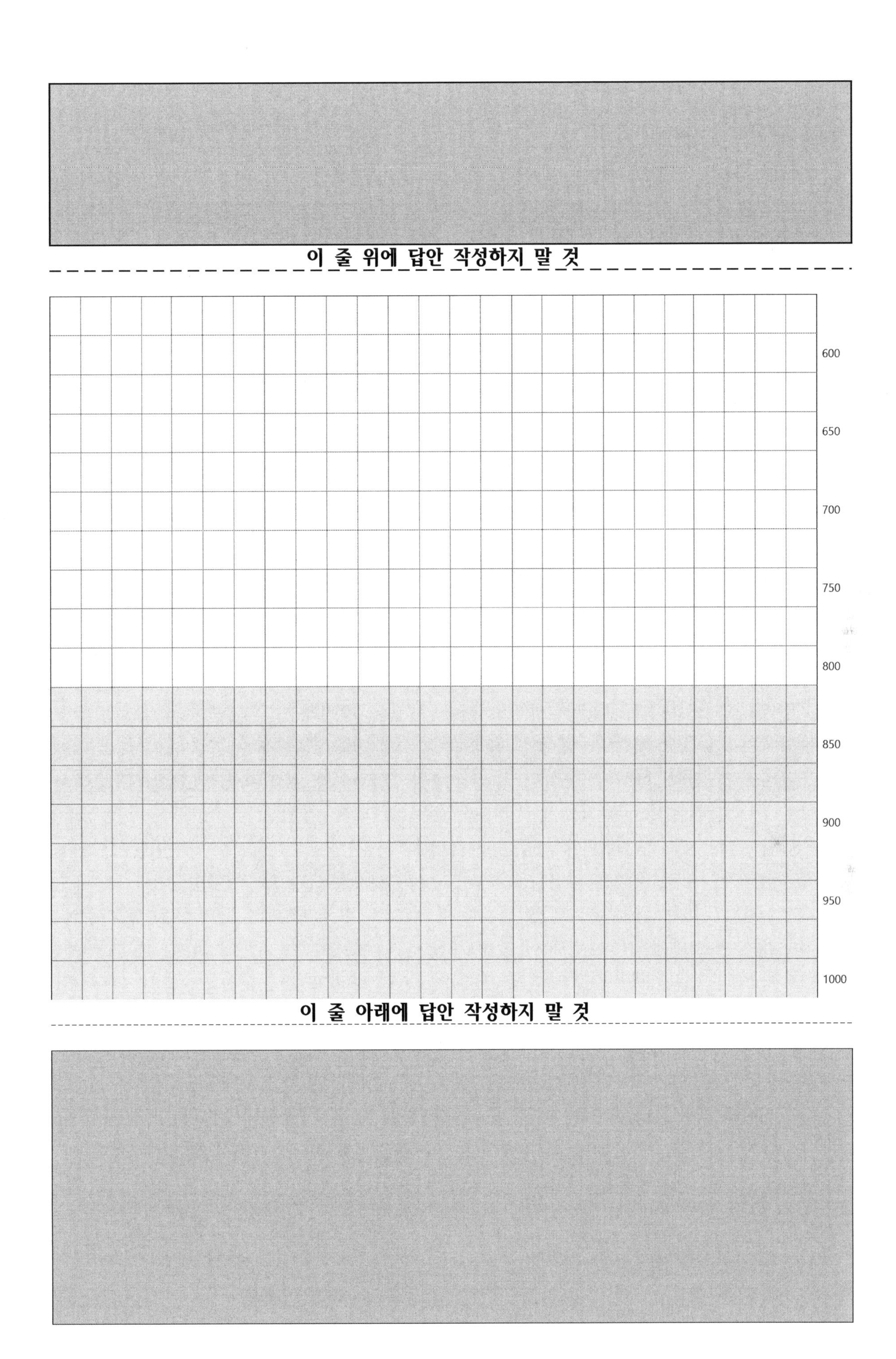

이 줄 아래에 답안 작성하지 말 것

11. 2023학년도 서강대 인문사회 2차 모의 논술

■ 모의논술 유의사항
1. 시험시간은 50분입니다.
2. 답안분량은 800~1,000자입니다 ※ 서강대 모의 논술은 계열별 1문항만 출제함

[가]와 [나]에 나타난 현상을 [다], [라]를 통해 분석하고, 그 해결의 필요성과 방향을 [마], [바], [사]를 통해 논하시오.

[가] 지난 4월 12일 '정치양극화 수준의 국제비교와 시사점'을 주제로 박준 한국행정연구원 국정데이터조사센터 소장이 발표한 자료에 의하면, 대통령이 직무를 잘했다는 긍정평가에서 여당 지지층과 야당 지지층간 격차가 컸다. 김영삼 정부 39%포인트, 김대중 정부 48%포인트였고 노무현 정부 시기엔 62%포인트로 상승했다. 그 후 이명박 정부 64%포인트, 박근혜 정부 75%포인트로 계속 커지다가 문재인 정부에서는 무려 85%포인트에 이르렀다. 정부에 따라 여당 지지층과 야당 지지층간 긍정평가 비율이 가장 크게 차이가 났던 시기를 기준으로 본 수치다. 상황이 이렇다보니 정치양극화가 가장 극심한 나라로 꼽히는 미국보다 심각하다는 분석도 나온다. [중략] 소셜미디어를 통해 더 많은 정보와 소통, 참여가 가능해졌지만 건전한 토론과 숙의 대신 편가르기와 분노에 기반한 극단주의 또한 또아리를 틀기 시작했다는 평가다.

-한겨레, 2022.05.16

[나] 온라인 커뮤니티는 나와 생각이 다른 사람은 배척하는 '외딴섬'으로 전락할 위험이 크다. 전문가들은 생각과 취향이 비슷한 사람끼리 모이는 커뮤니티에서는 극단적인 의견이 형성되기 쉽다고 지적한다. 성신여대 심리학과(임상심리전문) A 교수는 "신념이 유사한 사람들끼리 어울릴수록 해당 가치관이 확고해지는 현상을 '집단 극화'라고 한다"며 "이는 세상을 '우리'와 '그들'로 범주화하고 생각이 다른 집단을 공격하는 양상으로 이어진다"고 설명했다. 오프라인에서 집단 극화는 '믿거'(믿고 거른다)의 태도로 표출된다. '믿거'는 내 기준에 어긋나는 사람과는 관계를 맺지 않는다는 뜻의 신조어다. 박모(28)씨는 처음 만난 사람이 특정 드라마를 본다고 하면 거리를 둔다. 박씨가 활동하는 커뮤니티의 회원들은 남녀 주인공의 나이 차이가 많이 나고 여혐 요소가 있다는 이유로 해당 드라마를 싫어한다. 박씨는 "이 드라마를 언급했을 때 상대방이 호의적으로 나오면 그 사람을 '믿거'한다"며 "더 알아보지 않아도 나랑 맞지 않는다는 걸 알 수 있기 때문"이라고 말했다. [중략] 전북대 사회학과 B 교수는 "과거에는 다양한 사람들이 모이는 '광장' 같은 공간이 있어서 원치 않아도 다른 의견을 지닌 이들과 논쟁할 수밖에 없었다"며 "온라인 공간에서는 이런 교류 자체가 막혀 있다"고 분석했다.

-국민일보, 2018.12.10

[다] 미국 듀크 대학교의 진화인류학자인 브라이언 헤어와 버네사 우즈는 인류가 지금처럼 지구상에 번성할 수 있었던 가장 중요한 요인으로 타인과 협력적인 의사소통을 하는 '친화력'을 꼽는다. [중략] 인간의 친화력은 특별하다. 다른 동물들의 협력은 대개 한 서식지에서 같은 무리를 이루며 사는 친족에게 한정된다. 같은 종이라도 친족이 아니면 잘 돕지 않는다. 반면, 인간은 일면식도 없는 사람과 협력적 의사소통이 가능하다. 무언가 공통의 정체성을 발견하면 된다. 인간은 응원하는 스포츠팀, 음식 취향, 좋아하는 연예인이 같은 사람끼리도 친밀하게 지낼 수 있다. 역사와 신화를 공유하는 사람들은 국가와 민족이라는 거대 집단에 소속감을 느끼며 협력하기도 한다.

-한겨레, 2022.01.16

[라] 사람은 사회에서 살아가는 데 필요한 능력을 모두 갖추고 태어나는 것은 아니다. 본능에 따라 행동하던 갓난아이는 다른 사람들과의 상호 작용을 통해 사회 속에서 살아가는 데 필요한 많은 것을 배우고 익히며 성장한다. 이처럼 사회 속에서 성장하면서 자신이 속한 사회의 행동 방식과 사고방식을 학습하는 과정을 사회화라고 한다. 개인적 차원에서 사회 구성원은 사회화를 통해 사회생활에 필요한 규칙과 규범을 알고 사회적 존재로서 생존하는 데 필요한 기술과 지식을 학습한다. 이러한 과정에서 개인은 자아 정체성*과 인성을 형성해 간다. 한편, 사회적 차원에서는 사회화를 통해 새로운 사회 구성원이 기존 사회의 가치, 규범 등을 학습함 으로써 한 사회의 지속성을 유지할 수 있다.

* 자아 정체성: 자신의 성격, 취향, 가치관, 능력 등에 대해 명료하게 이해하고 있으며, 그런 이해가 지속성을 가지고 있는 상태를 말한다.

-고등학교 사회 문화

[마] 심의 민주주의는 숙의 민주주의라고도 하며, 숙의가 의사 결정의 중심이 되는 민주주의로서 정치적 의사 결정에서 심사숙고하여 토론하는 대화의 과정을 중시한다. 진정한 민주주의의 정착을 위해서는 선거나 투표와 같은 형식적 절차만으로는 한계가 있으며, 서로의 정치적 입장이나 정책을 제대로 이해하기 위한 깊이 있는 대화와 합의에 도달하기 위한 공적 토론의 과정이 필요하다. 즉, 의사 결정의 결과물이 중요한 것이 아니라 그러한 결정에 이르게 된 절차가 중요한 것이다. 이를 위해서는 많은 시민들이 참여하여 자신들의 의견을 발표하고 토론할 수 있는 공청회와 같은 공론장을 활성화해야 한다.

-고등학교 윤리와 사상

[바] 담론 윤리의 대표자인 하버마스는 개인의 주관적인 도덕 판단만으로는 규범이 성립될 수 없으므로 대화가 필요하다고 주장한다. 대화의 당사자들이 합의한 결과를 수용하고 그것을 의무로 받아들이기 위해서는 대화가 합리적인 의사소통의 과정을 거쳐야만 한다. 그래서 그는 합리적인 대화가 이루어지기 위한 과정을 중요시한다. 하버마스는 합리적인 의사소통이 이루어지기 위해서는 돈이나 권력에 의한 왜곡과 억압이 없어야 하고, 대화 당사자들이 이상적인 담론의 조건인 개방성, 평등

성, 호혜성을 지켜야 한다고 본다. 모든 사람에게 담론에 참여할 기회가 개방되어야 하고, 담론에 참여하는 사람들은 누구나 평등하게 발언할 수 있어야 한다. 또한 담론 과정의 참여자들은 합의된 규범을 실천할 것을 상호 기대할 수 있어야 한다.

- 고등학교 생활과 윤리

[사] 컴퓨터 기반 온라인 매체의 등장은 새로운 글쓰기의 시대를 열었다고 해도 과언이 아니다. 손수 제작물(UCC) 등 다양한 시각 매체의 등장으로 진부한 글쓰기는 쇠퇴할 것이라는 예측도 있었으나 21세기 초기 글쓰기는 하나의 유행이 되었다. 하루에 수십 통씩 보내는 문자 메시지나 누리 소통망(SNS) 등에 글 쓰기, 신문 기사에 댓글을 다는 일은 이전에 우리가 경험하지 못했던 새로운 글쓰기 행위들이다. 온라인 매체가 우리에게 글을 쓰도록 유혹하는 것은 기존의 아날로그 방식과 달리 양방향성을 특징으로 하기 때문이다. 글쓴이 입장에서 독자의 즉각적인 반응은 글쓰기를 부채질한다. 글쓴이는 블로그 글에 달린 댓글이나 누리 소통망(SNS)의 '좋아요' 반응에 주목하며 더 많은 팔로어*를 끌어들이기 위해 매력적인 글쓰기를 한다.

* 팔로어: 누리 소통망에서 특정한 사람이나 업체 따위의 계정을 즐겨 찾고 따르는 사람을 이르는 말.

-고등학교 언어와 매체

수시 논술전형 답안지

❶ 본 답안지는 연습용입니다. 실제 시험 답안지와는 다릅니다.

서강대학교
SOGANG UNIVERSITY

모집단위

답안지	성명	응시계열	
인문/인문-자연계열		인문/인문-자연계열	○
		자연	○

① 인적사항 (모집단위, 성명, 수험번호, 생년월일)은 반드시 검은색 필기구(연필 제외)로 정확히 기재하기 바라며, 수정이 불가능합니다.
② 답안 작성은 검은색 필기구(연필 포함)를 사용하기 바랍니다(수정테이프 및 지우개 사용가능).
※ 검은색 이외의 필기구 절대 사용 불가
③ 성명에 반드시 감독관의 날인을 받아야 합니다.
④ 반드시 답안 영역 안에 작성하시기 바랍니다.

수험번호									
N	A	A							

생년월일 (예:030418)					

모의 논술 문제(800~1,000자 범위에서 작성하시오)

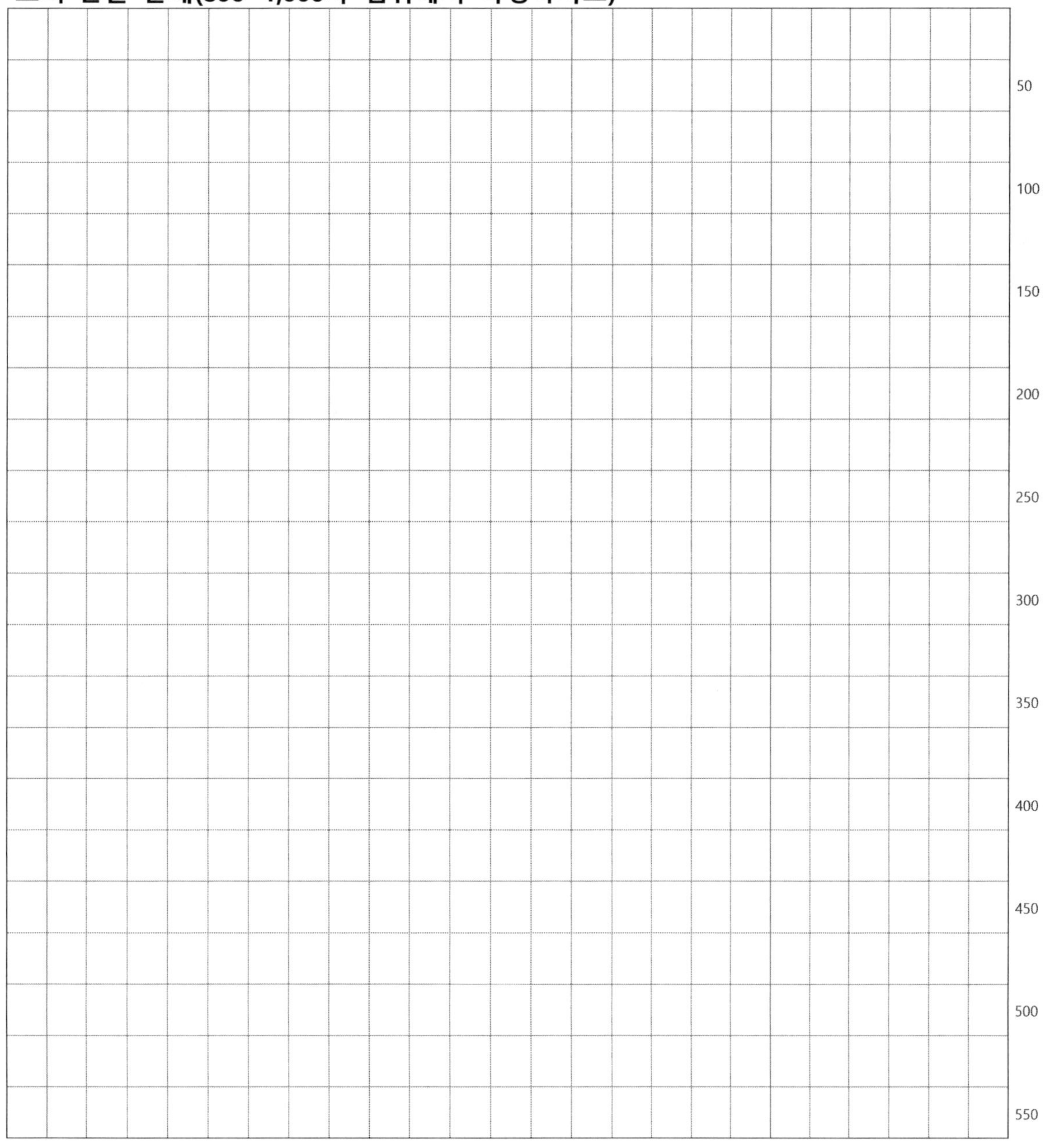

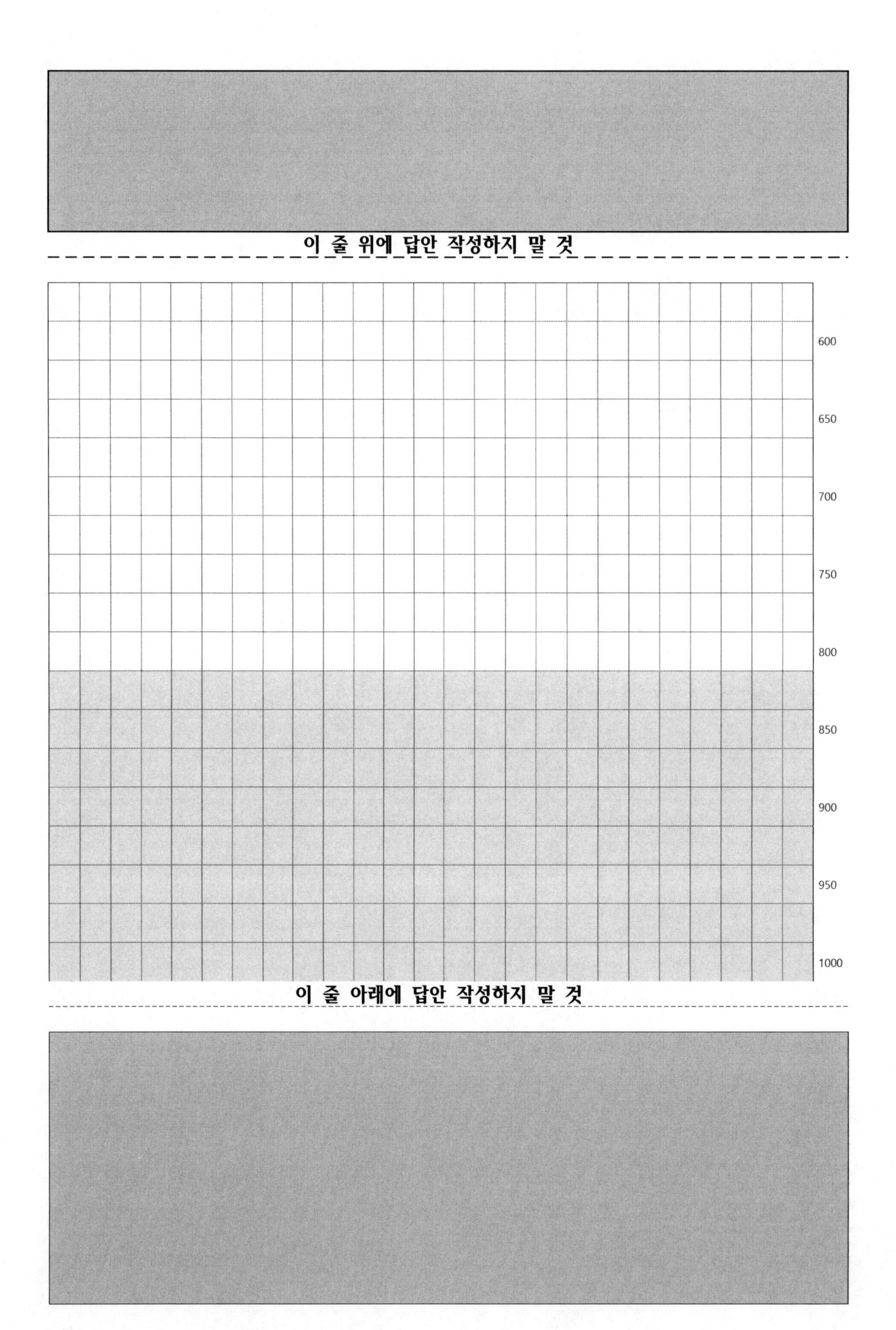
이 줄 위에 답안 작성하지 말 것
600
650
700
750
800
850
900
950
1000
이 줄 아래에 답안 작성하지 말 것

12. 2022학년도 서강대 경제경영 수시 논술

[문제 1] 제시문 [가]를 추구할 때 당면할 수 있는 문제점과 해결방안을 [나]~[라]를 참조하여 설명하고, [가]가 사회와 공동체에 갖는 의미를 [마], [바]를 대비하여 평가하시오. (800~1,000자)

[가] 오늘날에는 경쟁이 심화되면서 기업가 정신이 강조되고 있다. 기업가 정신이란 불확실성이라는 위험을 감수하면서 혁신과 창의성을 바탕으로 생산 활동을 하여 기업 성장을 추구하는 도전 정신을 말한다. 숨어 있는 이윤을 찾아 기업가는 끊임없이 새로운 상품과 서비스를 개발한다. 슘페터는 자본주의의 역동성을 가져오는 가장 큰 요인으로 창조적 혁신을 강조하였으며, 기업의 이윤은 기업가의 혁신에서 발생한다고 보았다. '혁신'을 통해 낡은 것을 파괴, 도태시키고 새로운 것을 창조하고 변혁을 일으키는 '창조적 파괴' 과정이 기업 경제의 원동력이라는 것이다.

- 고등학교 통합사회 교과서 재구성

[나] 신석기혁명에서 산업혁명까지 생활수준이 지속적으로 나아지지 않은 주된 이유는 창조적 파괴를 두려워했기 때문이다. 기술혁신은 인류사회에 번영을 가져다주지만, 옛것을 새것으로 갈아치우고 특정 계층의 경제적 특권과 정치권력을 파괴한다. 지속적인 경제성장을 위해서는 새로운 기술과 새로운 업무 방식이 필요하고, 이런 것들은 곧잘 새로운 주역과 함께 등장한다. (···) 창조적 파괴 과정에서 잃을 게 많은 세력은 새로운 혁신을 도입하지도 않을 뿐더러 그런 혁신에 저항하고 막아보려 애쓰기 일쑤다.

- 대런 애쓰모글루, 국가는 왜 실패하는가 재구성

[다] 갈등론은 한 사회의 재화, 권력과 같은 희소가치가 배분되는 과정에서 집단 간의 대립과 갈등이 나타난다고 본다. 사회의 안정과 유지는 지배 집단이 자신들의 기득권을 유지하는 데 유리한 규범이나 사회 제도 등을 통해 피지배 집단을 억압한 결과라는 것이다. 갈등론에서는 지배 집단의 억압에 대하여 피지배 집단이 저항하는 과정에서 나타나는 갈등과 대립은 불가피한 현상으로서 사회 발전과 변화의 원동력이라고 주장한다.

- 고등학교 사회·문화 교과서

[라] 규제 샌드박스란, 기존 규제에도 불구하고 신기술과 신서비스가 시장에 원활히 진출할 수 있도록 혁신성과 안정성을 바탕으로 시장 진출의 기회를 주거나, 시간과 장소, 규모에 제한을 두고 실증 테스트를 허용하는 제도이다. 2019년 1월 규제 샌드박스가 도입된 이후, 승인된 총 410건 중 185건(45%)이 시장에 출시되었거나 실증 테스트 중에 있다. 다음 그림은 규제 샌드박스 특례 승인을 받은 기업들의 2020년 한 해 동안 전 분기 대비 투자 유치 금액 및 고용 변화를 보여 준다.

[그림1] 전 분기 대비 투자 유치 금액 변화 (단위: 억 원)

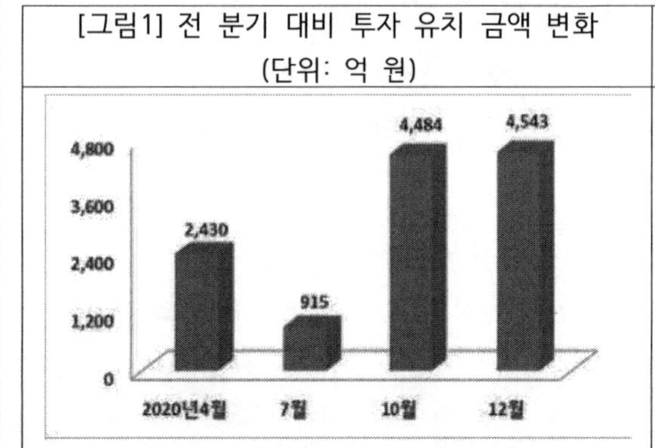

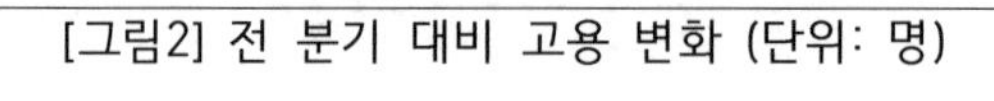
[그림2] 전 분기 대비 고용 변화 (단위: 명)

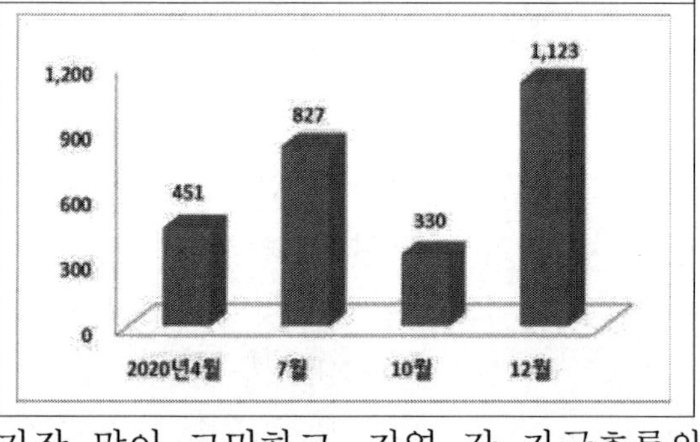

[마] 유럽 전역에 걸쳐 자금순환 문제를 가장 많이 고민하고, 지역 간 자금흐름의 균형을 유지하는 방안을 가장 심각하게 생각해야 했던 것은 교황청이었다. 벌써부터 이탈리아와 북부 유럽 사이에 무역 불균형이 나타나고 있었다. 런던과 플랑드르는 실크와 향신료 등을 이탈리아로부터 대량으로 사들였다. 그들이 대가로 줄 수 있는 영국산 양모와 네덜란드산 린넨 따위로는 이탈리아 제품을 다 사기에 턱없이 부족했다. 그래서 이탈리아로 흘러 들어가는 동전의 양이 이탈리아에서 지급되는 양보다 훨씬 많았다. 이런 무역구조 속에서 교황청이 자금흐름을 더 어렵게 만들었다. 교황청은 거대한 양의 현금을 빨아들이기만 했을 뿐 다른 지역으로 도로 뱉어낼 줄은 몰랐다. 가만히 두면 세상의 모든 돈이 몽땅 로마로 쏠리게 될 것이었다. 당시 무역업을 겸업했던 은행가들은 삼각무역을 통해 이런 현금 흐름의 편중 문제를 해결했다. 가령, 어떤 은행의 피렌체 지점이 영국 코츠월드로부터 양모 원사를 산다고 하자. 이 은행의 런던 지점은 교황청으로 보낼 조공의 일부를 영국의 농부에게 양모 원사의 대금으로 지불한다. 그 후 피렌체 지점은 양모 원사를 세척·제직한 후 가공된 직물을 로마에 판다. 이것을 산 로마 지점에서는 구입대금을 피렌체로 보내는 것이 아니라 런던 지점을 대신해서 교황청에 낸다.

- 팀 팍스, 메디치 머니 재구성

[바] 성장 호르몬이 개발되어 나오기 전까지는 아무도 정상적인 단신을 병이라고 여기지 않았다. 그것은 유전자 조작 인체 성장 호르몬을 소비자가 이용할 수 있게 되고, 의사와 제약 회사들이 자기가 한 행위를 합리화하기 위하여, 정상적인 단신을 병으로 이해할 필요가 있었기 때문에 병이 된 것이다. 우리는 두 가지 현상이 벌어지고 있음을 보게 된다. 즉 행복을 증진시켜 주는 약이 생활 필수품이 되는 현상과 건강의 의미가 서서히 다시 정의되고 있는 현상이 그것이다. 인체 성장 호르몬이 치료 목적보다는 가치 증진제로서 시장에서 확실하게 자리잡은 것을 보면 엄밀하게 의료용이라고 볼 수 없는 유전자 치료제가 대단히 큰 잠재적 시장을 가짐을 알 수 있다. 1992년 해리스 여론 조사에 따르면 미국인의 43%가 “아기의 신체적 형질을 개선하기 위하여 유전자 치료제를 사용할 용의가 있다”고 대답했다고 한다.

- 제레미 리프킨, 바이오테크 시대

[문제 2] 제시문 [가]에서 문제가 된 현상이 일어난 이유를 [나], [다]의 관점에서 각각 설명하고, [가]의 문제를 방지할 방안을 [라]~[사]의 내용을 근거로 각각 제시하시오. (800~1,000자)

[가] ○○군청에서 업자로부터 항만 관련 용역을 수주하는 데 편의를 제공해달라는 청탁과 함께 수백만 원의 뇌물을 받은 공무원이 집행유예를 선고받았다. (…) 관할 지법 재판부는 뇌물수수 혐의로 기소된 전 ○○군청 공무원 A 씨(52)에게 징역 6개월과 집행유예 2년, 벌금 400만 원을 선고했다고 4일 밝혔다. 재판부는 또 A 씨에게 돈을 건넨 혐의(뇌물공여)로 업자 2명에게 벌금 500만 원을 각각 선고했다. 범죄사실을 보면 A 씨는 ○○군청 재직 당시이던 2013년 12월께 어항정비 개발 용역 수행사인 모 기술단 대표 차량에서 '다른 용역 수행과정에서도 편의를 봐 달라'는 묵시적 청탁과 함께 대표로부터 현금 200만 원을 받았다. A 씨는 2015년 10월께도 ○○군청 해양수산과 사무실에서 지역 해수욕장 활성화 방안 용역사로 선정된 모 엔지니어링 대표에게서 용역 수행 중 편의를 봐달라는 청탁을 받고 현금 200만 원을 받았다.

- 연합뉴스 2018. 7. 4.

[나] 모든 선택에는 비용이 들지만 동시에 선택에 따른 이득, 즉 편익도 발생한다. 합리적 경제 주체라면 선택의 비용과 편익을 면밀히 비교·검토하여 선택의 근거로 삼아야 한다. 이처럼 선택의 문제가 발생하였을 때 비용과 편익을 철저히 따져 봄으로써 합리적으로 선택하려는 사고방식을 경제적 사고라고 하며, 선택 대안의 비용과 편익을 분석, 평가, 비교하여 의사결정을 하는 방식을 비용-편익 분석이라고 한다. 비용-편익 분석에서 비용이란 기회비용을 뜻하며, 편익은 선택으로 발생하는 모든 이득을 말한다. 비용-편익 분석은 모든 비용과 편익을 객관적으로 평가하고 계량화해서 비교하는 것이 원칙이지만, 계량화하기 어려울 때에는 비용과 편익을 주관적으로 평가하여 적용하기도 한다.

- 고등학교 경제 교과서

[다] "'하우(hau)'에 관해 말씀드리겠습니다. 예를 들어 당신이 어떤 특정한 물품(타옹가)을 갖고 있어 그것을 나에게 준다고 가정합니다. 또 당신이 그것을 일정한 대가도 받지 않고 나에게 준다고 합시다. 우리는 그것을 매매하지 않습니다. 하지만 내가 이 물품을 다른 어떤 사람에게 주면, 일정한 시간이 지난 다음 그는 나에게 '대가'로서 무엇인가를 주려고 마음먹고, 나에게 무엇인가(타옹가)를 선물합니다. 그런데 그가 나중에 주는 이 '타옹가'는 내가 당신한테서 받았으며 또 내가 그에게 넘겨준 '타옹가'의 영(靈, 하우)입니다. 나는 (당신한테서 온) '타옹가' 때문에 내가 받은 '타옹가'를 당신에게 돌려주지 않으면 안 됩니다. 왜냐하면 그것은 당신이 나에게 준 타옹가의 '하우'이기 때문입니다. 만일 내가 이 두 번째의 '타옹가'를 갖는다면, 나는 병에 걸리거나 심지어는 죽게 될지도 모릅니다. 이러한 것이 '하우', 즉 개인 소유물의 '하우', 타옹가의 '하우', 숲의 '하우'입니다. 이 문제에 관해서는 이제 그만 하겠습니다." 이 마오리족 법률가

의 말을 잘 이해하기 위해서는 다음과 같이 말하는 것만으로도 충분하다. '타옹가'와 엄밀한 의미에서의 모든 개인 소유물은 '하우', 즉 영적인 힘을 지니고 있다. 당신이 나에게 '타옹가'를 주면, 나는 그것을 다른 어떤 사람에게 준다. 그러면 그는 나에게 다른 '타옹가'를 준다. 왜냐하면 그는 내가 선물한 '하우'에 의해서 그렇게 하지 않으면 안 되기 때문이다. 또한 나 자신도 당신에게 이 물건을 줄 의무가 있다. 실제로 나는 당신 타옹가의 하우를 당신에게 돌려주지 않으면 안 되기 때문이다.

- 마르셀 모스, 증여론

[라] 애덤 스미스는 국부론을 통해 시장에서의 자유로운 경제 활동을 최대한 보장하는 시장 경제 원리를 주창하였다. 그는 시장에서 이른바 '보이지 않는 손'의 작용을 통해 자원의 배분이 최적화되며 경제 주체들의 효용이 극대화된다고 주장하였다. 이러한 입장에서 애덤 스미스는 정부가 시장에 대한 규제와 지원을 철폐할 것과 국가가 국방과 치안 유지라는 최소한의 역할을 수행할 것을 강조하였다.

- 고등학교 윤리와 사상 교과서

[마] 자유의 보존에 필수적인 것으로서 모두가 일정 부분 인정하는 것은, 정부의 각기 다른 권한들은 서로 분리되어 별개로 행사되어야 한다는 것이다. 그리고 이에 필요한 적절한 토대를 놓기 위해서는, 각 부가 자기 나름의 독자적 의지를 가져야 하며, 따라서 각 부의 구성원이 다른 부의 구성원의 임명에 되도록 힘을 미칠 수 없도록 구성되어야 한다는 것은 확실하다. 이 원칙이 엄격히 고수되려면, 집행부와 입법부 및 사법부의 최고위직이 서로 완벽히 단절된 경로를 통해, 권위의 동일한 원천인 인민으로부터 도출될 것이 요구된다. (…) 그러나 각 권력들이 동일한 부에 점점 집중되는 것을 막는 강력한 안전장치는, 각 부를 운영하는 자들에게 다른 부의 침해에 저항하는 데 필요한 헌법적 수단과 개인적 동기를 부여하는 데 있다. 다른 모든 경우처럼 이 경우에도, 방어를 위한 대책은 공격의 위험에 상응하는 것이어야 한다. 야심에 대항하려면 야심이 불러 일으켜져야 한다.

- 알렉산더 해밀턴 외, 페더럴리스트

[바] 아테네 민주정에서 국사를 논하고 의결을 할 때 포고문에는 500인집행위원회(Boule)와 데모스의 이름으로 결정했다고 나온다. 여기서 말하는 데모스란 바로 '민회'를 의미한다. 500인집행위원회는 일종의 의회운영위원회 겸 의결사항 집행부 같은 곳으로 민회의 의제 설정과 운영 전반을 맡아서 관리하고 결정된 사안을 집행하는 기관이다. 특이한 점은 민회 자체가 개방된 공간이기 때문에 민회 구성원 중에서 운영위원을 뽑는 것이 아니라 1년에 한 번씩 전체 10개 부족의 30세 이상 시민 중 한 부족당 50명씩 제비뽑기로 500명의 위원을 선발하는 것이다. 일부 시민에 의한 독점을 막고 자격을 갖춘 시민들에게 선발 기회를 균등히 부여하기 위해, 제비뽑기 규정만이 아니라 연임 불가 조항과 평생 최대 2회까지만 중임할 수 있다는 제한 조항을 두었다.

- 최정욱, 서양 민주 개념 통사 재구성

[사] 네덜란드의 문화 심리학자인 마우크 뮐더르는 어느 다국적 기업에서 시행한 설문 조사 결과를 토대로 하여 '권력 거리' 라는 개념을 창안하였다. 권력 거리란 부하들이 상관(권력자)에 대해 갖고 있는 감정적인 거리를 의미한다. 100을 지수의 만점으로 할 때 스웨덴의 권력 거리 지수는 31이었고, 프랑스의 권력 거리 지수는 68, 한국의 권력 거리 지수는 72였다. 권력 거리 지수가 작은 나라에서는 부하 직원이 상사에게 일방적으로 의존하는 정도가 낮으며, 상사와 부하 직원 간의 상호 의존을 선호한다. 상사와 부하 직원 간의 감정적 거리는 비교적 가까운 편이다. 그래서 부하 직원은 상사에게 쉽게 접근해서 반대 의견을 낼 수 있다. 권력 거리 지수가 큰 나라에서는 부하 직원이 상사에게 의존하는 정도가 높다. 부하 직원은 그런 의존 관계 자체를 선호하거나, 아니면 의존을 지나치게 거부하기도 한다. 이런 경우에는 상사와 부하 간의 심리적 거리가 멀고, 부하 직원이 직접 상사에게 다가가 반대 의견을 내놓는 일이 좀처럼 드물다.

\- 고등학교 독서 교과서 재구성

수시 논술전형 답안지

❶ 본 답안지는 연습용입니다. 실제 시험 답안지와는 다릅니다.

서강대학교
SOGANG UNIVERSITY

모집단위

수험번호									
N	A	A							

생년월일 (예:030418)

답안지
인문/인문·자연계열

성명

응시계열	
인문/인문·자연계열	○
자연	○

① 인적사항 (모집단위, 성명, 수험번호, 생년월일)은 반드시 검은색 필기구(연필 제외)로 정확히 기재하기 바라며, 수정이 불가능합니다.
② 답안 작성은 검은색 필기구(연필 포함)를 사용하기 바랍니다(수정테이프 및 지우개 사용가능).
※ 검은색 이외의 필기구 절대 사용 불가
③ 성명에 반드시 감독관의 날인을 받아야 합니다.
④ 반드시 답안 영역 안에 작성하시기 바랍니다.

문제 1번 (800~1,000자 범위에서 작성하시오)

50
100
150
200
250
300
350
400
450
500
550

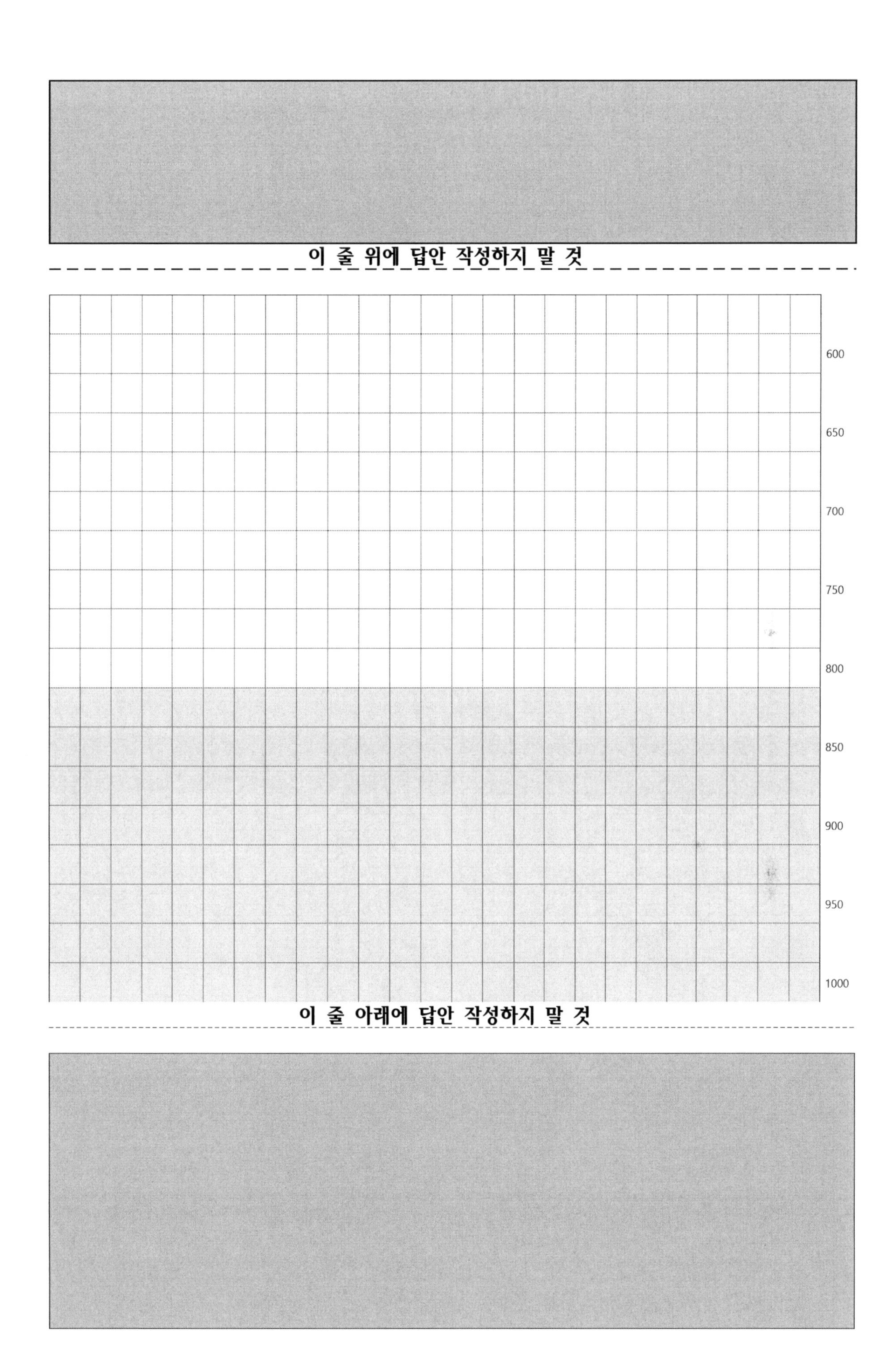
이 줄 위에 답안 작성하지 말 것
600
650
700
750
800
850
900
950
1000
이 줄 아래에 답안 작성하지 말 것

문제 2번 (800~1,000자 범위에서 작성하시오)

50
100
150
200
250
300
350
400
450
500
550
600
650
700
750

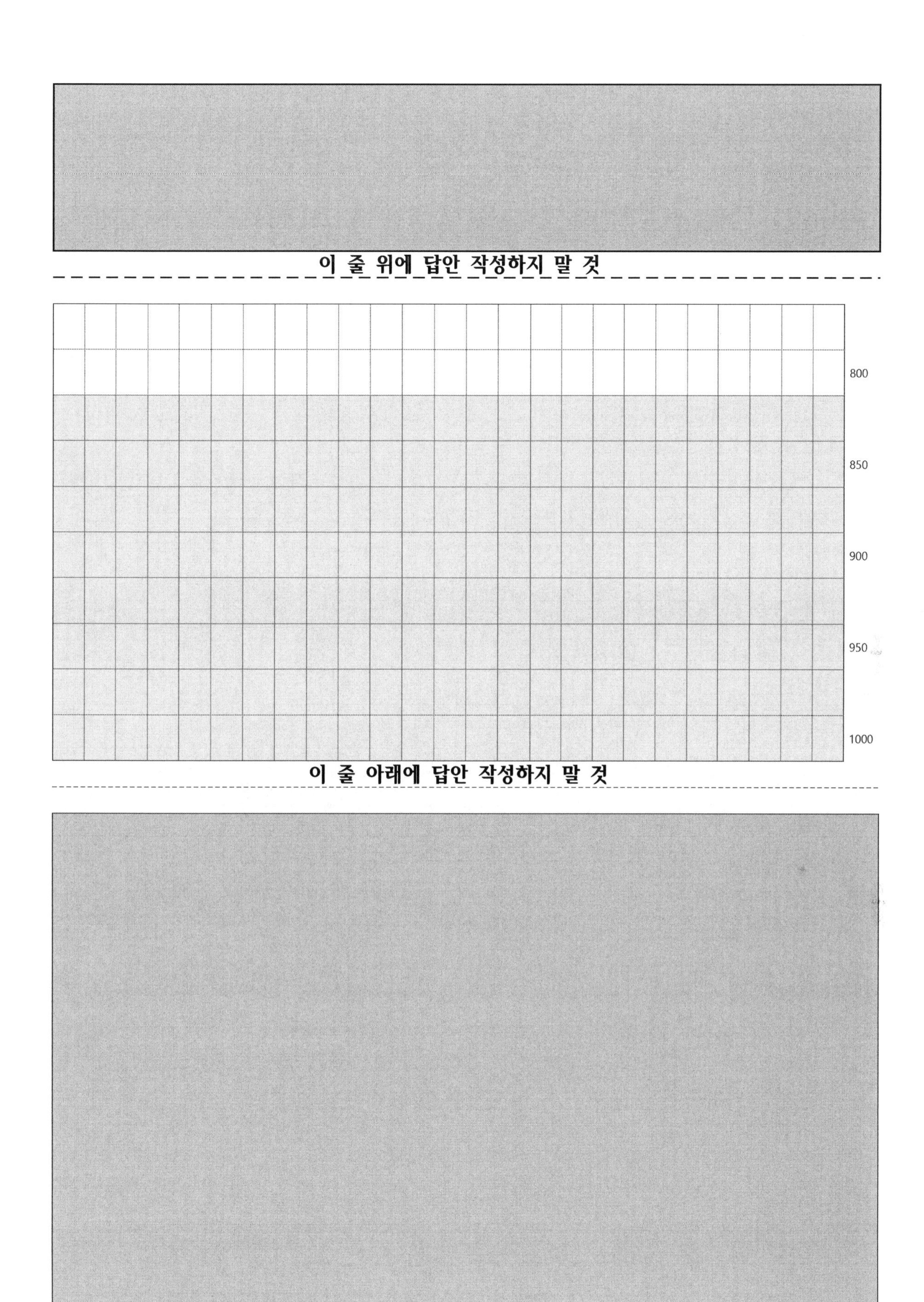
이 줄 위에 답안 작성하지 말 것
800
850
900
950
1000
이 줄 아래에 답안 작성하지 말 것

13. 2022학년도 서강대 인문사회 수시 논술

[문제 1] 제시문 [가]의 내용을 [나]~[라]를 이용하여 비판하고, [라]의 '잊힐 권리'가 갖는 의미를 [마]를 참조하여 논술하시오. (800~1,000자)

[가] 정보 통신 기술의 발달은 우리 삶에 많은 변화를 가져왔다. 인터넷과 스마트폰 등의 발전으로 인해 이제 인간은 시간과 공간의 제약을 어느 정도 극복할 수 있게 되면서 성별, 인종, 나이를 초월하여 활발한 의사소통과 자유로운 교류가 가능해졌다. 또한 삶의 편리성이 향상되어 인터넷에서 교육, 문화, 업무, 상거래 등 생활의 거의 모든 일을 편리하게 해결할 수 있다. 나아가 사물 인터넷(IoT)의 발달로 각종 사물들이 인터넷에 연결되어 서로 정보를 공유하고 원격으로 조정이 가능하게 되었다. 그럼으로써 중앙집권적이고 수직적이던 사회 구조가 분권적이고 평등한 방향으로 변하고 있다.

- 고등학교 생활과 윤리 교과서

[나] 아래 표는 사회 집단별 정보 격차 지수를 보여준다.

[표] 사회 집단별 정보 격차 지수

※ 각 수치는 일반 국민을 100으로 가정했을 때의 비교 수준임

세부 영역	사회 집단						전체
	장애인	저소득층	농어민	장노년층	북한이탈주민	결혼이민자	
접근	96.5	94.6	89.6	95.1	94.6	98.4	94.6
활용	76.8	80.9	61.0	64.1	77.7	68.0	68.0

(한국 정보화 진흥원, 2015)

접근: 컴퓨터, 인터넷을 사용하기가 얼마나 용이한지를 나타내는 지표

활용: 컴퓨터나 인터넷 사용 시간, 이용 다양성을 나타내는 지표

- 고등학교 통합사회 교과서 재구성

[다] 최근 모 대학 병원이 시범적으로 실시한 조사에서, 아직 완전하지 않은 인공 지능 기술임에도, 사람들은 보다 '객관적인' 느낌을 주는 인공 지능 의사 '왓슨(Watson)'의 판단을 전문의의 판단보다 선호하는 경향을 보여주어 세간의 관심을 끌었다. 하지만 이것은 인공 지능 기술에 대한 과한 기대에 따른 도입 초기의 일시적 현상일 수 있으며, 정작 인공 지능 '의사'가 내린 판단의 결과로 인하여 환자들이 실질적인 피해를 입는 상황이 나타나면 사람들의 평가는 달라질 수 있다. 인공 지능 역시 기존의 많은 사례들과 의학 지식에 입각하여 확률적 판단을 하게 되므로 '오진'의 가능성이 없는 것이 아니기 때문이다. 이렇게 인공 지능이 오진을 할 가능성을 배제할 수 없는 상황에서 기계의 판단을 믿은 사람들이 의학적 처치에 대한 법적·윤리적 책임을 자신이 온전히 감당하려고 할지는 의문이다. 최근 자율 주행차가 사고를 냈을 경우 어떻게 법적·윤리적 책임을 배분할 것인지를 두고 벌어지는 사회적 논의에서도 알 수 있듯이 인공 지능을 탑재한 기계의 행동에 대한

법적·윤리적 책임 문제는 단순히 관련 법률을 개정해서 해결될 문제가 아니라 인공 지능 기계의 행동에 대한 우리의 사회적·제도적 직관이 어떻게 '구성' 되는지에 달려있기 때문이다.

- 고등학교 국어 교과서

[라] 잊힐 권리는 어느 변호사가 "과거에 빚 때문에 집이 경매에 넘어갔는데, 이러한 내용의 기사가 인터넷에서 계속 검색된다. 이미 해결된 일이 계속 검색되는 것은 인권 침해이다."라며 유럽 사법 재판소에 소송을 제기하면서 주목받았다. 유럽 사법 재판소는 소송을 제기한 내용이 사생활 침해의 가능성이 있다고 보고, 그의 손을 들어주었다. 온라인상의 잊힐 권리가 개인의 정신적 고통을 덜어주는 데 도움을 준다고 판단한 것이다. 이 판결 이후 개인정보의 삭제를 대행해주는 웹사이트에는 개설 첫날부터 1만 2천 건 이상의 삭제 요청이 쇄도하였다. 사용자 참여형 온라인 백과사전인 OOO의 설립자는 "인터넷상에서 정보를 삭제하는 행동은 신문사가 기사 1면에 어떤 기사를 실을지 편집권을 행사한 것과 같다."라고 비난하였다.

- 고등학교 생활과 윤리 교과서

[마] <화병의 꽃>은 활기찬 '생의 찬미'가 연상되는 그림으로 유리 화병 안에는 온갖 화려한 꽃들이 만발하였다. 마치 사랑하는 여인을 그리듯 애정 어린 붓 터치로 그린 꽃은 알록달록 채색한 솜사탕과 같고, 풍성하고 푹신한 느낌을 전해 준다. 삶 속에서 항상 기쁨과 긍정을 찾으려 한 르누아르가 여기서 그려 낸 것은 수백년간 유럽의 화가들이 즐겨 그려 온 '바니타스(vanitas)' 주제의 '인생무상' 즉, 아름답게 만발하였다가 곧 져 버릴 꽃의 덧없음이 아니라, 비록 비참한 죽음의 순간이 올지라도 이 순간만은 그 아름다움과 매혹적인 향기로 우리에게 기쁨과 희망을 안겨 주는 꽃에 대한 예찬이다. 세상이 인간에게 던져 주는 것이 일시적이고 부질없는 것일지라도 이 순간 우리에게 주어진 '선물'에 감사하고 즐기라는 낙천적인 메시지를 주고 있는 것이다. 이 그림을 통해 르누아르는 어차피 덧없는 것이 인생이라면 그 안에서 즐길 수 있는 행복을 최대한 누리라고 일러 준다. 이 행복은 영원히 지속될 수 없는 소중한 순간이기 때문이다.

- 고등학교 독서 교과서

[문제 2] 제시문 [가]의 내용을 토대로, [나] 작품의 출현과 [다] 시위의 발생 사이의 차이를 [라], [마], [바]를 참조하여 분석하고, 그러한 변화의 가치를 [사]를 바탕으로 논술하시오. (800~1,000자)

[가] 사생활은 태초부터 자연적으로 주어지는 것이 아니라 사회마다 각기 다른 방법으로 만들어내는 역사적 현실이다. 그러므로 영원히 확정된 경계를 갖는 '사생활'이란 있을 수 없다. 따라서 당연한 이야기지만 사적 영역과 공적 영역 사이의 경계선은 끊임없이 변한다. 그리고 사생활은 공적 생활과 관련해서만 의미를 갖는다. 따라서 사생활의 역사는 무엇보다 사생활에 대한 정의의 역사라고 할 수 있다. (…) 서민층의 경우 개인이 사사로이 소유할 수 있는 물건은 아주 드물었다. 이러한 물건들은 대개 선물로 받은 것으로, 칼이나 담배 파이프, 묵주, 시계, 보석, 화장품이나 바느질 용품 등이었다. 이처럼 소박한 물건들은 개인이 자기 것이라고 주장할 수 있는 유일한 것이었기 때문에 대단한 상징적 가치를 지녔다.

- 필립 아리에스 조르주 뒤비, 사생활의 역사 5

[나] 이른바 소위 규중 칠우(閨中七友)는 부인들의 방 안에 있는, 일곱 벗이다. 글하는 선비는 필묵과 종이, 벼루를 문방사우(文房四友)로 삼았으니, 규중 여자인들 홀로 어찌 벗이 없으리오. 이러므로 바느질을 돕는 것을 각각 이름을 정하여 벗으로 삼았다. 바늘을 '세요(細腰) 각시'라 하고, 자는 '척(戚) 부인'이라 하고, 가위를 '교두(交頭) 각시'라 하였다. 또 인두를 '인화(引火) 부인'이라 하고, 다리미를 '울(熨) 낭자'라 하며 실을 '청홍흑백(靑紅黑白) 각시'라 하고, 골무를 '감투 할미'라 하여 칠우로 삼았다. 규중 부인들이 아침에 세수하고 머리를 빗고 나면 칠우가 일제히 모여 함께 의논하여 각각 맡은 소임을 끝까지 해냈다. 하루는 칠우가 모여 바느질의 공을 의논하였다. (…) 칠우가 이렇게 이야기를 주고받으며 탄식하니 자던 여자가 문득 깨어나 칠우에게 말했다. "칠우는 어찌 내 허물을 그토록 말하느냐?" 감투 할미가 머리를 조아려 사죄하며 말했다. "젊은 것들이 망령되게 헤아림이 없어서 만족하지 못합니다. 저희가 재주가 있으나 공이 많음을 자랑하여 원망스러운 말을 하니 마땅히 곤장을 쳐야 합니다. 그러나 평소 깊은 정과 저희의 조그만 공을 생각하여 용서하심이 옳을까 합니다." 여자가 답하였다. "할미 말을 좇아 용서하겠다. 내 손부리 성함이 할미 공이니 꿰차고 다니며 은혜를 잊지 아니하겠다. 비단 주머니를 지어 그 가운데 넣어 몸에 지녀 서로 떠나지 아니하겠다." 할미는 머리를 조아려 인사를 하고 여러 벗은 부끄러워하며 물러났다.

- 〈규중칠우쟁론기(閨中七友爭論記)〉, 고등학교 독서 교과서

[다] 미국 산업 현장에서 코로나19 백신 접종을 의무화한 연방정부 지침에 반대하는 근로자의 목소리가 거세지고 있다. 정부와 계약을 맺으려는 회사는 모든 직원이 12월 8일까지 백신 접종을 완료해야 한다는 '데드라인'을 조 바이든 대통령이 행정명령으로 못 박은 걸 두고 개인 결정권 침해라며 해고당하는 것도 불사하겠다는 입장이다.

- 헤럴드경제 , 2021. 11. 3.

[라] “사생활은 그 본질상 개인적이다. 사생활의 권리는 개인의 주권을 인정하는 것이다.” 어느 판결문에 나오는 말인데, 법조계 안팎의 일반적인 견해를 반영하고 있다. 예를 들면, 법학자 토머스 에머슨은 사생활이 “개인주의의 전제, 즉 사회는 개인의 가치와 존엄을 증진시키기 위해 존재한다는 개념에 기초해 있다.” 라고 주장했다. “사생활의 권리란 본질적으로 집단의 삶에 참여하지 않을 권리, 자신과 공동체 사이에 봉쇄막을 칠 권리를 말한다.”

- 대니얼 J. 솔로브, 숨길 수 있는 권리

[마] 방을 소유할 권리는 인간이라면 거의 모두가 누려야 할 수준의 권리이다. 방을 가진 권리는 독립성과 자기존중을 보장한다. 필립 로스의 소설 「오점(La Tache)」의 주인공 포니아 팔리는 연인의 침실에서 그대로 잠든 것을 후회한다. “나는 그곳에 남았다. 멍청이처럼 그대로 머물렀다. 나 같은 아가씨에게는 자기 침대로 돌아가 잠을 자는 것이 중요하다. 물론 나도 침실을 가지고 있다. 아담하지는 않지만 어쨌든 내 침실이 있다. 나는 그곳으로 가야 한다.” 그녀는 “영원한 사랑” 을 미끼로 그녀를 잡아두려는 남자의 집에 머물기를 거절했다. 침실은 자유의 증거였다.

- 미셸 페로, 방의 역사

[바] 아내는 집안에서 먹고 마시는 것을 주관한다. 오직 술과 밥과 의복 등의 예를 일삼을 뿐 나라의 정사에 참여함이 옳지 않고 집안의 대소사를 맡아서 처리함이 옳지 않다. 그러니 만약 총명하고 재주와 지혜가 있어서 고금의 일을 꿰뚫어 알지라도, 반드시 바르게 군자를 도와 부족한 부분을 권면할지언정, 결코 암탉이 새벽에 울어 화를 불러일으키는 일이 있어서는 안 된다.

- 소혜왕후, 내훈

[사] 민주주의의 발전은 민주적인 제도만으로는 한계가 있으며, 사회 구성원의 적극적인 참여를 통해 실현된다. 선거뿐만 아니라 국가 정책과 제도를 결정하는 과정에 적극적으로 참여하여 자신의 합리적인 요구 사항을 표출할 때, 사회 구성원들은 자유와 권리를 누리며 행복하게 살아갈 수 있다. 또한, 객체가 아닌 주체로서 자신이 속한 공동체의 문제를 해결해 나가는 경험은 그 자체로 만족감을 높여 준다.

- 고등학교 통합사회 교과서

수시 논술전형 답안지

● 본 답안지는 연습용입니다. 실제 시험 답안지와는 다릅니다.

서강대학교
SOGANG UNIVERSITY

모집단위

답안지	성명	응시계열	
인문/인문·자연계열		인문/인문·자연계열	○
		자연	○

수험번호									
N	A	A							

생년월일 (예:030418)

① 인적사항 (모집단위, 성명, 수험번호, 생년월일)은 반드시 검은색 필기구(연필 제외)로 정확히 기재하기 바라며, 수정이 불가능합니다.
② 답안 작성은 검은색 필기구(연필 포함)를 사용하기 바랍니다(수정테이프 및 지우개 사용가능).
※ 검은색 이외의 필기구 절대 사용 불가
③ 성명에 반드시 감독관의 날인을 받아야 합니다.
④ 반드시 답안 영역 안에 작성하시기 바랍니다.

문제 1번 (800~1,000자 범위에서 작성하시오)

50
100
150
200
250
300
350
400
450
500
550

이 줄 위에 답안 작성하지 말 것

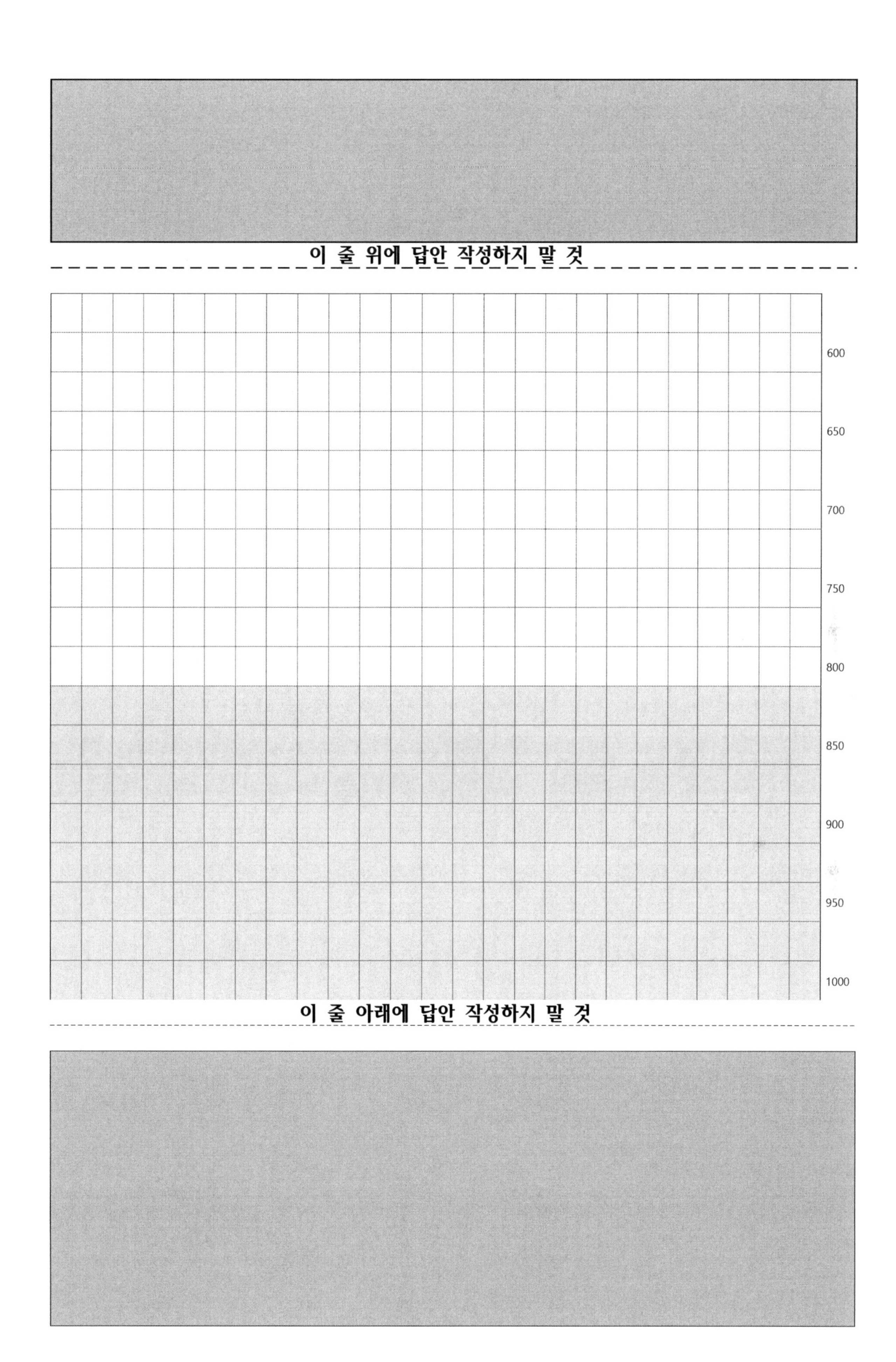

이 줄 아래에 답안 작성하지 말 것

문제 2번 (800~1,000자 범위에서 작성하시오)

50
100
150
200
250
300
350
400
450
500
550
600
650
700
750

이 줄 위에 답안 작성하지 말 것

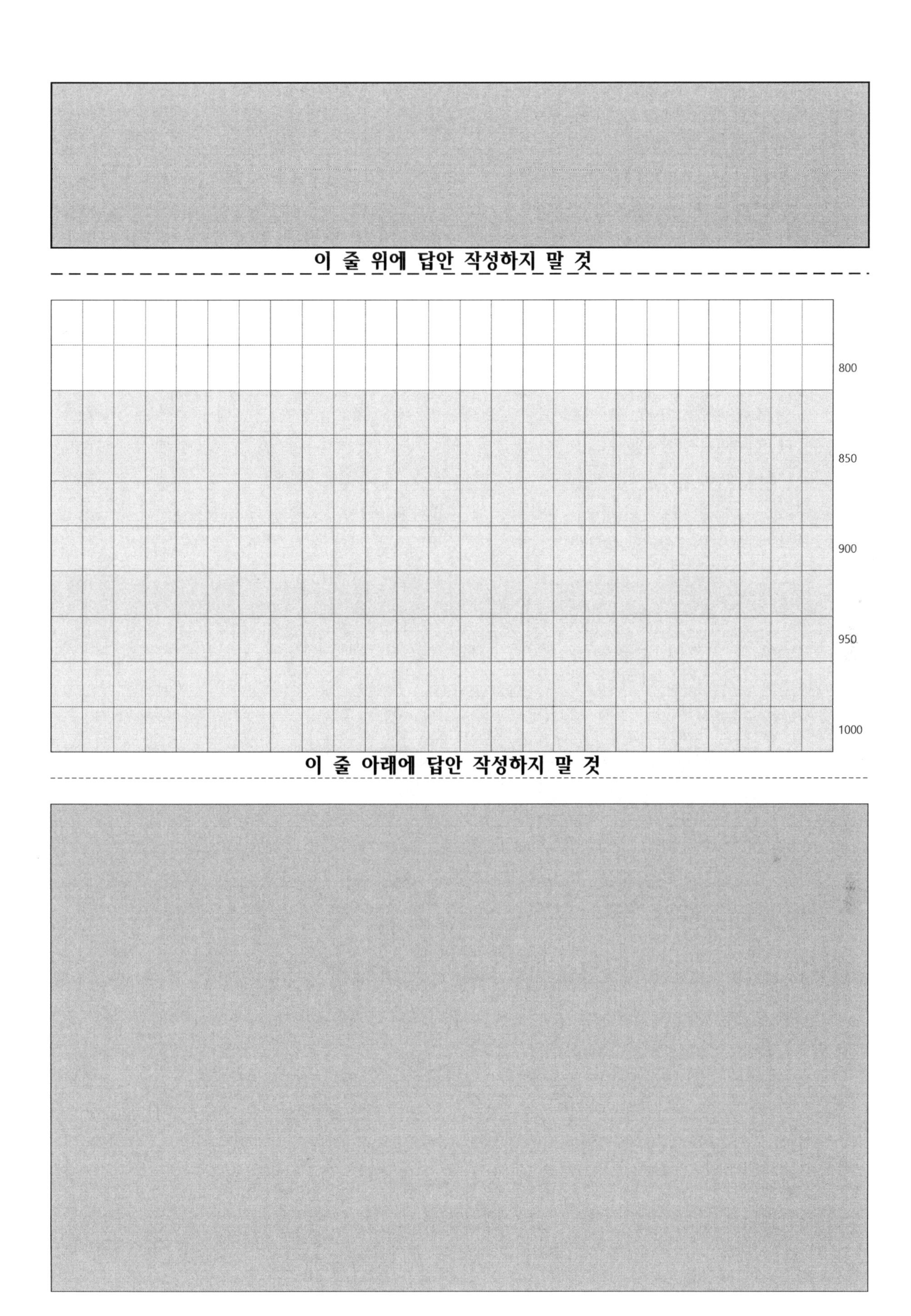

이 줄 아래에 답안 작성하지 말 것

14. 2022학년도 서강대 경제경영 1차 모의 논술

■ 모의논술 유의사항
1. 시험시간은 50분입니다.
2. 답안분량은 800~1,000자입니다 **※ 서강대 모의 논술은 계열별 1문항만 출제함**

제시문 [가]~[다]의 주장을 바탕으로 제시문 [라], [마]에 나타난 문제를 분석하고, 제시문 [바], [사]에서 제시된 방법들이 문제를 해결하는데 어떻게 도움이 될 수 있는지에 대하여 논술하시오.

[가] 대기의 보전이나 삼림의 보호 같은 중요한 환경 문제는 주권국가의 법률이나 규제 조치만으로는 다루어질 수 없다. 또한 이러한 환경 문제는 국가 간의 대립적 문제로도 대치할 수 없는 것이다. 공동의 전 지구적 정책이 전 지구적으로 적용되어야만 한다는 것은 절대적으로 필요한 일이다. 순전히 지역적 환경 문제라 하더라도 그것이 끼치는 영향은 결코 지역적이 아니다. 환경오염에는 국경이 없다는 사실을 우리는 이제 분명히 알게 된 것이다. 이처럼 인류의 생존환경인 생태계의 파괴방지는 인류 공통의 과제이다.

피터 드러커, 『새로운 현실』 재구성

[나] 환경 문제란 산업화와 도시화에 따른 무분별한 자연 개발로 자원이 고갈되고 자연환경이 훼손되고 있는 문제이다. 환경 문제는 전 지구적으로 그 피해가 커지고 있다. 최근 지구 온난화의 영향으로 기상 이변이 세계 전역에서 속출하고, 열대 우림의 감소와 사막화 현상, 해수면 상승, 식수 부족 등의 환경 문제로 생태계의 질서가 파괴됨에 따라 인류의 생존 자체가 위협받기도 한다. 환경 문제는 각국의 이해관계가 서로 달라 구체적인 해결방안을 마련하는 데 어려움을 겪고 있다.

『고등학교 정치와 법』 교과서 재구성

[다] 세계가 점차 하나로 통합되는 흐름 속에서 여러 가지 문제가 발생하고 있다. 선진국은 기술 집약적이고 부가 가치가 높은 제품을 연구하고 개발하며, 개발 도상국에서 이를 저렴한 비용으로 생산하여 이윤을 얻는다. 반면 개발 도상국은 선진국과 비교해, 부가 가치가 낮은 제품을 만들어 내며 임금 수준 역시 낮은 편이다. 이러한 경제적 차이로 불평등과 빈부격차가 심화되고 있다. 이러한 문제는 어느 한 국가의 노력만으로는 해결할 수 없으며 국가 및 국제적 차원의 동의와 협력이 필요하다. 선진국과 개발 도상국 간의 불평등 및 빈부격차 문제를 완화하기 위해서는 국제 사회의 노력이 필요하다. 개발 도상국이 자본과 기술을 축적하여 경제적으로 자립할 수 있도록 국제기구를 통한 지원, 선진국의 투자와 기술 이전, 개발 도상국 간의 협력이 이루어져야 한다.

『고등학교 통합사회』 교과서 재구성

[라] 공해 수출이란 유해 물질을 취급하는 공장이나 기술 또는 전자 폐기물, 핵폐기물 등의 오염 물질을 선진국에서 개발 도상국으로 이전하는 국가 간 교역 행위를 말한다. 선진국의 기업들은 최신 기술의 설비는 자국 내에 유지하지만, 섬유, 화학,

금속, 기계 등 오래된 제조 설비들은 개발 도상국으로 이주하였다. 이는 개발 도상국의 과다한 자원과 에너지 소비에 영향을 미쳤으며, 다양한 직업병과 환경오염 문제의 원인이 되었다.

『고등학교 정치와 법』 교과서

[마] 오늘날 지구촌 곳곳에서는 다양한 환경 문제가 발생하고 있다. 이러한 환경 문제에 대한 윤리적 쟁점 중 기후 정의는 기후 변화에 따른 불평등을 해소함으로써 실현되는 정의로 기후 변화 문제를 형평성의 관점에서 바라본다. 개발 도상국은 온실가스 배출량이 선진국보다 훨씬 적지만 피해는 선진국보다 더 크게 발생하고 있다. 정의의 관점에서 선진국은 개발 도상국에 책임 있는 자세를 지녀야 한다. 또한 각 국가는 온실가스 배출량을 줄이기 위해 노력해야 한다. 선진국은 물론 개발 도상국도 산업 구조를 생태 친화적으로 바꾸어 나감으로써 기후 변화의 근본 원인인 온실가스 배출량을 줄여나가야 한다.

『고등학교 생활과 윤리』 교과서 재구성

[바] 청정개발체제(Clean Development Mechanism, CDM)는 온실가스 감축 의무가 있는 선진국이 개발 도상국에 투자하여 시행한 사업을 통해 발생한 온실가스 감축분을 감축 실적으로 인정하는 제도이다. 교토의정서를 기반으로 하고 있고 선진국은 개발 도상국의 온실가스를 줄여 자국의 감축 비용을 낮출 수 있고, 개발 도상국은 해외 투자를 받아 자국 개발이 가능하다는 이점이 있다. 궁극적인 목적인 온실가스 감축을 이룰 수 있고 선진국, 개발 도상국 모두 이득을 얻을 수 있다. 이를 통해 지속 가능한 방향으로 전 세계의 균형적인 발전을 이룰 수 있다.

기획재정부 자료 재구성

[사] 파리협정은 2020년에 만료되는 교토의정서를 대체할 새로운 기후 변화 협약이다. 장기 목표로 지구의 평균 기온 상승을 1.5˚C 이하로 제한하기로 했다. 국가별 온실가스 감축에 관한 정기적인 이행 상황 및 달성에 대한 경과보고를 의무화하고, 이를 점검하기 위해 국제 사회의 종합적 이행 점검 시스템을 도입해 2023년에 실시하기로 했다. 또한 감축 유형은, 선진국은 절대량 방식을 유지하며, 개발 도상국은 자국의 여건을 고려해 절대량 방식과 배출 전망치 대비 방식 중 한 방식을 채택하도록 했다. 아울러 다양한 형태의 국제 탄소 시장 메커니즘 설립에 합의했으며, 선진국은 오는 2020년부터 개발 도상국이 기후 변화에 적절하게 대처할 수 있도록 돕는데 최소 1,000억 달러를 지원하기로 했다. 이처럼 파리협정은 선진국에 대한 재원 공급 의무를 규정하였을 뿐만 아니라 개발 도상국의 자발적 기여를 장려한다.

『고등학교 생활과 윤리』 교과서 재구성

수시 논술전형 답안지

● 본 답안지는 연습용입니다. 실제 시험 답안지와는 다릅니다.

서강대학교 SOGANG UNIVERSITY

모 집 단 위

답 안 지	성 명	응시계열	
인문/인문·자연계열		인문/인문·자연계열	○
		자연	○

① 인적사항(모집단위, 성명, 수험번호, 생년월일)은 반드시 검은색 필기구(연필 제외)로 정확히 기재하기 바라며, 수정이 불가능합니다.
② 답안 작성은 검은색 필기구(연필 포함)를 사용하기 바랍니다(수정테이프 및 지우개 사용가능).
※ 검은색 이외의 필기구 절대 사용 불가
③ 성명에 반드시 감독관의 날인을 받아야 합니다.
④ 반드시 답안 영역 안에 작성하시기 바랍니다.

수험번호: N A A

생년월일 (예:030418)

모의 논술 문제(800~1,000자 범위에서 작성하시오)

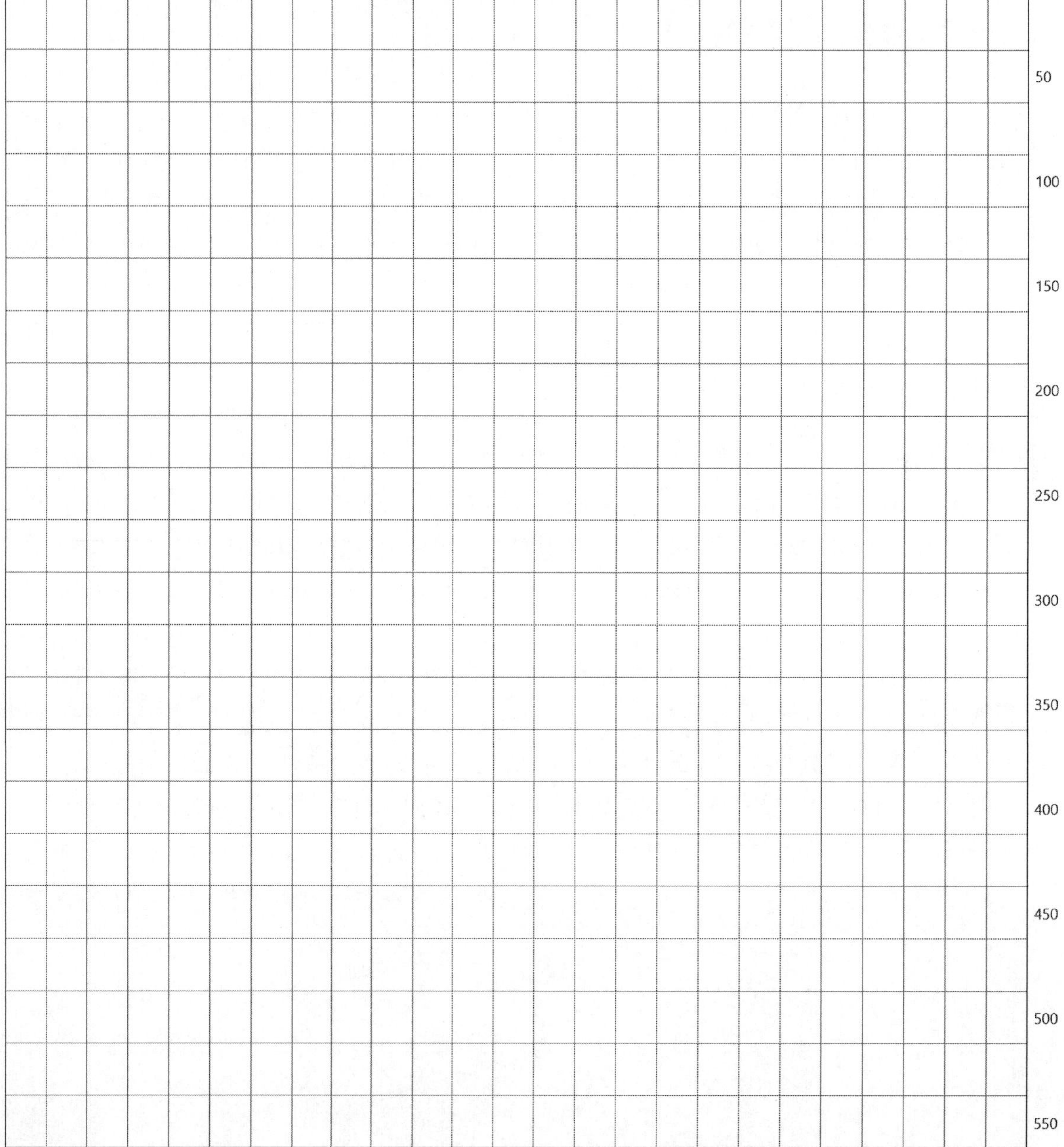

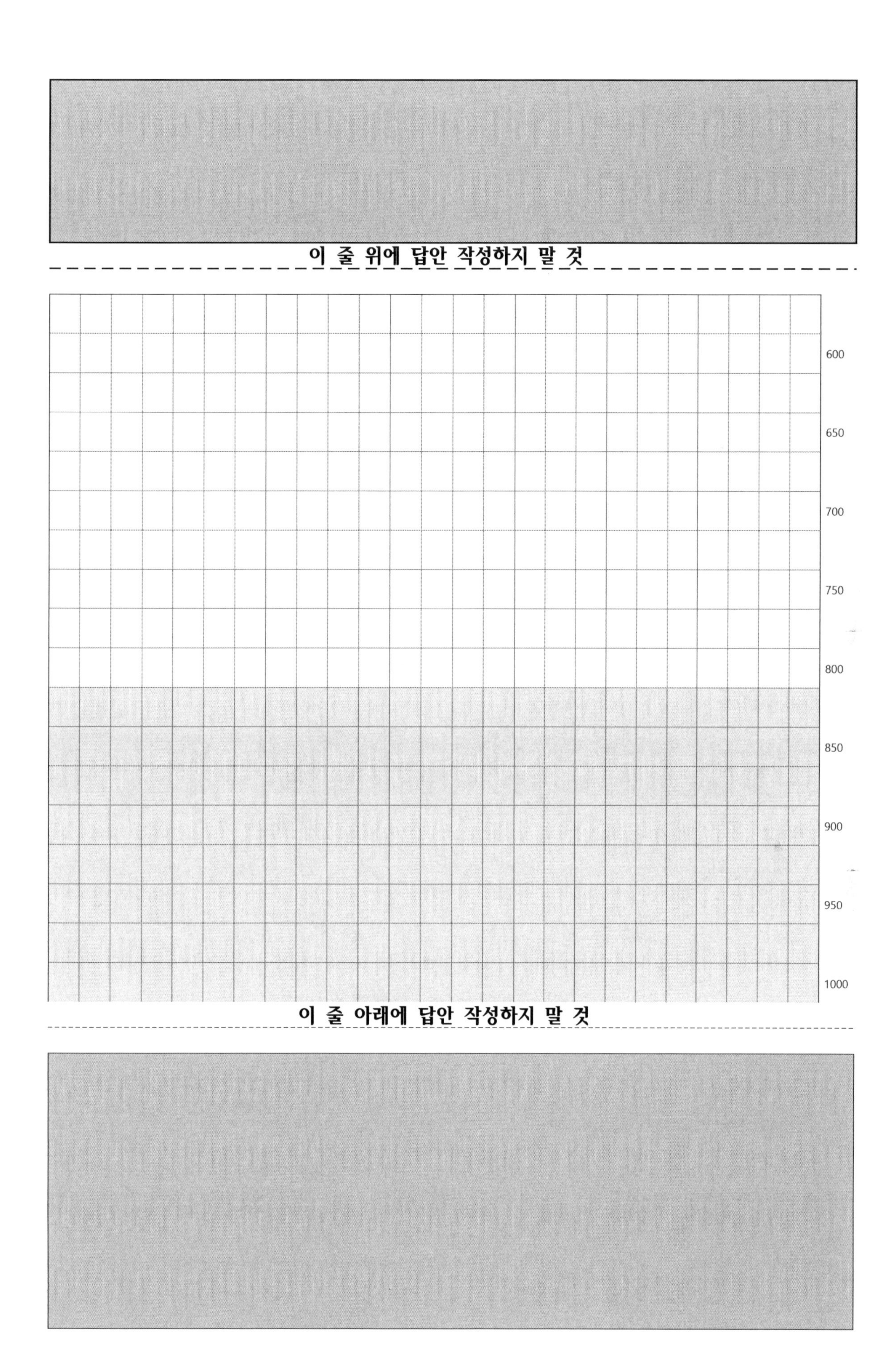
이 줄 위에 답안 작성하지 말 것
600
650
700
750
800
850
900
950
1000
이 줄 아래에 답안 작성하지 말 것

15. 2022학년도 서강대 인문사회 1차 모의 논술

■ **모의논술 유의사항**
1. 시험시간은 50분입니다.
2. 답안분량은 800~1,000자입니다 ※ 서강대 모의 논술은 계열별 1문항만 출제함

[나], [다], [라], [마]에서 각각 제시하고 있는 인간의 속성에 근거하여 [가] 현상의 원인을 분석하고, 그에 대한 해결 방안을 [바]와 [사]의 관점에서 설명하시오.

[가] 코로나 대유행 이후 미국에서 아시아계를 겨냥한 증오 범죄가 9000건 이상 발생한 것으로 집계됐다. 12일(현지 시각) 미국 내 아시아인 인권 단체 '아시아인 혐오를 멈춰라(stop AAPI hate)'는 지난해 3월부터 올해 6월까지 1년 4개월 동안 아시아계를 겨냥한 사건 피해 신고가 9081건 접수됐다고 밝혔다. 하루 평균 19건꼴이다. 접수된 피해 사례 가운데 가장 많은 것은 언어 폭력(63.7%)이었다. 접촉을 피한 사례는 16.5%, 신체적 공격을 가한 경우는 13.7%였다. 피해자를 향해 기침하거나 침을 뱉는 사례도 8.5%나 됐다. 국내의 경우, 지난 1월 20일 신종 코로나바이러스 감염증(코로나19) 국내 첫 확진자가 나오자 시민들은 국내에 거주하는 중국 동포, 중국인에게 비난의 화살을 돌렸다. 중국 우한(武漢)에서 코로나19가 처음 확인돼 중국이 국내로 전염병을 옮겼다는 이유에서였다. 이어 지난 3월 대구 신천지 예수교회, 5월 서울 용산구 이태원 클럽에서의 집단 감염을 거쳐 코로나19는 곳곳에서 '혐오의 전염'을 일으켰다. 중국동포에 이어 대구·경북 지역민, 성소수자 등 전염이 확산된 집단이 타깃이었다.

- 『조선일보』 기사(2021. 8. 13.) 및 『헤럴드 경제』 기사(2020. 12. 28.) 재구성

[나] 사회 집단은 소속감을 기준으로 내집단과 외집단으로 구분할 수 있다. 내집단은 개인이 소속되어 있으며 소속감을 느끼고 있는 집단이다. 내집단 구성원들은 '우리'라는 강한 동질감을 갖고 서로에 대해 동료애와 유대감을 느낀다. 이와 달리 개인이 소속되어 있지 않으면서 소속감을 느끼지 못하는 집단을 외집단이라고 한다. 외집단은 우리와는 다른 타자들의 집단으로 여겨지며 이질감을 넘어 종종 경쟁이나 적대감의 대상이 된다. 이런 점에서 내집단을 '우리 집단', 외집단을 '그들 집단'이라 부르기도 한다. 내집단과 외집단의 경계와 범위는 상황에 따라 달라질 수 있다. 내집단에 대한 강한 정체감은 구성원의 결속력을 강화하여 집단이 발전하고 위기를 극복하는 원천으로 작용할 수도 있지만, 외집단에 대한 부정적인 배타적인 태도로 이어져 사회 통합을 저해할 수도 있다.

- 『고등학교 사회·문화』 교과서 (천재교육)

[다] 전염병은 신화보다 더 까마득한 과거부터 건강과 생명을 위협해온 중대한 문제입니다. 인류는 병원체 자체가 아니라 감염이나 오염의 단서가 감지되는 사물이나 사람을 멀리함으로써 전염병을 피할 수 있었습니다. 긴 진화의 과정이 만들어낸 일종의 경보장치, 그것이 바로 행동면역체계입니다. 행동면역체계는 오염과 감염을 암시하는 단서, 즉 오감의 자극에 역겨움으로 반응해 위험을 피하게 해주는 직관적

인 예방시스템입니다. 냄새, 모양, 색깔 등이 배설물을 연상시키는 사물을 접할 때나 병에 걸린 것처럼 깡마르고 기침을 하는 사람을 대할 때 활성화되죠. 행동면역 체계는 적합한 자극만 주어지면 위험이 분명하게 확인되지 않는 정보에도 민감하게 반응합니다. 그래야 잠재적인 감염이나 오염의 위험을 선제적으로 피할 수 있기 때문입니다. 전염의 가능성이 있는 대상과 접촉하지 않거나 환자를 집단에서 방출하는 것 말고는 특별한 대처방안이 없었던 과거에는 훌륭한 적응적 가치를 가졌던 예방시스템입니다. 물론 좋은 기능만 있는 것은 아닙니다. 문제도 발생합니다. 그 경보장치가 지나치게 넓은 범위의 대상들에게 과도하게 반응하는 경우입니다. 그러다 보면 실제로 크게 위험하지 않은 대상을 잘못 혐오하는 일이 벌어질 수 있고 결과적으로 멀쩡한 사람을 집단에서 배제하고 추방하거나 살해하는 비극이 발생하기도 합니다.

- 박한선 · 구형찬, 『감염병 인류』 재구성

[라] 강렬하고 열렬한 증오는 오랫동안 냉철하게 벼려온, 심지어 세대를 넘어 전해온 관심과 신념의 결과물이다. (중략) 그 패턴들 중에서도 제일 먼저 눈에 띄는 것은 의도적으로 현실을 협소화하는 시각이다. 여기에서는 이주자들 개개인의 유머감각이나 음악성, 숙련된 기술 또는 지적, 예술적, 감정적 특성과 관련한 언급이나 정보나 이야기는 전혀 없다. 하다못해 이주자들 개개인이 겪은 불행이나 약점이나 편협함 등에 대한 보도도 없다. 사실상 거기에 개인은 존재하지 않는다. 오로지 전체를 대표하는 표상 뿐이다. (중략) 그렇게 협소한 시각은 무엇보다 먼저 상상력을 훼손한다. 난민들을 언제나 집단으로만 다룰 뿐 결코 개개인으로 다루지 않고, 무슬림을 테러리스트 또는 미개한 '야만인'으로만 혐오스럽게 묘사하는 토론 포럼이나 출판물의 심각한 문제는 이주자들의 다른 면모를 상상하는 일 자체를 거의 불가능하게 만든다는 점이다. 상상력을 펼칠 여지가 축소되면 감정을 이입할 여지도 줄어든다. 무슬림으로서 또는 이주자로서 지닌 무한한 존재의 가능성을 단 하나의 정해진 틀에 끼워 맞추는 것이다. 그럼으로써 개인을 집단과, 집단은 언제나 그 속성들과 하나로 결합된다.

- 카롤린 엠케, 『혐오사회』

[마] 불공평한 결과에 대한 별다른 증거를 발견하지 못하였을 때, 대부분의 사람들은 피해자를 비난하는 길을 택한다. 우리가 살고 있는 세상이 무고한 사람이 강간당할 수 있고, 차별당할 수 있으며, 정당한 보수를 받지 못하고, 삶에 필요한 기초적인 것조차 보장받지 못하는 곳이라는 것을 생각하면 너무나 두려워진다. 차라리 그들의 운명이라고 믿으면 훨씬 안심된다. 그래서 피해자를 비난하는 것의 한 변형은 '그럴 만한 평판'으로 이유를 대는 것이다. 마치 '유대인이 역사적으로 핍박을 받아왔다면, 그것은 그럴 만한 이유가 있었기 때문일 것이다.' 라고 생각하는 것이다. 이러한 논리는 자기보다 외집단의 사람들에게 더욱 엄격한 행동기준을 따르도록 요구하게 한다.

- 엘리엇 아론슨 외, 『사회심리학 (제9판)』

[바] 우리가 지닌 범주들이 불변한다는 생각은 착각이다. 범주란 마음과 세계가 만나 빚어지는 우리의 생각과 인식일 뿐이다. '우리-그들' 코드는 바로 당신의 머릿속에 있으며 당신에 의해 매일 새롭게 만들어진다. 특별한 기회와 약점들을 지닌 그러한 힘을 형성하는 것은 인간의 본성이지만, 그 힘을 휘두르는 것은 당신이다. 당신의 인간 부류 코드는 당신이 행동하기로 결정하지 않는 한, 좋은 쪽으로든 나쁜 쪽으로든 아무 일도 일으키지 않는다. 다시 말해 '우리-그들'의 코드가 당신을 지배하는 것이 아니라, 당신이 그 코드를 지배한다. 인간 부류를 믿고 사랑하고 미워하는 힘은 당신의 본성이다. 그러한 힘을 마음에 설치된 일련의 버튼과 레버로 생각해도 좋다. 그러한 버튼과 레버는 당신이 선택한 것이 아니지만, 그것과 더불어 어떻게 살아갈지는 선택할 수 있다.

- 데이비드 베레비, 『우리와 그들, 무리짓기에 대한 착각』 재구성

[사] 대중은 미리 전향자가 되지는 않는다. 오히려 기정사실이 그들을 바꾼다. 차별이 제거될 때 편견이 줄어드는 경향이 있다. 악순환이 스스로 뒤집히기 시작하는 것이다. 고용, 주거, 군대에서 차별 철폐는 다른 민족에 대해 더 친근한 태도를 낳는다. 그리고 여태껏 분리되어 온 집단을 통합하는 일이 흔히 예상하는 만큼 어렵지 않다는 것을 경험이 입증한다. 그러나 이 과정을 처음 가동하려면 대개 법이나 강력한 행정 명령이 필요하다. 뮈르달이 말한 '누적의 원리'에 따르면, 흑인의 삶의 수준을 높이는 것이 백인이 지닌 편견을 낮출 것이며 그것이 다시 흑인의 삶의 수준을 높일 것이다. 법이라는 최초의 자극이 주어지면 이 선순환이 확립될 수 있다. 입법 이전에 반드시 교육이 이루어져야 한다는 말이 선적으로 참은 아니다. 적어도 교육이 완전하고 완벽하게 이루어질 때까지 기다려서는 안된다. 입법 자체가 교육 과정의 일부이기 때문이다.

- 고든 올포트, 『편견: 사회심리학으로 본 편견의 뿌리』

수시 논술전형 답안지

❶ 본 답안지는 연습용입니다. 실제 시험 답안지와는 다릅니다.

서강대학교
SOGANG UNIVERSITY

모 집 단 위

답 안 지	성 명	응시계열	
인문/인문·자연계열		인문/인문·자연계열	○
		자연	○

① 인적사항 (모집단위, 성명, 수험번호, 생년월일)은 반드시 검은색 필기구(연필 제외)로 정확히 기재하기 바라며, 수정이 불가능합니다.
② 답안 작성은 검은색 필기구(연필 포함)를 사용하기 바랍니다(수정테이프 및 지우개 사용가능).
※ 검은색 이외의 필기구 절대 사용 불가
③ 성명에 반드시 감독관의 날인을 받아야 합니다.
④ 반드시 답안 영역 안에 작성하시기 바랍니다.

수 험 번 호									
N	A	A							
			⓪	⓪	⓪	⓪	⓪	⓪	⓪
			①	①	①	①	①	①	①
			②	②	②	②	②	②	②
			③	③	③	③	③	③	③
			④	④	④	④	④	④	④
			⑤	⑤	⑤	⑤	⑤	⑤	⑤
			⑥	⑥	⑥	⑥	⑥	⑥	⑥
			⑦	⑦	⑦	⑦	⑦	⑦	⑦
			⑧	⑧	⑧	⑧	⑧	⑧	⑧
●	●	●	⑨	⑨	⑨	⑨	⑨	⑨	⑨

생년월일 (예:030418)					
⓪	⓪	⓪	⓪	⓪	⓪
①	①	①	①	①	①
②	②	②	②	②	②
③	③	③	③	③	③
④	④	④	④	④	④
⑤	⑤	⑤	⑤	⑤	⑤
⑥	⑥	⑥	⑥	⑥	⑥
⑦	⑦	⑦	⑦	⑦	⑦
⑧	⑧	⑧	⑧	⑧	⑧
⑨	⑨	⑨	⑨	⑨	⑨

모의 논술 문제(800~1,000자 범위에서 작성하시오)

50
100
150
200
250
300
350
400
450
500
550

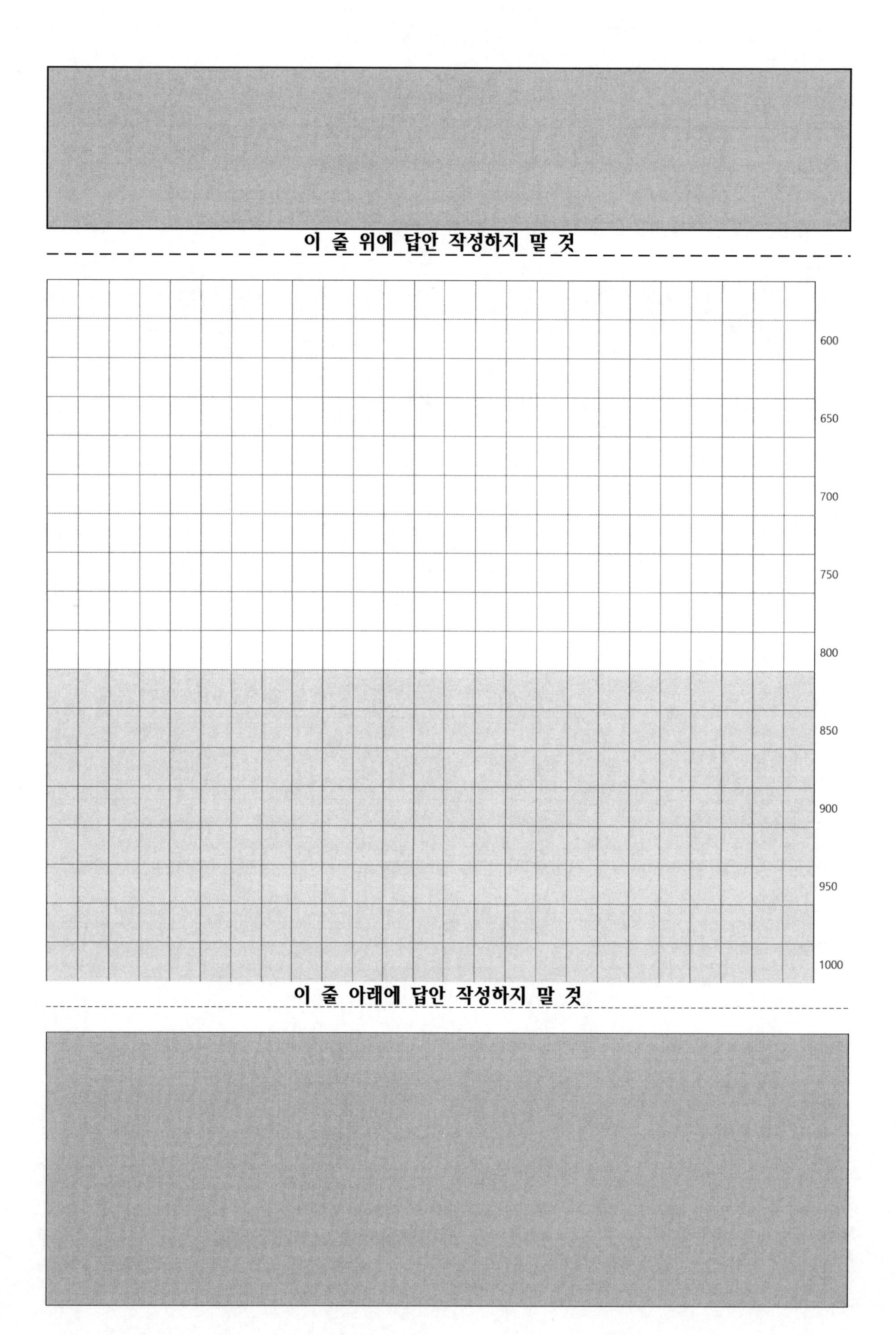
이 줄 위에 답안 작성하지 말 것
600
650
700
750
800
850
900
950
1000
이 줄 아래에 답안 작성하지 말 것

16. 2022학년도 서강대 경제경영 2차 모의 논술

■ 모의논술 유의사항
1. 시험시간은 50분입니다.
2. 답안분량은 800~1,000자입니다 ※ 서강대 모의 논술은 계열별 1문항만 출제함

제시문 (나), (다), (라)를 이용하여 제시문 (가)의 정부 정책을 설명하고, 제시문 (마)와 (바)를 이용하여 제시문 (가)의 정책을 평가하시오.

(가) '자진 신고자 감면 제도' 또는 '리니언시(leniency) 제도'란 담합 가담자가 담합 사실을 신고하면 시정 조치나 과징금 등 제재를 감면해 주는 것을 의미한다. 누가 자진 신고할지 모르는 불확실한 상황이 되면 적어도 상대방보다 불리한 위치에 처하지 않으려고 차선책으로 자진 신고를 유도하는 제도이다. 1순위로 신고한 기업은 완전 면제, 2순위는 일부 면제, 3순위부터는 감면 혜택을 부여하지 않아 빨리 신고할수록 더 많은 혜택을 받는다.

(『고등학교 경제』 교과서 재구성)

(나) 시장의 기능이 제대로 작동하기 위해서는 시장에서의 경쟁이 자유롭고 공정하게 이루어져야 한다. 그러나 현실 경제에서는 시장이 불완전하거나 재화나 서비스의 특성 등으로 인해 자원의 배분이 효율적으로 이루어지지 못하는 경우가 발생하기도 하는데, 이를 시장 실패라고 한다. 예를 들어, 독과점 시장에서는 시장 지배력을 가진 소수의 기업이 담합하여 생산량을 조절하거나 가격을 높게 책정할 수 있다. 담합이란 기업들이 서로 짜고 생산량을 조절하거나 제품의 가격을 올리는 등 부당하게 이익을 챙기는 행위로, 시장의 자유로운 경쟁을 제한한다.

(『고등학교 통합사회』 교과서 재구성)

(다) 정부는 기본적으로 경제 활동에 필요한 규칙을 확립하고, 그에 따라 기업과 개인들이 자유롭게 경쟁하며 경제 활동을 할 수 있도록 환경을 조성하는 역할을 한다. 그러나 시장을 통해 해결하기 어려운 문제가 발생하면 이를 직접 해결하기도 한다. 예를 들어 정부는 시장의 원활한 작동을 위해 경제 관련 법률을 정비하고, 공정거래위원회 등을 통해 시장의 독과점을 방지하며 불공정 거래 행위를 규제한다. 공정거래위원회는 「독점규제 및 공정거래에 관한 법률」에 따라 설치된 준사법 기관으로서 기업 간의 공정하고 자유로운 경쟁을 보장하여 시장경제의 원리를 지켜 나가기 위해 활동하고 있다.

(『고등학교 통합사회』 교과서 재구성)

(라) 경제학의 게임이론 분야에서 널리 알려진 사례 중의 하나가 '용의자의 딜레마'이다. 두 명의 범죄 용의자가 각각 다른 방에서 혐의에 대해 조사를 받고 있다. 두 사람 모두 혐의를 부인하면 둘 다 아주 적은 벌금을 받게 된다. 둘 다 혐의를 시인하면 약간의 벌금을 받는다. 그런데 한 사람만 혐의를 시인하고, 다른 사람은 부인하면 혐의를 시인한 사람은 벌금이 없고, 부인한 사람은 매우 많은 벌금을 받는다. 이 상황을 논리적으로 잘 생각해보면 결국 두 사람 모두 혐의를 시인하게

됨을 알 수 있다. 왜냐하면 다른 사람은 협의를 시인하고, 자기만 부인하면 자기에게 돌아오는 불이익이 상대적으로 매우 크기 때문이다. 이 사례는 매우 중요한 함의를 지니고 있다. 먼저, 두 사람 모두를 생각할 때 둘 다 협의를 부인하고 아주 적은 벌금을 내는 것이 가장 바람직하다. 그런데도 결과적으로는 둘 다 협의를 시인하여 보다 많은 벌금을 내게 된다는 것이다. 또 하나 협의를 시인하는 의사결정이 개인들의 입장에서는 잘못된 의사 결정이 아니라 합리적인 의사결정이라는 점이다.

(『한국경제』, 2004년 2월 17일 재구성)

(마) 용의자 '갑'·'을'이 동떨어진 공간에서 취조를 받고 있다. 묵비권을 행사하면 낮은 형을 부과받지만, 상대가 먼저 자백하면 더 높은 형이 내려진다. 딜레마에 빠진 두 사람은 결국 함께 자백한다. 이른바 '용의자의 딜레마'다. 여기서 조건을 살짝 비틀어보자. '을'보다 '갑'에게 자백할 하루의 시간을 먼저 주는 것이다. 결정의 순간까지 24시간의 여유를 먼저 확보한 '갑'은 '을'의 취조 직전 자백을 결심하고 낮은 형을 확정지었다고 치자. 이것은 공정한가. 게다가 '갑'이 주범이란 조건까지 덧붙여보자. 공정하다고 볼 사람이 과연 있는가. 용의자의 딜레마는 보험업계에서 논란이 된 '리니언시 제도'의 기본원리다. 공정 거래 위원회가 6년에 걸친 생명 보험사 16곳의 담합을 적발하는 데에는 리니언시 제도가 주효했다. 그런데 과징금 액수가 확정되자 반성해야 할 중소형 생명보험사 9곳은 오히려 냉가슴을 앓고 있다. 리니언시 제도의 원래 취지와 다르게 초대형 생명보험사 3곳(빅3)이 리니언시를 먼저 할 수 있는 위치에 있었다는 것이 이유다.

(『매일경제』, 2012. 1. 1. 재구성)

(바) '리니언시 제도'는 현재 국내에서는 물론 국제적으로도 가장 효과적인 담합 적발 및 예방 수단으로 평가받고 있어 글로벌 스탠다드로 자리 잡았다. 점차 늘어나는 국제교류와 국제카르텔의 적발을 고려하면, 우리나라에서만 '리니언시 제도'를 폐지하는 것은 사실상 어렵다. 담합 사건은 '용의자'를 찾는 것은 상대적으로 쉬우나 입증이 어려운 경우가 있다. 이와 같이 담합 적발과정에 있어 담합사실의 입증은 담합의 존재를 처음 인지하는 것 이상으로 중요함에도, 담합 적발력 향상을 위한 제도개선 등의 논의에 있어서는 그 중요성이 간과되는 경향이 있다.

(『머니투데이』, 2014. 7. 31. 재구성)

수시 논술전형 답안지

❶ 본 답안지는 연습용입니다. 실제 시험 답안지와는 다릅니다.

서강대학교
SOGANG UNIVERSITY

모집단위

답안지	성명	응시계열	
인문/인문·자연계열		인문/인문·자연계열	○
		자연	○

수험번호									
N	A	A							

생년월일 (예:030418)

① 인적사항 (모집단위, 성명, 수험번호, 생년월일)은 반드시 검은색 필기구(연필 제외)로 정확히 기재하기 바라며, 수정이 불가능합니다.
② 답안 작성은 검은색 필기구(연필 포함)를 사용하기 바랍니다(수정테이프 및 지우개 사용가능).
※ 검은색 이외의 필기구 절대 사용 불가
③ 성명에 반드시 감독관의 날인을 받아야 합니다.
④ 반드시 답안 영역 안에 작성하시기 바랍니다.

모의 논술 문제(800~1,000자 범위에서 작성하시오)

50
100
150
200
250
300
350
400
450
500
550

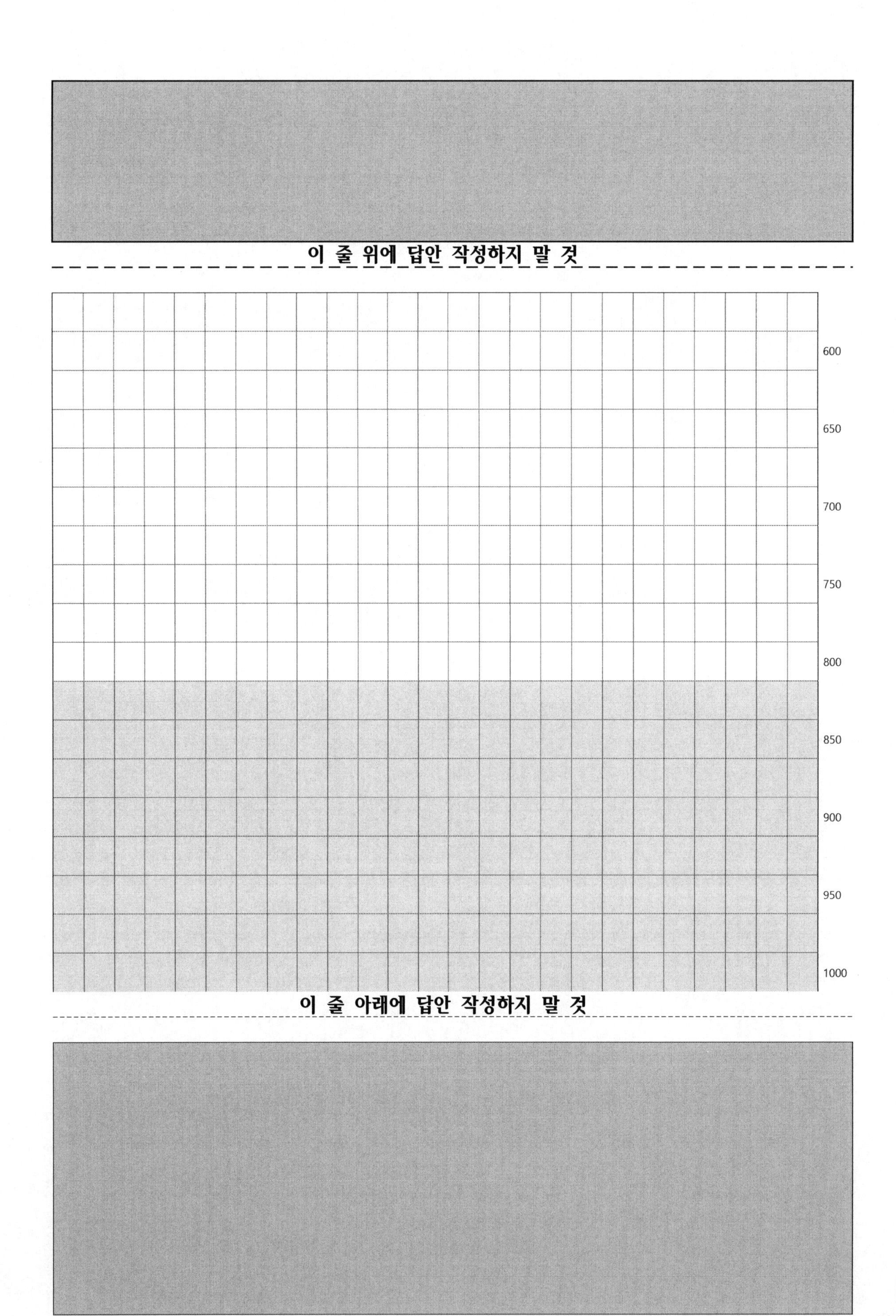
이 줄 위에 답안 작성하지 말 것
600
650
700
750
800
850
900
950
1000
이 줄 아래에 답안 작성하지 말 것

17. 2022학년도 서강대 인문사회 2차 모의 논술

■ 모의논술 유의사항
1. 시험시간은 50분입니다.
2. 답안분량은 800~1,000자입니다. **※ 서강대 모의 논술은 계열별 1문항만 출제함**

[가]에 제시된 문제 상황을 요약하고, 이 문제 상황의 원인과 해소 방안에 대해 [나]~[마]를 활용하여 논술하시오.

[가] 한쪽 극에는 문학적 지식인이 그리고 다른 한쪽 극에는 과학자, 특히 그 대표적 인물로 물리학자가 있다. 그리고 이 양자 사이는 몰이해, 때로는 (특히 젊은이들 사이에는) 적의와 혐오로 틈이 크게 갈라지고 있다. 그러나 그보다 더한 것은 도무지 서로를 이해하려 들지 않는다는 점이다. 이상하게도 그들은 서로 상대방에 대해서 왜곡된 이미지를 가지고 있다. (…중략…) 비과학자들은 과학자가 인간의 조건을 알지 못하며, 천박한 낙천주의자라는 뿌리 깊은 선입관을 가지고 있다. 한편 과학자들이 믿는 바로는, 문학적 지식인은 전적으로 선견지명이 결여되어 있으며, 자기네 동포에게 무관심하고, 깊은 의미에서는 반지성적이며, 예술이나 사상을 실존적 순간에만 한정시키려고 한다. (…중략…) 양쪽 모두 어느 정도 근거 있는 것이 사실이다. 하지만 그것을 건설적이라고 볼 수는 없다. 그 대부분은 오해에 기인한 것으로서 위험하기까지 하다.

- 찰스 스노우, 『두 문화』

[나] 문화 상대주의는 각 사회의 문화를 고유한 의미와 가치가 있는 것으로 이해하고 인정한다는 점에서 바람직한 문화 이해의 태도로 평가된다. 하지만 모든 문화를 문화 상대주의적 관점에서 무조건 인정하거나 존중할 수는 없다. (…중략…) 구성원의 인권을 침해하고 생명을 해치는 문화는 그 문화가 형성된 사회적.역사적 배경이 특수하다 할지라도 인정되기 어렵다. 왜냐하면 이러한 문화는 ‘모든 사람의 생명을 소중이 여겨야 한다.’, ‘무고한 사람을 살해해서는 안 된다.’와 같이 시대와 장소를 초월하여 언제나 존중되어야 하는 보편 윤리적 가치를 훼손하고 있기 때문이다.

- 고등학교, 『통합 사회』

[다] 딜타이는 자연과학적 지식의 가치와 방법론적 정당성을 인정하면서도 자연과학의 방법론을 통해서는 인식 불가능한 어떤 세계가 있다고 생각했다. 그는 이 세계를 ‘정신(Geist)’의 활동과 관련된 세계라고 생각하고, 이를 인식하는 학문들을 ‘정신과학들 (Geisteswissenschaften)’이라고 불렀다. 그리고 그는 정신과학적 지식의 가치를 입증하기 위해 자연과학의 방법론과 비교될만한 정신과학의 고유한 방법론을 구축하려고 했다. 딜타이는 우선 자연과학들과 정신과학들의 대상이 이질적이라는 점을 지적한다. 그에 따르면, 우리에게 아무런 말도 하지 않는 자연과 달리 정신이 깃든 역사적.사회적 현실에는 인간의 정동들(Affekte)이 꿈틀거리고 있다. 이러한 대상의 질적 차이는 그 대상을 인식하는 ‘방법’의 차이를 요구한다. 그리

하여 딜타이는 자연과학들에는 ‘설명(Erklärung)’이라는 방법이, 정신과학들에는 ‘이해(Verstehen)’라는 방법이 적용되어야 한다고 주장한다.
‘설명’은 물리학이나 화학이 물질세계의 구성을 설명할 때 그렇게 하듯이 “어떤 현상영역에 속하는 현상들을 인과적 연관 아래에 종속시키는 것”을 중시한다. 반면, ‘이해’는 어떤 역사적.사회적 현실을 만들어내는 인간의 삶에 깃들어 있는 정신을 파악하는 것, 좀 더 구체적으로 말하자면 내가 다른 사람의 삶의 역정을 되밟아감(Nacherleben)으로써 그 사람의 삶에 정신이 어떻게 작용했는지를 파악하는 것이다.
- 오용득, 「과학주의자와 인문학주의자의 통약 불가능한 대화의 실질적 의미」
[라] 양측이 모두 타당할 때는 어떻게 하면 될까요? 문제에 명확한 해답이 없을 때는 어떻게 해야 할까요? 당신은 완벽하게 확신하지 못해도 개념이나 믿음, 해답을 끈질기게 밀어붙이는 사람인가요? 아니면 어깨를 으쓱하며 “글쎄, 솔직히 잘 모르겠는데?”라고 말해도 찜찜하지 않은 사람인가요? 회의론의 창시자인 피론(Pyrrhon)은 후자를 옹호한 고대 그리스 철학자입니다.
현실에서 깔끔하거나 쉬운 답이 존재하는 경우는 별로 없습니다. 모순되는 양쪽 주장에 똑같이 설득력 있는 논거가 존재할 수 있기 때문이죠. (…중략…) 이러한 혼란의 틈바구니에서 피론은 “아무것도 확신하지 마라”라는 명쾌한 메시지를 제시합니다. 명백하거나 증명된 진실이 없다면 우리는 언제나 ‘판단을 보류’해야 마땅합니다. 답이 존재하지 않음을 받아들이라는 말이 아니라 답이 (아직) 밝혀지지 않았을 때 자신이 지적으로 부족하다는 것을 인정하고 “모른다”라고 말하라는 뜻이죠.
‘대화편’ 연작에 속하는 프로타고라스 에서 플라톤은 불어오는 바람이 어떤 이에게는 따스하게 느껴져도 다른 이에게는 쌀쌀할 수 있다고 지적했고, 피론의 회의론 또한 사물의 진정한 본질은 알 수 없다고 주장합니다. 인식과 경험을 통해 우리가 얻는 것은 판단일 뿐 진리는 아니라는 뜻이죠.
회의론에서는 존재하지 않는 진리를 찾으려는 가망 없는 노력은 절망과 좌절, 불안으로 이어질 뿐이라고 말합니다. 회의론은 ‘에우데모니아’ 학파에 속하며, 이는 풍부하고 온전한 삶을 누리는 것과 관련되어 있다는 뜻이지요. 피론은 자신이 알 수 없는 것에 전념하지 않아야만 에우데모니아(행복)를 손에 넣을 수 있다고 믿었습니다. 이상적인 현자는 상황이 분명하지 않을 때 판단을 보류하는 사람입니다. 이 판단 보류는 고대 그리스어로 에포케라고 합니다.
- 조니 톰슨, 필로소피 랩
[마] ● 인간의 마음은 여러 부분으로 구성되어 있는데, 그 모습은 마치 기수(통제된 인지 과정)가 코끼리(자동적 인지 과정)의 등에 올라타고 있는 것과 비슷하다. 기수는 코끼리의 시중을 들어주도록 진화했다.
● 기수가 코끼리를 시중드는 모습은 사람들을 도덕적 당혹감에 빠뜨렸을 때 목격할 수 있다. 무엇이 옳고 그른지를 사람들은 강하게 직감하고, 그 느낌을 사수하기

위해 고군분투하며 사후 정당화의 근거를 만들어 낸다. 설령 하인(추론 능력)이 아무 이유를 찾지 못한 채 빈손으로 돌아와도 주인(직관)은 자신이 내린 판단을 바꾸지 않는다.

● 사회적 직관주의자 모델은 흄의 모델을 기초로 하되 거기에 좀 더 사회성을 불어넣은 형태이다. 사람들은 친구를 얻고 다른 사람들에게 영향을 미치기 위해 일평생 모질게 애쓰는데, 도덕적 추론도 그런 노력 중 하나이다. 내가 "직관이 먼저이고, 전략적 추론은 그다음이다"라고 말하는 것도 이 때문이다. 진실이 무엇인지 밝혀내기 위해 사람들이 혼자 가만히 앉아서 하는 어떤 활동을 도덕적 추론이라고 생각하면 오산이다.

- 조너선 하이트, 바른 마음

수시 논술전형 답안지

❶ 본 답안지는 연습용입니다. 실제 시험 답안지와는 다릅니다.

서강대학교
SOGANG UNIVERSITY

모집단위

답안지	성명	응시계열	
인문/인문·자연계열		인문/인문·자연계열	○
		자연	○

수험번호										생년월일 (예:030418)					
N	A	A													
			⓪	⓪	⓪	⓪	⓪	⓪	⓪	⓪	⓪	⓪	⓪	⓪	⓪
			①	①	①	①	①	①	①	①	①	①	①	①	①
			②	②	②	②	②	②	②	②	②	②	②	②	②
			③	③	③	③	③	③	③	③	③	③	③	③	③
			④	④	④	④	④	④	④	④	④	④	④	④	④
			⑤	⑤	⑤	⑤	⑤	⑤	⑤	⑤	⑤	⑤	⑤	⑤	⑤
			⑥	⑥	⑥	⑥	⑥	⑥	⑥	⑥	⑥	⑥	⑥	⑥	⑥
			⑦	⑦	⑦	⑦	⑦	⑦	⑦	⑦	⑦	⑦	⑦	⑦	⑦
			⑧	⑧	⑧	⑧	⑧	⑧	⑧	⑧	⑧	⑧	⑧	⑧	⑧
●	●	●	⑨	⑨	⑨	⑨	⑨	⑨	⑨	⑨	⑨	⑨	⑨	⑨	⑨

① 인적사항 (모집단위, 성명, 수험번호, 생년월일)은 반드시 검은색 필기구(연필 제외)로 정확히 기재하기 바라며, 수정이 불가능합니다.
② 답안 작성은 검은색 필기구(연필 포함)를 사용하기 바랍니다(수정테이프 및 지우개 사용가능).
※ 검은색 이외의 필기구 절대 사용 불가
③ 성명에 반드시 감독관의 날인을 받아야 합니다.
④ 반드시 답안 영역 안에 작성하시기 바랍니다.

모의 논술 문제(800~1,000자 범위에서 작성하시오)

50
100
150
200
250
300
350
400
450
500
550

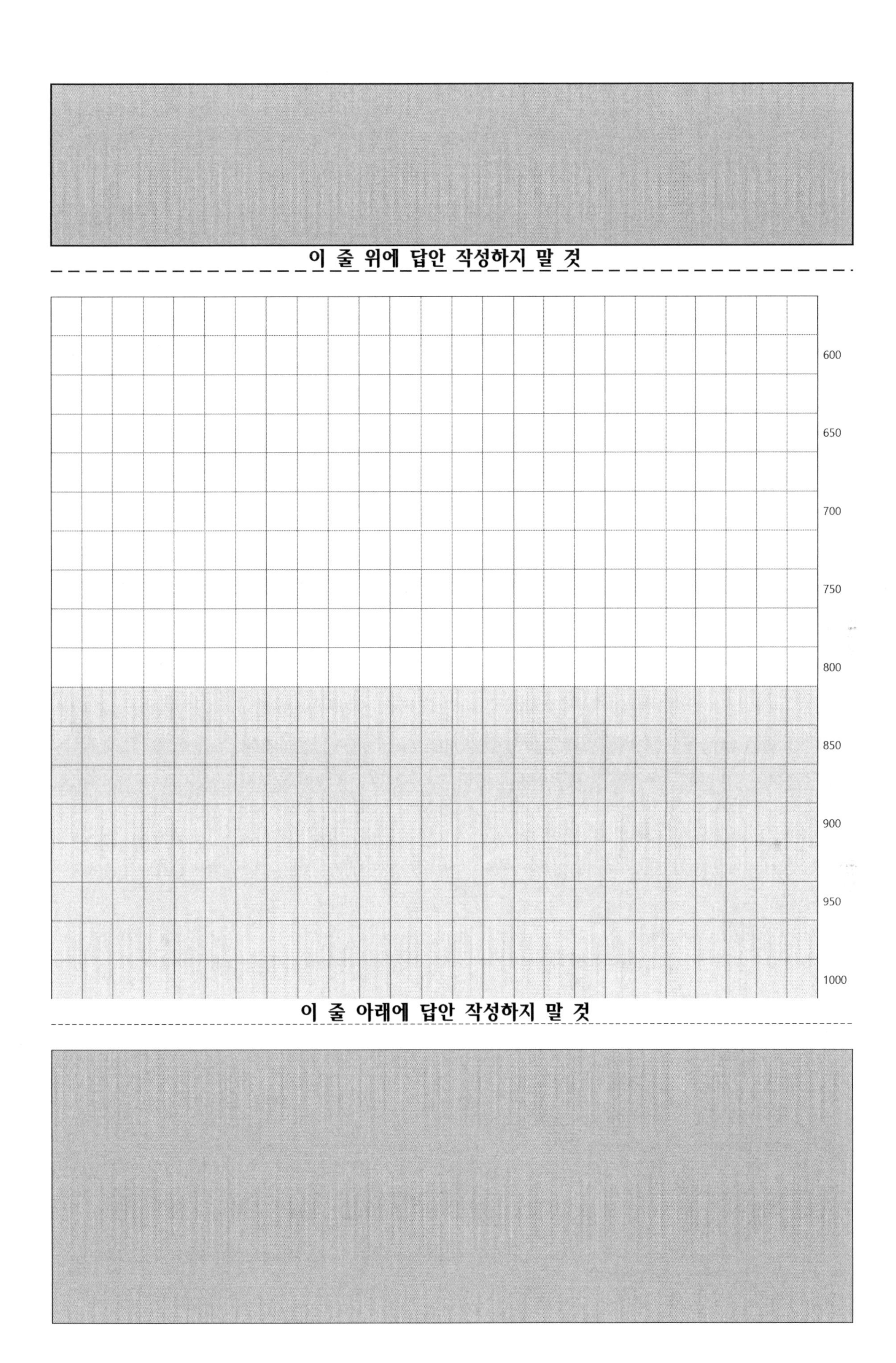
이 줄 위에 답안 작성하지 말 것
600
650
700
750
800
850
900
950
1000
이 줄 아래에 답안 작성하지 말 것

18. 2021학년도 서강대 경제경영 수시 논술

[문제 1] 제시문 [가]를 근거로 우리 정부가 '국민건강증진'을 위해 흡연율을 낮추는 정책을 실시하였다고 가정하자. 이 결정의 타당성을 [나]~[사]를 활용하여 평가하시오. (800~1,000자)

[가] 다음은 2017년 유럽 국가별 호흡기 질환에 의한 사망률과 흡연율 관련 자료를 정리한 그래프이다.

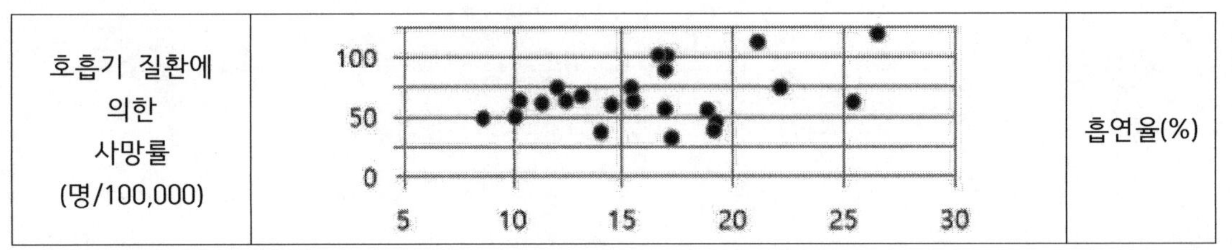

※ 각 점은 국가를 나타냄.

[나] 대규모의 모집단에서 표본을 선정하여 자료를 수집할 때에는 모집단의 특성을 대표할 수 있도록 표본을 추출해야 한다. 예를 들어, 대통령 후보자에 대한 유권자 지지도를 조사하려면, 모든 유권자를 대상으로 조사하기는 어려우므로 성별, 나이별, 지역별 조건 등을 고려하여 추출한 일정 수의 유권자를 대상으로 해야 한다. 이때 유권자 집단 모두를 모집단, 조사 대상이 되는 유권자 집단을 표본이라고 한다. 만약 표본이 모집단의 특성을 제대로 반영하지 못한다면 조사 결과를 일반화할 수 없다.

- 고등학교 사회.문화 교과서

[다] 반대 측 제1 토론자 입론 시작하겠습니다. 우리나라의 대의 민주주의의 위기는 단순히 투표율이 낮다는 점에서만 접근해서는 안 됩니다. 지난 2016년 중앙 선거 관리 위원회가 의뢰하여 유권자 1500명을 대상으로 진행한 설문 조사 결과에 따르면 '투표를 해도 바뀌는 것이 없어서, 후보자들에 대해 잘 몰라서, 정치에 관심이 없어서' 등이 투표를 하지 않는 까닭으로 꼽혔습니다. 이는 단순히 투표율이 저조한 것이 문제가 아니라 현재의 정치 문화가 정치에 대한 국민의 무관심을 조장하는 데 더 심각한 문제가 있음을 보여 줍니다. 이러한 근본적인 원인을 내버려 둔 채 강제로 투표만 하게 한다고 해서 대의 민주주의가 올바로 기능하게 될 것이라고 보기는 어렵습니다.

- 고등학교 국어 교과서 재구성

[라] 다음은 2017년 유럽 국가별 여성 호흡기 질환에 의한 사망률과 흡연율 관련 자료를 정리한 그래프이다.

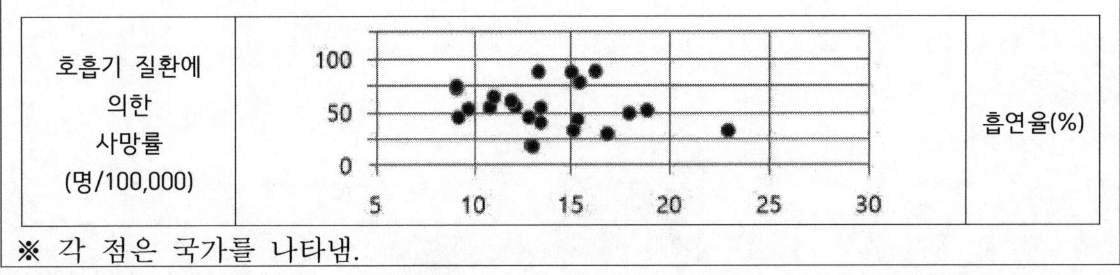

※ 각 점은 국가를 나타냄.

[마] 존은 자신의 건강 상황을 직접 살피고 싶어 사설 연구소에서 유료로 혈액 검사를 받았고, 더 많은 수치를 얻을 방법을 찾다가 배설물을 택배로 보내어 분석하기에 이르렀다. 존은 복합반응단백질 수치를 눈여겨보았다. 이는 인체의 염증과 직접적인 관계가 있다. 정상이라면 이 수치가 1을 넘으면 안 된다. 존은 5였다. 시간이 지나면서 수치가 10, 다시 15로 올라갔다. 이즈음에, 존은 의사를 찾아 자신이 발견한 것을 알려주어야겠다고 마음먹었다. 의사가 물었다. "혈압이 높습니까?" / "아니오, 멀쩡합니다." / "그런데 왜 오셨죠?" / "그게, 제 데이터에서 이런 엄청난 그래프가 나왔습니다." 의사는 그 데이터가 지나치게 '학술적' 이며, 임상적으로는 아무짝에도 쓸모없다고 말했다. "염증은 혈압이 높아야 발생해요. 단순히 차트에 이상이 생겼을 때 말고 혈압이 높아졌을 때 다시 찾아오세요." 다음날, 존은 왼쪽 복부에서 극심한 통증을 느꼈다. 급성 염증으로 인한 질병인 심각한 게실염 진단을 받았다. 존이 옳았다. 이 의사는 평소 임상적인 증상만 다루면서, 질병을 예방할 수도 있는 데이터에는 관심을 기울이지 않았다.

- 루크 도멜, 만물의 공식 재구성

[바] 1920년대 중반 미국의 문화 인류학자 미드는 남태평양에 있는 사모아에서 청소년들의 행동을 관찰한 후, 미국 청소년 문화와 비교하였다. 미드에 따르면, 사모아의 청소년은 미국 청소년에게서 흔히 나타나는 스트레스를 거의 겪지 않는 것으로 나타났다. 물론 사모아의 청소년도 신체적, 정신적 성장의 불균형 자체는 경험하지만, 그로 인한 부적응이나 불만 표출 등은 보이지 않는다는 것이다. 미드는 이 문제를 이해하기 위해 사모아의 문화 전반을 살펴보았다. 먼저, 미국과 사모아는 사회 규범의 제재 정도에서 차이가 있었다. 당시 미국은 사회 규범이 매우 강하였고, 그러한 규범의 제재는 청소년에게도 엄격하게 적용되었다. 이 때문에 미국 청소년의 대부분이 많은 스트레스를 받았다. 반면, 사모아는 사회 규범이 다소 느슨한 편이었으며, 청소년에 대한 규제도 거의 없었다. 또 경쟁의 정도에서도 차이가 있었다. 미국에서는 청소년들이 욕망을 누르고 학업에 집중할 것을 강요받았다. 이와는 달리 사모아는 경쟁적인 사회가 아니었다. 미드는 미국과 사모아의 환경 차이가 두 사회의 청소년이 받는 사춘기 스트레스의 차이를 가져왔다고 보았다.

- 고등학교 사회.문화 교과서 재구성

[사] 스웨덴 스톡홀름 거리를 돌아다니다 보면 아기 엄마는 카페 안에서 커피를 마시고, 카페 밖에는 낮잠 자는 아기들을 태운 유모차들이 나란히 세워져 있는 것을 종종 볼 수 있다. 스웨덴과 핀란드, 노르웨이 등에서는 대부분 사람들이 기온과 상관없이 아이가 신선한 공기에 자주 노출될수록 더욱 건강하게 자란다고 여긴다. 그러나 이러한 양육 문화가 다른 사회에서는 문제가 되기도 한다. 덴마크계 미국인 젊은 부부가 미국 뉴욕의 한 식당에서 체포된 적이 있다. 그 이유는 유모차에 탄 아이를 밖에다 둔 채 식사하였기 때문이다.

- 고등학교 사회.문화 교과서

[문제 2] 제시문 [가]를 읽고 [나]~[바] 각각에 대해 효율성 관점에서 바람직한지를 분석하고, 이를 종합하여 효율성 추구의 필요성과 한계점에 대해 논하시오. (800~1,000자)

[가] 효율성은 최소 비용으로 최대 만족을 추구하는 경제 행위의 원칙으로 개인 또는 집단의 합리적 선택의 기준이 되어 왔다. 사람들이 자유롭게 상품을 거래하는 시장에서, 소비자 잉여는 소비자가 물건을 구입하면서 얻었다고 느끼는 이득의 크기로서 소비자가 그 상품에 최대로 지불할 용의가 있는 금액에서 실제 지불한 금액을 뺀 것으로 계산할 수 있다. 생산자 잉여는 생산자가 어떤 상품을 팔면서 얻었다고 느끼는 이득의 크기로서 생산자가 그 상품을 판매해 실제로 받은 금액에서 상품을 생산하는 데 든 비용을 뺀 것으로 계산할 수 있다. 소비자 잉여와 생산자 잉여를 합한 것을 총잉여라고 하는데, 총잉여는 시장에서 상품 교환에 참여한 경제 주체들이 얻게 되는 사회 전체의 이득이라고 할 수 있다. 총잉여는 수요량과 공급량이 일치하는 시장 균형 수준에서 가장 커진다. 총잉여가 최대로 된다는 것은 희소한 자원이 효율적으로 배분된다는 것을 의미한다.

하지만 시장에 의해 자원이 효율적으로 배분되지 못하는 현상이 발생할 수 있는데, 이를 시장 실패라고 한다. 특히, 환경오염 등과 같이 어떤 경제 주체의 행동이 제3자에게 피해를 주지만 그에 대한 보상이 이루어지지 않는 부정적 외부효과가 존재할 때, 이에 관련한 상품 생산 또는 선택 행위가 사회적으로 최적인 수준보다 많이 이루어짐으로써 시장 실패가 발생한다. 시장 실패가 발생하는 경우 정부는 시장에 개입해 이를 개선하기도 한다. 예를 들어, 정부는 벌금 부과 등의 직접 규제 또는 온실가스배출권 거래제와 같은 경제적 유인을 통해 대기오염이라는 시장 실패를 개선할 수 있는데, 온실가스배출권 거래제는 정부에서 온실가스의 배출 허용량을 정해 배출권을 할당하고, 남거나 부족한 경우 배출권의 거래를 허용하는 제도이다.

- 고등학교 통합사회/경제 교과서 재구성

[나] "짐, 자기." 그녀가 외쳤다. "나를 그런 식으로 보지 마. 머리카락을 잘라서 팔았을 뿐이니까. 당신한테 선물 하나 주지 않고 크리스마스를 보낼 수는 없었어. (···) 내가 자기를 위해 얼마나 멋진, 얼마나 아름답고 멋진 선물을 사 왔는지 짐작도 못 할걸."

"머리카락을 잘랐다고?" 짐이 힘겹게 물었다. (···) 짐이 외투 주머니에서 꾸러미 하나를 꺼내더니 탁자 위로 툭 던졌다. "절대로 날 오해하지는 마, 델." 그가 말했다. "당신이 머리를 어떤 식으로 자르건 밀어 버리건 아내에 대한 내 사랑을 조금이라도 줄어들게 할 수 있는 건 아무것도 없으니까. 하지만 그 꾸러미를 풀어 보면 어째서 내가 처음에 잠깐 넋이 나갔는지 이유를 알 수 있을 거야." 하얀 손가락들이 날렵하게 포장 끈과 포장지를 잡아 뜯었다. 그러자 곧 환희에 찬 탄성이 터졌다. 하지만 그다음에는 아, 불쌍해라! 그녀의 마음이 급변하여 발작적인 눈물과 통곡이 뒤를 이었고, 이 집 주인은 혼신의 힘을 다해 아내를 위로해야 했다. 장식용 머리핀이 들어 있었던 것이다. 그것은 델이 어느 가게 진열창 너머로 본 뒤 오랫동안 흠모해 마지않던 장식용 머리핀 세트였다. (···)

"굉장하지 않아, 짐? 이걸 찾으려고 온 시내를 다 뒤졌어. 이제부터 자기는 하루에 백 번쯤은 시계를 보게 될걸. 시계 좀 이리 줘 봐. 자기 시계에 달면 얼마나 잘 어울릴지 보고 싶어." 짐은 그 말에 따르는 대신 소파에 주저앉아 두 손을 뒷머리에 받친 채 싱긋 웃었다. "델." 그가 말했다. "우리 크리스마스 선물들은 한동안 다른 곳에 넣어 두자. 그것들은 지금 당장 사용하기에는 너무 멋진 것 같아. 당신 머리핀 살 돈을 마련하려고 시계를 팔았거든. 자, 이제 고기를 올리면 어떨까 싶은데." (···)

오늘날 현명한 사람들에게 마지막으로 하고 싶은 한마디는 선물을 주고받은 모든 사람들 가운데 이들이 가장 현명했다는 것이다.

- 오 헨리, 크리스마스 선물

[다] 국토 대부분이 사막 지역인 A 국가는 석유 매장량이 많은 대신 농사지을 수 있는 땅이 거의 없다. A 국가는 여러 국가에서 농작물을 수입하는데, B 국가에서 가장 많은 양을 수입한다. B 국가는 풍부한 노동력과 적절한 기후 조건을 통해 전 국토의 약 70%에 달하는 토지에서 농작물을 재배한다. B 국가는 교통수단을 움직이는 석유를 전량 수입에 의존하는데, A 국가와 C 국가에서 주로 수입하고 있다.

- 고등학교 통합사회 교과서

[라] 다음과 같은 예를 생각해보자. 사람들은 가을이면 낙엽을 긁어모아 태우곤 한다. 그러나 낙엽을 태우는 것은 공기를 오염시키는 행위이므로 비용을 들여 소각장으로 옮겨 그곳에서만 태우도록 정부가 법적 규정을 만들고, 예외 규정을 두어 각 가정이 1년에 한 번씩만 소량의 낙엽을 태울 수 있도록 했다(나머지 낙엽들은 소각장으로 옮겨야 한다). 각 가정마다 낙엽을 태우면서 돈도 절약하고 가을의 정취도 느끼곤 했다. 그리고 정부는 각 가정이 원하는 경우에 낙엽 태울 권리를 사고팔 수 있도록 했다. 그리하여 한 부자가 낙엽 태울 권리를 이웃들에게서 산다. (···) 사람들은 돈을 벌기 위해 그리고 낙엽을 긁어모아 태우는 수고(때로는 노동)를 덜기 위해 그 부자에게 낙엽 태울 권리를 판다. (···) 이제 낙엽 태울 권리를 파는 쪽이든 사는 쪽이든 사람들은 낙엽 태우는 행위를 깨끗한 공기를 오염시키는 행동으로 인식하기보다는 하나의 상품으로 여긴다.

- 마이클 샌델, 왜 도덕인가? 재구성

[마] 층간 소음에 따른 주민 갈등이 심각한 사회적 문제로 나타나고 있다. 환경부 산하 한국환경공단의 전화 민원 상담실인 층간소음이웃사이센터에 따르면, 지난 2012년 8,795건에 불과했던 층간 소음 있다. 민원이 2013년 1만 8,524건으로 크게 늘어난 이후 좀처럼 줄어들지 층간소음이웃사이센터는 층간 소음에 따른 주민 분쟁을 완화하고 갈등을 해결해 주는 일을 담당하고 있지만 층간 소음 문제를 완전히 해결하는 것은 여전히 쉽지 않다. 민원이 워낙 많다 보니 현장 진단을 하기도 어렵고, 층간 소음을 유발하는 주민에게 벌금이나 과태료를 부과할 수 있는 강제 규정이 마련되어 있지 않기 때문이다.

- 고등학교 생활과 윤리 교과서 재구성

[바] 스타트업 기업인 A사(社)는 마트 또는 편의점의 제품 가격표를 액정식 디스플레이로 바꾸는 작업을 하고 있다. 상품을 제조·판매하는 공급자들은 이 기업의 액정식 가격표를 이용해 동일한 제품의 가격을 달리 책정하여 판매할 수도 있다. (· · ·)

상품의 수요와 공급이 일치할 때의 가격인 시장 균형 가격이 IT 기술 및 데이터의 증가로 인해 무너지고 있다. (· · ·) 모든 소비자와 공급자에게 시장 균형 가격은 동일하기 때문에, 보다 비싼 값에도 해당 제품을 구매할 용의가 있는 소비자들은 이득을 얻을 수 있고, 보다 싼 값에 제품을 생산해 판매할 수 있는 공급자들도 이득을 얻을 수 있다. 예를 들어 생수의 시장 균형 가격이 500원이라면, 최대 800원의 가격을 지불하고서라도 생수 한 병을 구매하고 싶은 소비자는 500원을 가격으로 지불함으로써 300원만큼의 이득을 얻을 수 있고, 생수 한 병을 제조·판매하는 비용이 450원인 생수 공급자는 500원의 가격을 받음으로써 50원만큼의 이득을 얻을 수 있는 것이다. 그런데 이런 상상을 해 보자. 만일 A사가 하고 있는 것처럼 가격표를 자유자재로 바꾸어 비싸게라도 생수를 사서 마시고 싶은 이들에게는 높은 가격을 표시할 수 있다면 어떻게 될까? 생수 공급자는 인공지능과 빅데이터를 활용해 최대 800원을 주고서라도 물을 사 마시고 싶은 사람을 파악한 뒤 A사의 액정식 가격표를 활용하여 이 사람에게는 다른 사람과 다른 800원의 가격에 생수를 판매할 수 있을 것이다.

- 매일경제 , 2019. 5. 27. 재구성

수시 논술전형 답안지

● 본 답안지는 연습용입니다. 실제 시험 답안지와는 다릅니다.

서강대학교
SOGANG UNIVERSITY

모집단위

답안지	성명	응시계열	
인문/인문·자연계열		인문/인문·자연계열	○
		자연	○

수험번호									
N	A	A							
			⓪	⓪	⓪	⓪	⓪	⓪	⓪
			①	①	①	①	①	①	①
			②	②	②	②	②	②	②
			③	③	③	③	③	③	③
			④	④	④	④	④	④	④
			⑤	⑤	⑤	⑤	⑤	⑤	⑤
			⑥	⑥	⑥	⑥	⑥	⑥	⑥
			⑦	⑦	⑦	⑦	⑦	⑦	⑦
			⑧	⑧	⑧	⑧	⑧	⑧	⑧
●	●	●	⑨	⑨	⑨	⑨	⑨	⑨	⑨

생년월일 (예:030418)					
⓪	⓪	⓪	⓪	⓪	⓪
①	①	①	①	①	①
②	②	②	②	②	②
③	③	③	③	③	③
④	④	④	④	④	④
⑤	⑤	⑤	⑤	⑤	⑤
⑥	⑥	⑥	⑥	⑥	⑥
⑦	⑦	⑦	⑦	⑦	⑦
⑧	⑧	⑧	⑧	⑧	⑧
⑨	⑨	⑨	⑨	⑨	⑨

① 인적사항 (모집단위, 성명, 수험번호, 생년월일)은 반드시 검은색 필기구(연필 제외)로 정확히 기재하기 바라며, 수정이 불가능합니다.
② 답안 작성은 검은색 필기구(연필 포함)를 사용하기 바랍니다(수정테이프 및 지우개 사용가능).
※ 검은색 이외의 필기구 절대 사용 불가
③ 성명에 반드시 감독관의 날인을 받아야 합니다.
④ 반드시 답안 영역 안에 작성하시기 바랍니다.

문제 1번 (800~1,000자 범위에서 작성하시오)

50
100
150
200
250
300
350
400
450
500
550

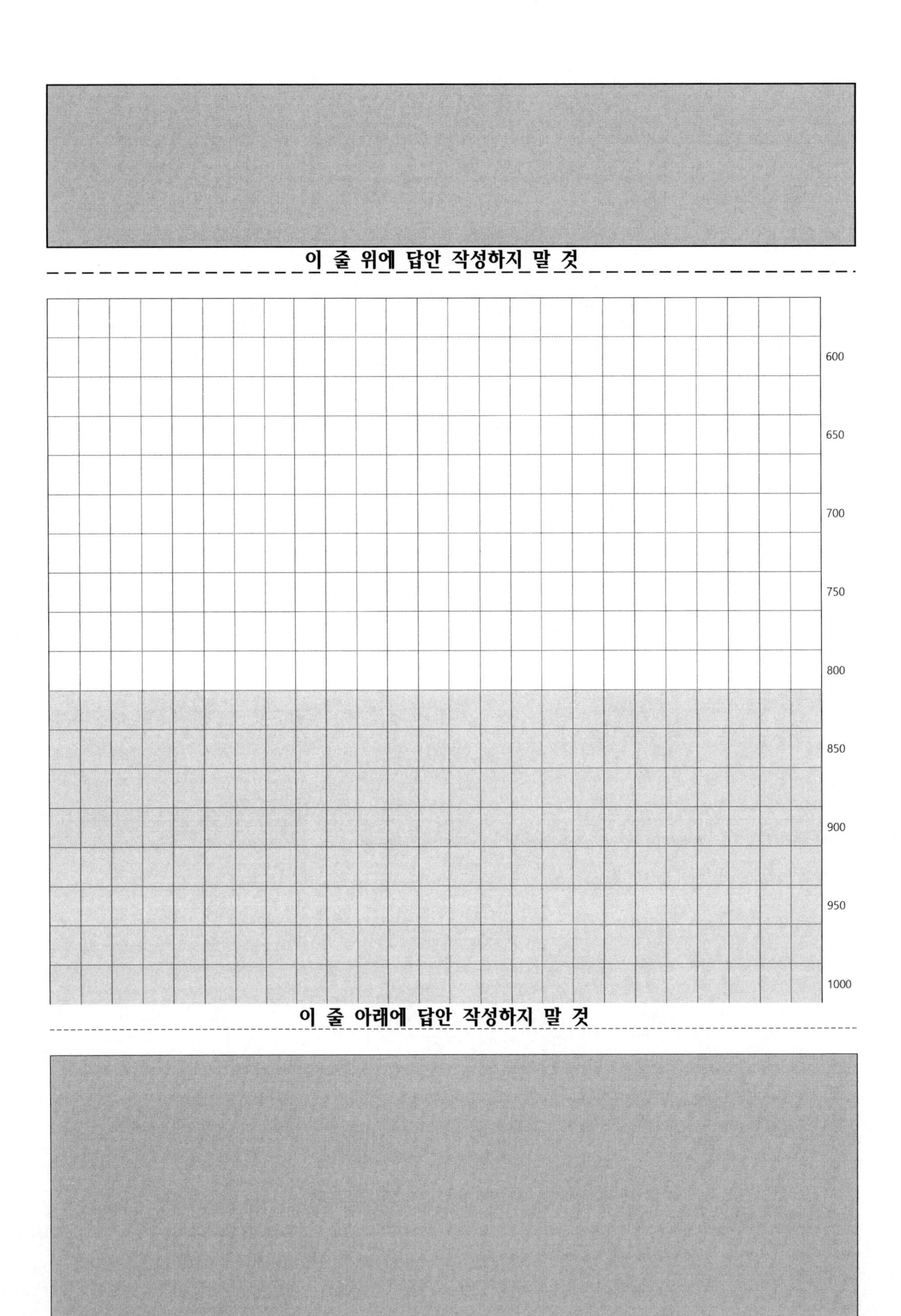
이 줄 위에 답안 작성하지 말 것
600
650
700
750
800
850
900
950
1000
이 줄 아래에 답안 작성하지 말 것

문제 2번 (800~1,000자 범위에서 작성하시오)

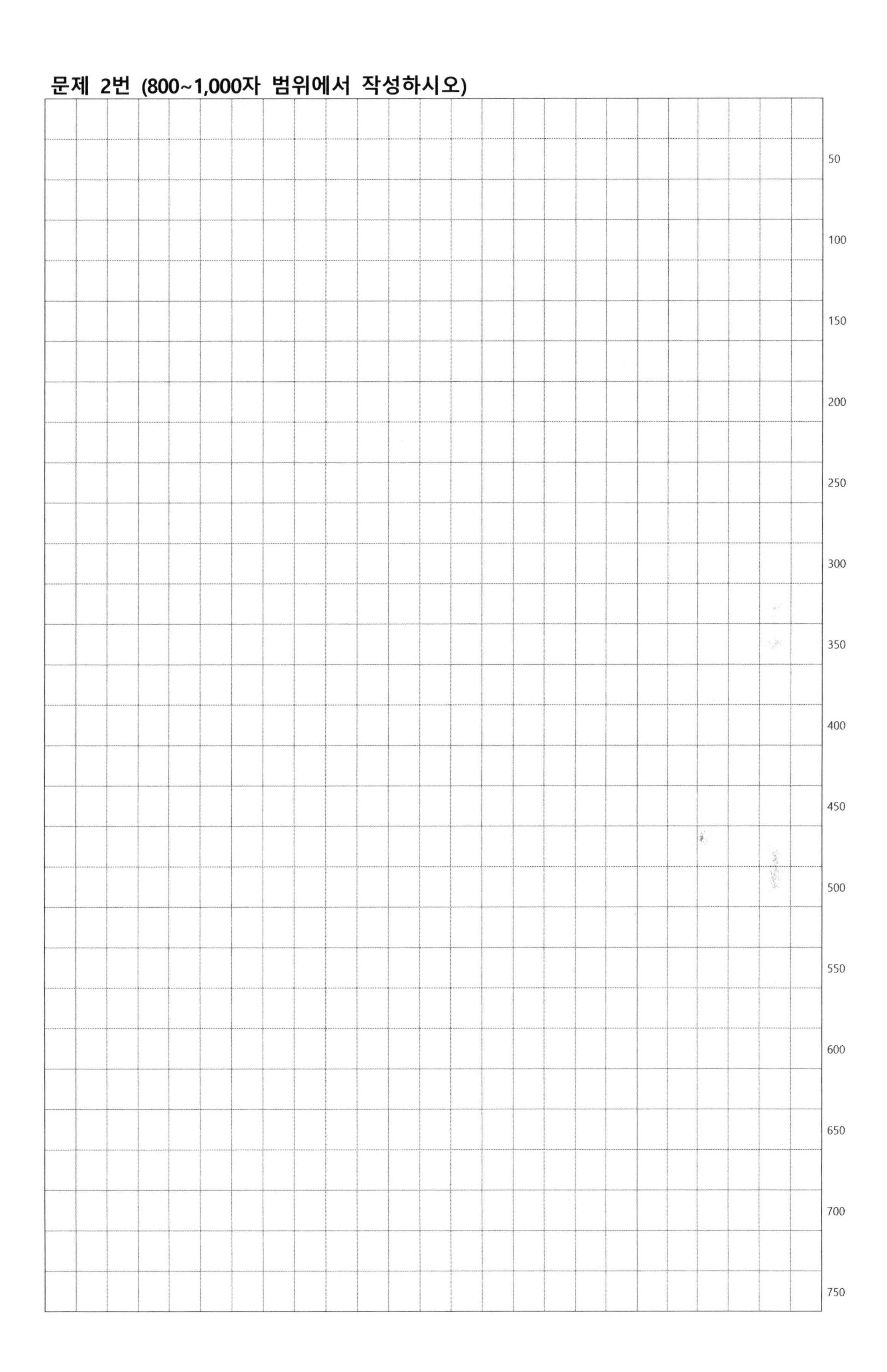

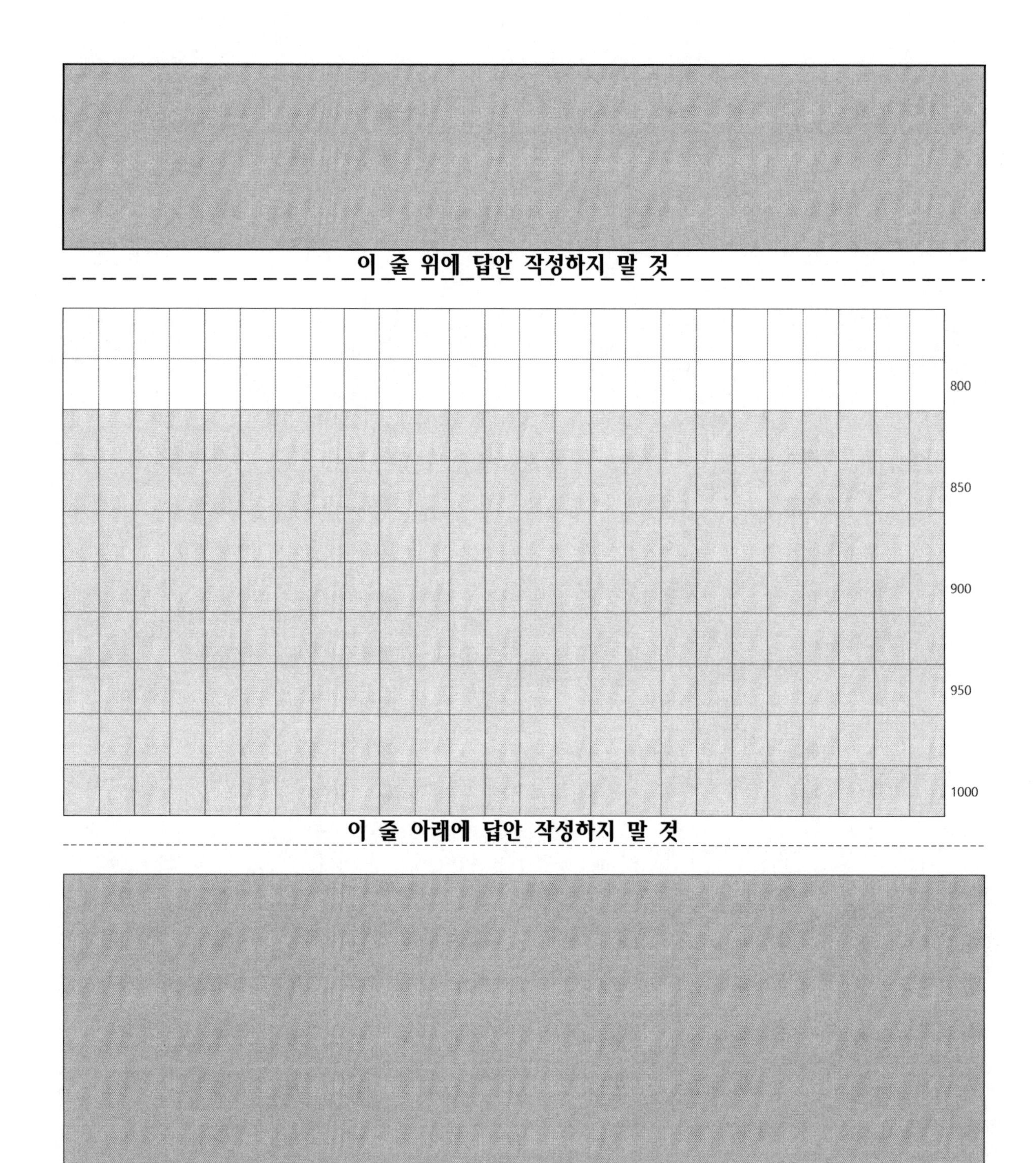
이 줄 위에 답안 작성하지 말 것
800
850
900
950
1000
이 줄 아래에 답안 작성하지 말 것

19. 2021학년도 서강대 인문사회 수시 논술

[문제 1] 제시문 [나], [다], [라] 각각의 내용에 근거하여 [가] 현상의 문제점을 분석하고, 그에 대한 해결 방안을 [마]와 [바]의 관점에서 설명하시오. (800~1,000자)

[가] 대학생들 사이에서 서열화는 이미 상당한 '진도'를 나간 상태이다. 대개 '입결'(입시결과)에 따라 서열이 좋다고 인정받는 학과의 학생들이 우월감이 높다. (…) 전과에 성공하더라도 꼬리표는 떨어지지 않는다. A씨의 친구는 1학년을 마치자마자 같은 캠퍼스 내 타 학과로 전과했다. "그 친구가 입학할 때 그 학과는 정원 미달이었어요. 입학 점수가 정말 낮았는데, 전과를 하고 나서 이전 학과 친구들을 좀 무시하더라고요. 걔 친구들 사이에서 '전과한 주제에'라며 말이 많았어요." (…) B씨는 게시판을 보고 깜짝 놀란 적이 있다. "입결로 서열화하는 글들이 게시판에 꽤 많이 올라와요. 반박 댓글이 달리긴 하지만 심각한 문제죠."

- 한겨레 2014. 7. 16. 재구성

[나] 집을 나서기 전에 날씨를 살피고 우산을 챙기거나 따듯한 옷을 껴입는 행위처럼 인간의 의지와 행동에 따라 나타나는 현상을 사회.문화 현상이라고 한다. (…) 수소와 산소가 결합하면 물이 되는 현상처럼, 자연 현상은 같은 조건에 따른 결과가 언제, 어디에서나 똑같이 나타난다. 이러한 점에서 자연 현상은 보편성을 지닌다. (…) 한편 일반적으로 지능이 높으면 학업 성취도가 높지만 그렇지 않은 예외가 있듯이, 사회.문화 현상은 자연 현상과 달리 같은 조건에서 다른 결과가 나타나기도 한다. 다시 말해, 일정한 조건 아래에서 어떤 결과가 발생할 가능성이 확률적으로 높을 뿐이고, 그 인과 관계가 필연적인 것은 아니다. 이처럼 사회.문화 현상은 개연성과 확률의 원리가 작용하는데, 이는 사회.문화 현상이 인간의 의지와 판단에 따라 나타나기 때문이다.

- 고등학교 사회.문화 교과서

[다] 최고 중의 최고로 구성된 어떤 엘리트 하키 선수팀을 선택하더라도 그들의 40%는 1~3월, 30%는 4~6월, 20%는 7~9월, 10%는 10~12월에 태어났다. (…) 이러한 현상에 대한 설명은 간단하다. 점성술과는 아무런 상관이 없고 1년의 첫 세 달이 어떤 마법적인 힘을 갖고 있는 것도 아니다. 단지 캐나다에서 1월 1일을 기준으로 나이를 헤아리고 그에 맞춰 하키 클래스를 구성하기 때문이다. 예를 들어 1월 2일에 열 살이 되는 소년은 그해 말까지 만으로 열 살이 되지 못한 소년과 함께 하키를 할 수 있다. 중요한 점은 사춘기 이전에는 열두 달이라는 기간이 엄청난 신체 발달의 차이를 낳는다는 것이다. 지구상에서 가장 하키에 미친 나라, 캐나다에서는 코치들이 아홉 살이나 열 살 무렵의 소년들을 대상으로 후보군을 찾기 위해 분주히 움직인다. 이때 몇 달간 더 숙달될 수 있는 기회를 누린 소년들이 더 크고 보다 재능이 있어 보이는 것은 당연한 일이다. (…) 물론 출발점을 놓고 보면 후보군의 강점은 선천적이라기보다 그저 몇 개월 더 일찍 태어난 것에 지나지 않는다. 그러나 한창 성장기에 있는 소년들은 훌륭한 코치와 강도 높은 연습 덕분에 정말로 뛰어난

선수로 거듭나게 된다.

- 말콤 글래드웰, 아웃라이어

[라] 내가 산 복권의 가격은 $1이고 기댓값은 $0.56이므로 $1를 주고 사는 것은 손해다. 하지만 운이 좋아서 나는 $2에 당첨되었다. (…) 큰수의 법칙에 따르면 독립적 시행의 횟수가 늘어날수록 결과의 평균은 기댓값에 점점 가까워진다. 나는 오늘 운이 좋아서 기댓값이 $0.56인 $1짜리 복권으로 $2에 당첨이 되었다. 나는 내일도 같은 복권을 사서 $2에 당첨될 수 있다. 하지만 내가 그 $1짜리 복권 1,000장을 샀을 때, 내가 손해를 본다는 것은 수학적으로 거의 확실하다. 또 내가 그 $1짜리 복권 백만 장을 $1,000,000를 주고 산다면, 나에게 돌아올 돈은 $560,000에 매우 가까울 것이다. 즉, 확률적인 사건의 경우에는 충분히 많은 시행이 있어야 기대하는 결과를 안정적으로 얻을 수 있다.

- Charles Wheelan, Naked Statistics 번역 재구성

[마] 생전 처음 만나서 잘 알지 못하는 사람에 대해서도 우리는 결정적인 평가를 내리는 습관이 있습니다. 겉모양이나 몇 개의 소문으로 그를 온당하게 평가할 수 없음은 물론입니다. 좀더 가까운 자리에서 함께 일하며 그리하여 깊이 있는 인식을 마련할 때까지 기다리지 못하는 까닭은 이쪽의 개인적인 조급 때문이기도 하지만 크게는 인간관계가 기성의 물질적 관계를 닮아버린 세속의 한 단면인지도 모릅니다. (…) 바늘 구멍으로 황소를 바라볼 수도 있겠지만 대상이 물건이 아니라 마음을 가진 '사람' 인 경우에는 이 바라본다는 행위는 그를 알려는 태도가 못됩니다. 사람은 그림처럼 벽에 걸어놓고 바라볼 수 있는 정적 평면이 아니라 '관계' 를 통하여 비로소 발휘되는 가능성의 총체이기에 그렇습니다. 한편이 되어 백지 한 장이라도 맞들어보고 반대편이 되어 헐고 뜯고 싸워보지 않고서 그 사람을 알려고 하는 것은 흡사 냄새를 만지려 하고 바람을 동이려 드는 헛된 노력입니다.

- 신영복, 감옥으로부터의 사색

[바] "착한 일을 한 사람은 원래 착하기 때문이고, 악한 일을 한 사람은 원래 악하기 때문이다. 가난한 사람은 원래 그런 류의 사람이고, 부자는 원래 그런 류의 사람이다. 비리를 저지르는 사람은 원래 도덕적으로 문제가 있는 사람이다." 사람 프레임에 입각한 이런 생각들은 우리의 마음을 편하게 만들 수는 있다. (…) 그러나 눈에 보이지 않는 상황의 힘을 직시하게 되면, 나쁜 행동을 한 사람에게 조금은 더 관대해진다. 착한 일을 한 사람은 조금 덜 영웅시하게 된다. 쉽고 익숙한 '사람 프레임' 에서 불편하지만 진실일 가능성이 높은 '상황 프레임' 으로의 전환이 필요하다.

- 최인철, 프레임 재구성

[문제 2] 제시문 [가]를 토대로 [나], [다]의 문제점을 각각 분석하고, 이를 기반으로 [라]에 대한 해결 방안을 [마], [바], [사]를 종합하여 논하시오. (800~1,000자)

[가] 추론적 읽기란 글에 드러난 여러 가지 단서와 독자의 배경지식을 활용하여 글에 드러나지 않은 내용을 미루어 짐작하며 읽는 것이다. 이를 위해서는 필자의 의도, 글을 쓴 목적, 숨겨진 주제 등을 추측하며 읽어야 한다. 드러나지 않은 내용을 추론하며 읽지 않거나 필자의 전제를 오판하게 되면, 독자는 의도나 목적을 파악하는 데에 실패할 것이다. (…) 추론적 읽기 방법은 크게 두 가지이다. 첫째, 배경지식과 경험, 글에 나타난 담화 표지, 글에 사용된 어휘나 문맥 등을 활용하여 생략된 내용을 추론한다. 둘째, 사회·문화적 맥락이나 표현 방법 등을 토대로 필자의 의도나 글을 쓴 목적, 숨겨진 주제 등을 추론한다.

- 고등학교 독서 교과서 재구성

[나] 그는 다시 난장판이 되어 가고 있는 목욕탕을 들여다보았다. 욕조를 상하지 않게 하려고 정교한 솜씨로 정을 대어 망치질을 하고 있는, 빛바랜 누런 티셔츠의 사내가 오늘 공사를 떠맡은 임 씨였다. (…) 자칭 기술자라는 임 씨조차 겨울이면 연탄 배달로 삯을 버는 연탄장수가 주업이라서 아무래도 미덥지가 않기로는 매일반이었다. (…) 임 씨가 뽑은 견적대로 일을 맡기고 나서야 그는 아내를 통해 임 씨가 사실은 연탄 배달부로서 여름 한철에만 이것저것 잡일을 하는 어설픈 막일꾼이라는 것을 알게 되었다. 그렇다면 보나마나 하자가 생길 것이 틀림없다고 믿은 그는 일을 시작도 하기 전에 적잖이 기분을 그르치고 말았다. 다른 것도 아니고 목욕탕 공사야말로 급수 배관에서 방수, 그리고 미장, 타일까지 전문직이 필요한 게 아니냐는 나름대로의 이론에 비추어봐도 섣부른 결정임에는 틀림없는 것처럼 여겨졌다. (…) 미덥지 않게 보인 인상과는 달리 임 씨는 흠집 하나 내지 않고 욕조를 들어내었다.

- 양귀자, 비 오는 날이면 가리봉동에 가야 한다

[다] 세계대전만큼은 필사적으로 피하고 싶었던 체임벌린 총리는 1938년 9월 말, 절박한 심정으로 독일을 방문했다. 말기 암 진단으로 다음을 기약할 수가 없던 그는, 이번에 반드시 확약을 얻어내어야만 한다고 생각했다. (…) 이전 방문에서 체코슬로바키아에만 야심을 갖고 있다고 히틀러가 말했을 때, 체임벌린은 "히틀러가 진실을 말하고 있다."라고 믿었다. 그 약속을 문서로 받아내는 일만 남은 것이다. 다행인 것은, 히틀러가 그를 자기 아파트로 데려가기까지 하며 호의적인 태도를 보였다는 것이다. 체임벌린은 합의 사항을 간단히 적어둔 메모 용지를 꺼내 히틀러에게 서명하겠느냐고 물었다. 예상대로, 히틀러는 흔쾌히 동의했다.

"그럼요! 물론이죠. 서명하겠습니다." (…)

그날 오후, 체임벌린은 영국으로 돌아가서 영웅 같은 환대를 받았다. 언론인들이 구름처럼 몰려들었다. 그는 가슴 주머니에서 메모 용지를 꺼내 군중에게 흔들었다.

"오늘 아침 저는 독일 총리 히틀러와 다시 회담을 했습니다. 그는 우리에게 호의적이며, 침공 의도라고는 전혀 없는 것으로 저는 판단했습니다! 이것이 그 증거입니다. 이제 걱정하지 마십시오!”

(…)

그러나 1939년 3월, 히틀러가 ‘합의 문서’를 종잇조각으로 만드는 데 채 6개월이 걸리지 않았다.

- 말콤 글래드웰, 타인의 해석 재구성

[라] 언론은 신문이나 텔레비전, 인터넷 등을 통하여 사실을 알리거나 어떤 문제에 대하여 여론을 만들어 나가는 활동을 의미한다. (…) 언론은 사회에서 일어나는 다양한 사건 사고 및 각종 지식과 정보를 전달하여 국민의 알 권리를 보장함으로써 시민이 의사결정을 내리는 데 도움을 준다. (…) 여론 형성을 주도하며 정치적으로 큰 영향력을 행사해야 하기 때문에 기자는 객관적이고 중립적인 자세로 취재한 정보를 사실적으로 전달하기 위해 노력해야 한다. 하지만 기자가 아무리 객관적으로 취재를 한다고 해도, 사건의 실체를 온전히 드러내기에는 한계가 있다.

- 고등학교 정치와 법 교과서 재구성

[마] 한 부부가 먼 길을 가다가, 남편은 죽고 부인은 추행을 당한다. 살인죄로 체포된 산적과 아내가 사건을 증언한다. 죽은 남편도 그 혼이 무당의 입을 빌려 사건을 증언한다. 먼저 산적이 증언한다.

그는 부인의 미모에 혹하여 남편을 나무에 묶은 뒤 부인을 추행했다고 말한다. 그리고 부인에게 자신과 살자고 했단다. 부인은 남편과 산적이 결투를 벌이면 이긴 사람을 따르겠다고 했단다. 그래서 산적은 남편과 정정당당하게 결투를 벌여 그를 죽게 했다고 한다. 살인한 것이 아니라 결투를 했다는 것이다. 부인의 증언은 이러하다. 산적은 자신을 추행한 후에 가버렸고, 그녀를 바라보는 남편의 눈빛은 그녀를 극도로 모멸하는 것이었다고 했다. 그 순간 그녀가 들고 있던 단검에 남편이 찔려 죽었다는 것이다. 남편의 혼백은 이렇게 말한다. 산적에게 당한 부인은 산적에게 남편을 죽이고 자신을 데려가 줄 것을 애원했단다. 산적은 그녀의 말에 화를 내고 오히려 남편을 풀어주고 사라졌다는 것이다. 명예를 잃은 치욕감과 부인에게 당한 배신감으로 자기는 그 자리에서 자결했다고 말한다.

그런데 이 모든 광경을 숲에서 지켜본 목격자가 또 있었다. 목격자인 나무꾼은 다른 증언자들과는 전혀 다른 내용으로 이 사건을 증언한다.

- 박인기, 언어적 인간 인간적 언어 재구성

[바] 어느 부족의 언어에는 성조가 수십 개다. 그들은 어느 열대 지방에 사는 빨갛고 쭈글주글한 멱을 가진, 화려한 희귀 새처럼 운다. 이방인의 귀에는 그저 ‘크, 크헉, 흐허, 헉’처럼 들리는 소리가 어떻게 수만 가지 문장으로 확장되는지 나도 알지 못한다. 어느 부족의 시제에는 전생과 환생이 들어간다. (…) 어느 나라의 동사는 백오십 번 이상 몸을 바꾼다. 그것은 프리즘에 닿은 빛처럼 여러 갈래로 꺾이며 굴절된다. 단어가 소리에 반사되어 영혼에 무지개를 비춘다. 어느 민족에게 사랑은 접속사, 그 이웃에게는 조사다. 하지만 어느 부족에서는 그런 건 본디 이름을 붙이는 게 아니라 하여 아무런 명찰도 달아주지 않는다. 어느 부족에게 ‘보고 싶

다'는 한 음절로 족하다.

- 김애란, 침묵의 미래

[사] 흄은 시인(是認)과 부인(否認)의 감정이 언제나 도덕적 구별의 기준은 아니라고 보았다. 오로지 자신만이 느끼는 주관적인 감정은 그러한 기준이 될 수 없기 때문이다. 따라서 시인과 부인의 감정이 도덕적 구별의 기준이 되려면 일반적이고 공통적인 관점이 필요하다. 즉, 그것은 사회적 구성원들이 모두 함께 느끼는 사회 공통의 감정이어야 한다.

그렇다면 인간은 어떻게 사회적 차원의 감정을 공유할 수 있을까? 흄은 이 물음에 인간에게는 공감 능력이 있기 때문이라고 대답한다. 인간은 타인의 행복이나 불행을 함께 느낄 수 있다. 이것이 바로 공감 능력이다. 따라서 인간은 이러한 능력으로 개인의 주관적 감정을 넘어 사회적 차원의 감정, 보편적 인류애의 감정을 공유할 수 있다. 또한, 사람들은 공감을 바탕으로 공평한 관찰자로서 자기 자신, 타인, 사회의 이익이나 쾌락을 증진할 수 있다.

- 고등학교 윤리와 사상 교과서

수시 논술전형 답안지

● 본 답안지는 연습용입니다. 실제 시험 답안지와는 다릅니다.

서강대학교
SOGANG UNIVERSITY

모집단위

답안지	성명	응시계열	
인문/인문-자연계열		인문/인문-자연계열	○
		자연	○

① 인적사항 (모집단위, 성명, 수험번호, 생년월일)은 반드시 검은색 필기구(연필 제외)로 정확히 기재하기 바라며, 수정이 불가능합니다.
② 답안 작성은 검은색 필기구(연필 포함)를 사용하기 바랍니다(수정테이프 및 지우개 사용가능).
※ 검은색 이외의 필기구 절대 사용 불가
③ 성명에 반드시 감독관의 날인을 받아야 합니다.
④ 반드시 답안 영역 안에 작성하시기 바랍니다.

수험번호									
N	A	A							

생년월일 (예:030418)

문제 1번 (800~1,000자 범위에서 작성하시오)

50
100
150
200
250
300
350
400
450
500
550

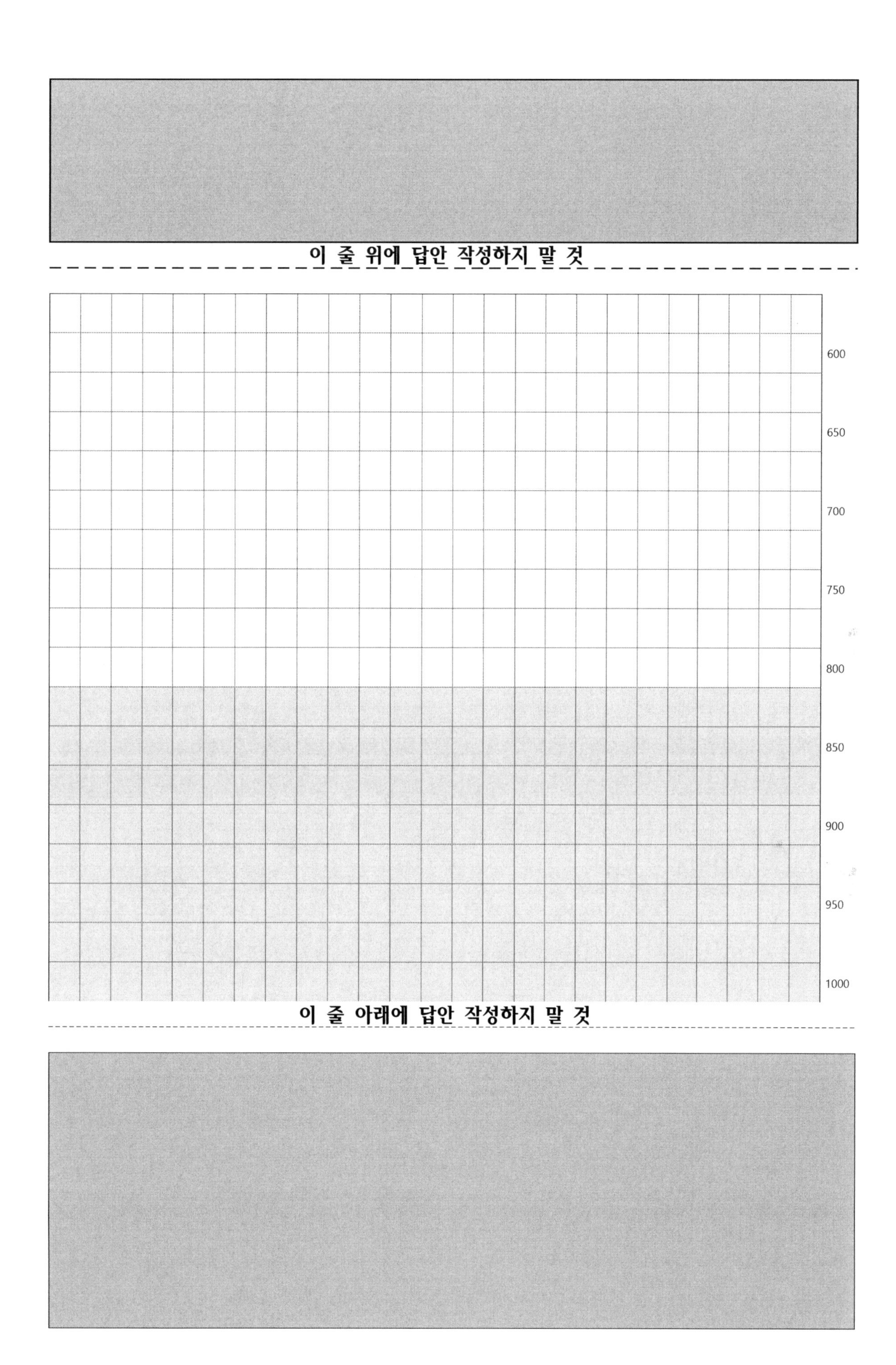
이 줄 위에 답안 작성하지 말 것
600
650
700
750
800
850
900
950
1000
이 줄 아래에 답안 작성하지 말 것

문제 2번 (800~1,000자 범위에서 작성하시오)

50
100
150
200
250
300
350
400
450
500
550
600
650
700
750

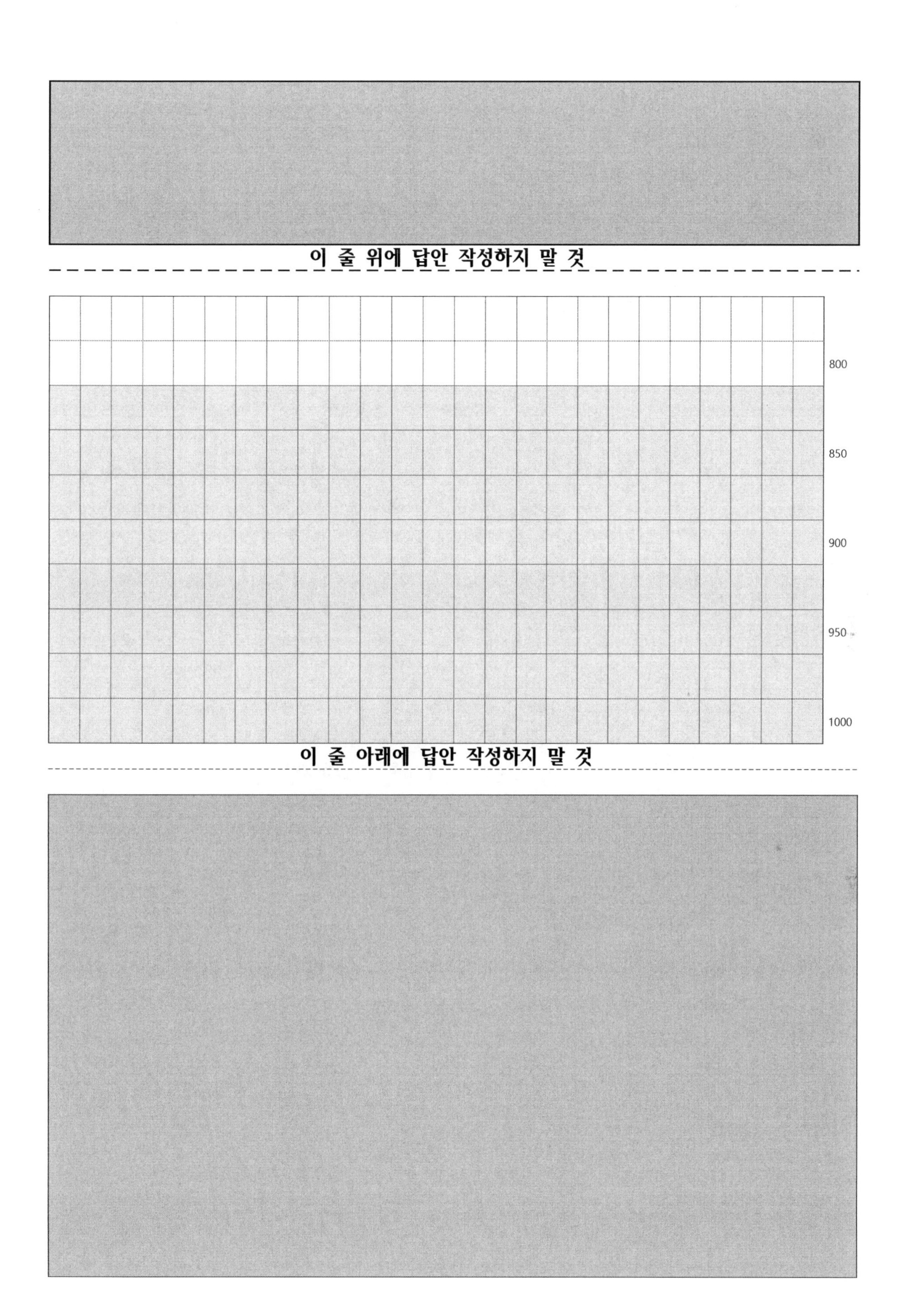

이 줄 위에 답안 작성하지 말 것

800

850

900

950

1000

이 줄 아래에 답안 작성하지 말 것

20. 2021학년도 서강대 경제경영 1차 모의 논술

■ 모의논술 유의사항
1. 시험시간은 50분입니다.
2. 답안분량은 800~1,000자입니다. ※ 서강대 모의 논술은 계열별 1문항만 출제함

제시문 [가]를 바탕으로 정부의 책임과 역할 수행이 국가 경제에 긍정적으로 적용되는지 또는 부정적으로 적용되는지에 대한 장단점을 분석하고 그 견해를 제시문 [나], [다], [라], [마], [바]를 이용하여 논술하시오.

[가] 정부는 시장이 자원을 효율적으로 배분하지 못할 경우 이를 해결하기 위해 시장에 개입할 수 있다. 정부는 자유롭고 공정한 경쟁이 이루어지도록 공정한 시장 환경 조성에 노력하면서 외부 효과에 의한 시장 실패를 해결하기 위해 직접 개입하거나 경제적 유인을 사용하여 특정한 행위를 하도록 유도한다. 사회적으로 필요한 공공재를 직접 생산하여 공급하고 공유자원을 보호하기 위해 다양한 규제 정책을 사용한다. 마지막으로 상품 정보가 비대칭을 이루면 상대적으로 정보를 적게 가진 쪽이 피해를 볼 가능성이 높으므로 시장에 직접 정보를 제공하여 소비자를 보호하고 정보의 비대칭성을 해결하기도 한다.

- 고등학교 경제 교과서, 지학사

[나] 지난 10년간 주요 공기업의 부채 비율은 2002년 73%에서 2013년 214%로 늘어난 반면 공기업에서 민영화된 기업의 부채 비율은 같은 기간 105%에서 61%로 약 44% 줄어든 것으로 나타났다. 특히 정부가 정한 부채중점관리 10대 공기업의 이자보상비율 (영업이익/이자 비용)은 지난해 81.7%로 나타났다. 일반 기업은 이자 보상비율이 100%보다 낮으면 영업 이익으로 이자를 지급하기도 어려운 상황으로 판단한다. 최근 공기업은 경영 실적이 크게 약화된 상황에서도 기관장의 연봉을 꾸준히 올리는 등 방만한 경영으로 비판받았다. (중략) 공기업 부채는 대부분 국민의 세금으로 갚고 있다. 이 때문에 공기업 부채 문제를 해결하고 국민 부담을 줄이기 위해 민영화를 확대해야 한다는 주장이 힘을 얻고 있다.

- 한국경제. 2014년 10월 30일, 고등학교 경제 교과서, 미래엔

[다] 사회보험은 국민에게 발생하는 질병, 장애, 노령, 실업, 사망 등의 사회적 위험을 보험 방식으로 대처함으로써 국민의 안전한 삶을 누리는 데 필요한 건강과 소득을 보장하는 제도이다. 사회 보험은 미래에 직면할 사회적 위험에 대처하는 사전 예방적 성격이 있고 금전적 지원을 원칙으로 하여 그 비용은 가입자와 사용자, 국가 및 지방 자치 단체가 공동으로 부담한다. (중략) 우리나라에서는 국민 건강 보험, 국민연금, 고용 보험, 산업 재해 보상 보험, 노인 장기 요양 보험들이 시행되고 있다.

- 고등학교 사회 문화 교과서, 미래엔

[라] 20세기 후반에 들어서면서 정부의 적극적 시장 개입이 오히려 비효율을 초래하는 정부 실패가 나타났다. 특히 1970년대 석유 파동 이후 전 세계적으로 스태그

플레이션이 발생하면서 정부의 지나친 시장 개입을 비판하고 민간의 자유로운 경제 활동을 옹호하는 신자유주의가 지지를 받기 시작했다. 1980년 영국과 미국은 작은 정부로 돌아갈 것을 주장하는 신자유주의에 근거하여 기업에 대한 세금 감면, 공기업 민영화, 노동 시장의 유연성 강화, 복지 축소 등을 실시하였다.

- 고등학교 통합 사회 교과서, 미래엔

[마] 영국이 유럽 연합을 탈퇴(브렉시트)하며 미치는 영향은 다른 나라와의 무역 협정을 빠르게 진행하며 중국, 인도, 미국등 수출 대상국을 다변화할 수 있다. 과도한 유럽 연합 분담금을 내지 않아도 되어 연구 개발, 신산업, 교육 등에 추가 지원이 가능해지고 이민자 유입을 제어할 수 있어 청년 일자리가 늘어날 것이다. 유럽 연합에 대한 관세 면제 혜택이 사라지면서 거대 지장인 유럽 연합으로의 수출이 크게 위축되어 경기가 침체 될 수 있다. 글로벌 투자 은행들이 런던 내 업무 및 인력을 유럽의 다른 도시로 재배치하면서 세계 금융의 중심지인 런던의 위상이 흔들릴 수 있다.

- 고등학교 세계 지리 교과서, 미래엔

[바] 국가는 시민의 사회 보장과 복지를 증진해야 할 의무가 있다. 맹자에 따르면 기본적인 생활 기반이 형성되지 있지 않은 국가의 시민은 부도덕한 일을 하기 쉽다. 따라서 국가는 시민에게 기본적인 생활 수준이 보장될 수 있도록 노력해야 한다. 이를 현대 사회에 적용하면 국가는 개인의 의료비를 지원하거나 실직자의 생계를 보장하는 등 여러 가지 사회 보장 제도를 통하여 시민의 복지를 향상해야 한다.

- 고등학교 생활과 윤리 교과서, 미래엔

수시 논술전형 답안지

● 본 답안지는 연습용입니다. 실제 시험 답안지와는 다릅니다.

서강대학교
SOGANG UNIVERSITY

모집단위

답안지	성명	응시계열	
인문/인문-자연계열		인문/인문-자연계열	○
		자연	○

수험번호									
N	A	A							

생년월일 (예:030418)					

① 인적사항 (모집단위, 성명, 수험번호, 생년월일)은 반드시 검은색 필기구(연필 제외)로 정확히 기재하기 바라며, 수정이 불가능합니다.
② 답안 작성은 검은색 필기구(연필 포함)를 사용하기 바랍니다(수정테이프 및 지우개 사용가능).
※ 검은색 이외의 필기구 절대 사용 불가
③ 성명에 반드시 감독관의 날인을 받아야 합니다.
④ 반드시 답안 영역 안에 작성하시기 바랍니다.

모의 논술 문제(800~1,000자 범위에서 작성하시오)

50
100
150
200
250
300
350
400
450
500
550

이 줄 위에 답안 작성하지 말 것

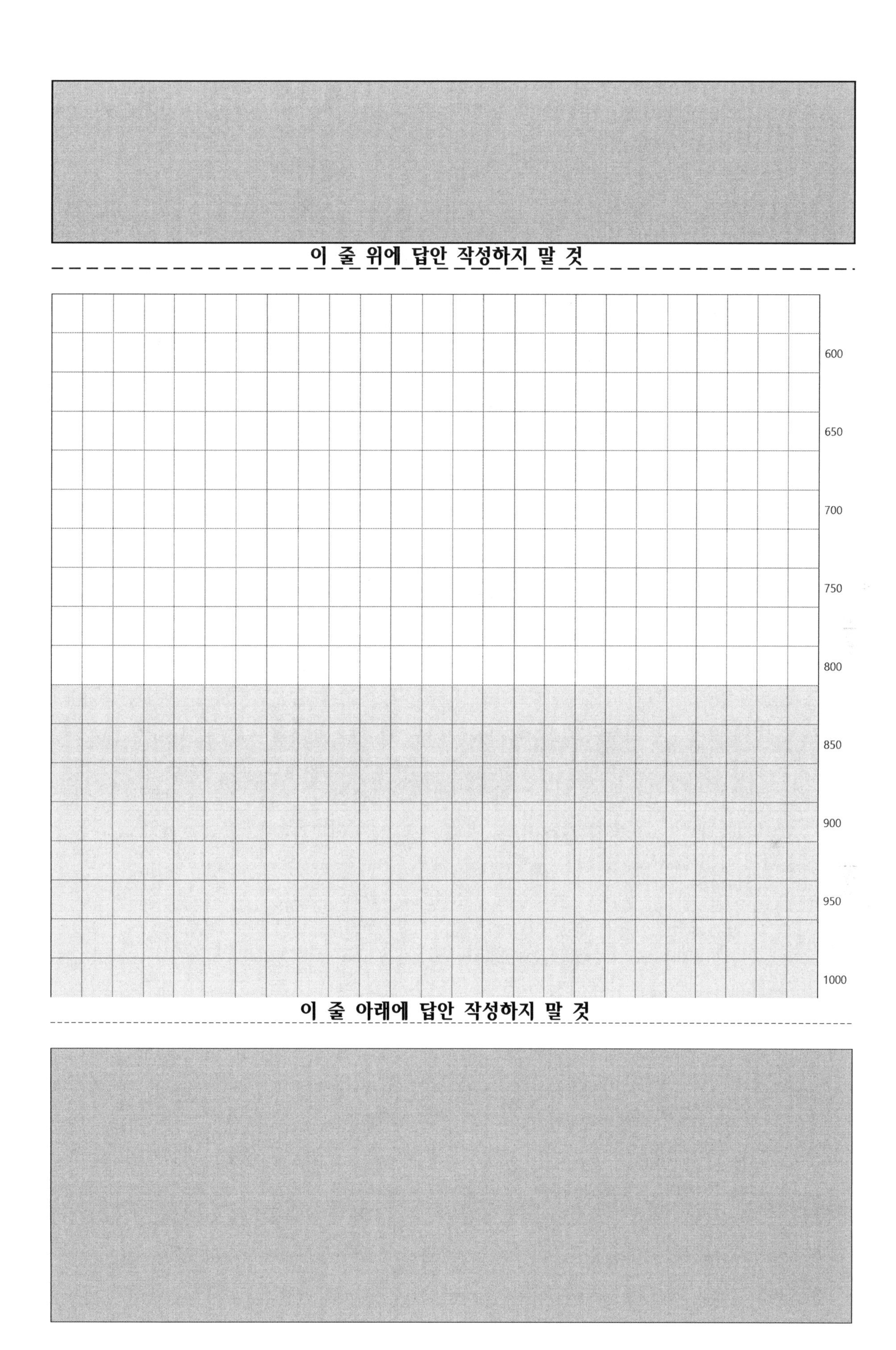

이 줄 아래에 답안 작성하지 말 것

21. 2021학년도 서강대 인문사회 1차 모의 논술

■ 모의논술 유의사항
1. 시험시간은 50분입니다.
2. 답안분량은 800~1,000자입니다. **※ 서강대 모의 논술은 계열별 1문항만 출제함**

[가]의 개념을 중심으로 [나]와 [다]에 제시된 정보기술 발전에 대한 관점을 요약하고, 이러한 관점을 [라], [마], [바]를 활용하여 비판하여라.

[가] 정의로운 사회는 기본적으로 공정성을 실현하는 사회이다. 공정성이란 공평하고 올바른 것을 의미한다. 공정성을 실현하려면 재화와 가치의 분배가 공평한 출발점에서 이루어지고, 그 분배 과정이 부당하지 않으며, 결과적으로 각 개인의 정당한 몫과 인간다운 삶에 필요한 몫이 조화를 이루어야 한다. 이렇게 볼 때, 정의로운 사회는 누구에게나 기회를 균등하게 제공하고 공정한 절차에 따라 재화와 가치의 분배가 이루어지며, 정당한 대가와 인간다운 삶에 필요한 최소한의 조건을 실질적으로 보장하는 사회라고 할 수 있다.

- 지학사, 『통합사회』

[나] 예전에는 금융시장의 동향을 분석하는데 이용되던 수학 기법들이 점차 인간들, 즉 우리를 분석하는 데 쓰이기 시작했다. 수학 기법을 바탕으로 소셜미디어, 온라인 쇼핑몰에서 수집된 방대한 양의 데이터가 하루 24시간 쉬지 않고 처리됐다. 수학자와 통계 전문가들은 이런 데이터를 통해 인간의 욕구와 행동, 그리고 소비력을 조사했다. 뿐만 아니라 개개인의 신뢰성을 예측하고 학생, 노동자, 연인, 범죄자로서의 잠재력까지 계산하기에 이르렀다. (중략) 컴퓨터 프로그램은 수천 장에 이르는 각기 다른 사연이 담긴 이력서나 대출 신청서를 가장 유망한 후 보자의 이름이 맨 위에 올라가도록 1~2초 안에 깔끔한 목록으로 정리할 수 있다. (중략) 여기에는 편견을 가진 인간이 서류 뭉치를 세세히 조사하는 것이 아니라, 감정이 없는 기계가 객관적인 수치들은 사심없이 처리한다는 믿음이 깔려 있었다.

- 캐시 오닐, 『대량살상 수학무기』

[다] 한 독거노인이 아침에 일어나 TV를 켠다. 그러자 노인복지 담당 기관의 모니터링 시스템에 알림이 뜬다. 노인의 일과가 시작되었다는 메시지이다. 노인의 집에서 사용하는 가스나 수도, 전기의 현황도 사회복지 시스템에 전달된다. 사용량이 현격하게 줄어들면 사회복지사가 노인의 집을 방문하여 건강에 문제가 없는지 확인한다. 옆에서 24시간 돌봐줄 가족이 없는 노인의 일상과 복지를 디지털 기술을 활용하여 실시간으로 보살피는 스마트 복지의 한 사례이다. (중략) 그동안 가정에서 발생한 아동학대는 쉽게 발견할 수 없었고, 가해자의 90% 이상이 부모나 교직원 등 신고의무자여서 은폐 비율이 압도적으로 높았다. 이러한 아동학대 사각지대 해소를 위해 빅데이터를 활용한다. 오랫동안 유치원이나 학교에 결석하거나 예방접종과 건강 검진을 받지 않는 등 아동학대가 의심스러운 빅데이터를 수집하고 분석한다. 이 과정에서 위험징후를 감지하면 자동으로 읍면동 복지센터의 담당 공무원에

게 통지가 가고, 담당자는 아동 학대가 의심되는 가정을 직접 방문하여 조사 및 상담을 진행한다.

- 고삼석, 『5G 초연결사회, 완전히 새로운 미래가 온다』

[라]

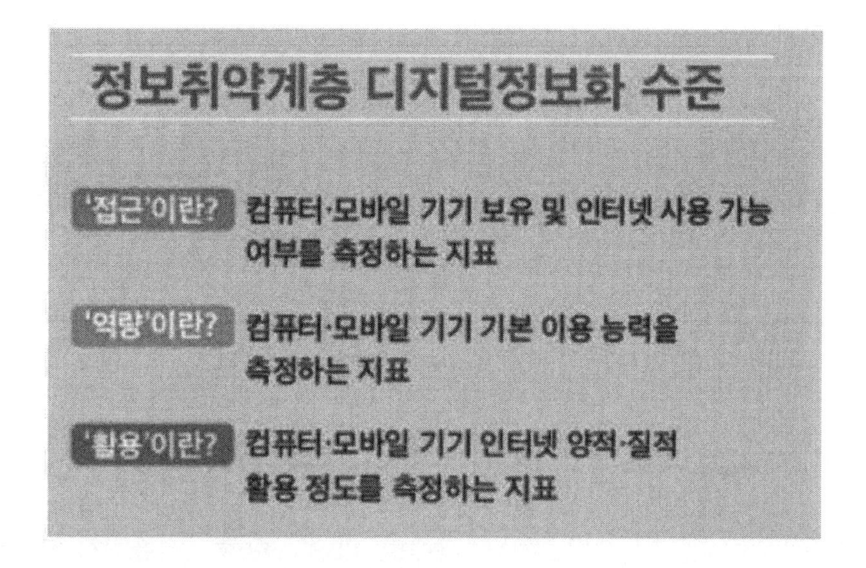

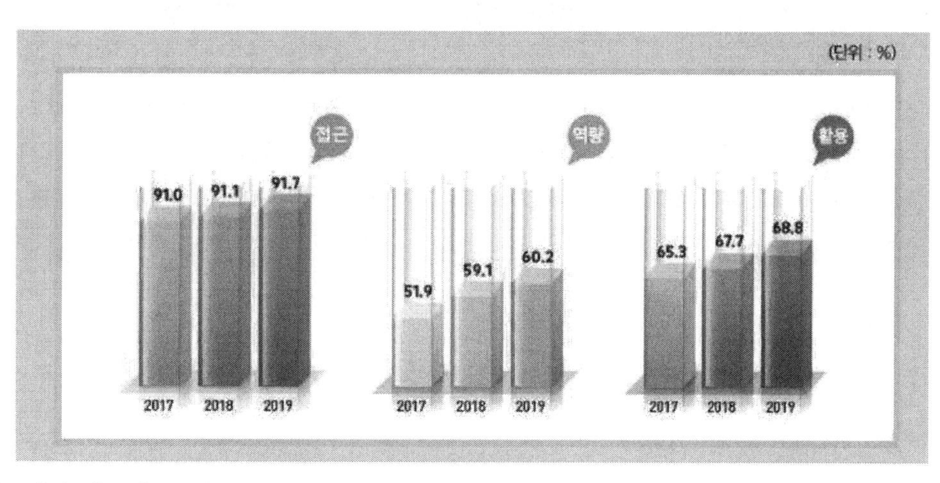

※ 일반국민의 정보화수준을 100으로 할 때, 일반국민 대비 정보취약계층의 정보화수준을 의미
- 과학기술정통부, NIA 한국정보화진흥원, 『2019 디지털 정보격차 실태조사 보고서』

(마) (범죄 예측 프로그램인) 프레드폴을 창업한 제프리 브랜팅햄은 프레드폴 모형은 피부색과 민족성을 구분하지 않는다고 강조했다. 여타 예측 프로그램들과 달리, 프레드폴은 개인에게 초점을 맞추지 않는다. 대신 지리적 데이터에 온전히 집중한다. 프레드폴에 활용하는 핵심 변인은 각 범죄의 유형과 발생 장소, 그리고 발생 시점이다. 이는 언뜻 보면 아주 공정한 것처럼 생각된다. 경찰들이 범죄 발생 위험 지역들에 출동해 더 많은 시간을 보내면서 강도와 자동차 절도를 예방한다면, 그 지역이 혜택을 입을 거라고 생각할 만한 충분한 근거가 된다. (중략) 가난한 동네에서 경미한 범죄는 흔한 일이다. 살인, 방화, 폭행같은 강력 범죄뿐 아니라 경미한

방해 범죄 데이터를 예측 모형에 입력하면 더 많은 경찰이 가난한 동네로 출동하게 되고, 당연히 그런 동네에서 더 많은 사람들이 체포당할 것이다. 그러다 보면 경범죄가 경찰의 범죄 예측 모형에서 점점 더 많은 점을 차지하고, 이는 다시 경찰이 그 지역을 순찰하게 만든 다. (중략) 경찰 활동 자체가 새로운 데이터를 생성시키고, 이런 데이터가 다시 더 많은 경찰 활동을 정당화해준다. 그리고 교도소는 피해자가 없는 범죄를 저지른 수많은 범죄자들로 넘쳐나게 된다. 이런 범죄자들은 대부분 가난한 동네 출신이고, 또한 대부분 흑인이거나 히스패닉계다. 설령 모형이 '색맹', 다른 말로 피부색을 고려하지 않더라도 결과는 달라지지 않는다.

- 캐시 오닐, 『대량살상 수학무기』

[바] 2013년에 빅데이터 시장이 올린 수익이 89억 달러에 달한다. 2018년 기준, 세계 빅데이터 시장의 실제 매출은 420억 달러를 넘어섰다. (중략) 현재 전 세계에서 1분마다 약 30만 건의 트윗과 1,500만 건의 문자 메세지, 2억 400만 건의 메일이 전송되고, 200만 개의 키워드가 구글 검색 엔진에 입력된다. 컴퓨터와 스마트폰 하나하나가 빅데이터 기업이라는 문어가 우리의 개인 정보를 수거해 가기 위해 뻗치는 촉수와도 같다. (중략) 데이터라는 자원의 부가 가치는 석유 산업에서와 마찬가지로 정제 단계에서 만들어진다. 일단 최대한 많은 정보를 컴퓨터에 주입한 다음, 정교하고 복잡한 알고리즘으로 정제된 데이터를 얻는 것이다. 어마어마 한 용량의 메모리와 갈수록 강력해지고 있는 프로세서 덕분에 가능해진 정보처리 기술이다. 구글 같은 회사는 이 작업을 위해 많은 컴퓨터 클러스터를 세계에 구축해 놓고 있다. 일련의 서버로 세계 인터넷 트래픽을 수집하는 이 거대한 데이터 센터들은 인구 4만의 미국 도시 하나에 맞먹는 전력을 소비한다. (중략) 우리가 생성한 디지털 데이터는 우리에 관한 것이지만 우리 소유가 아니며, 기술 산업을 지배하는 자들이 우리의 데이터를 거저 털어간다.

- 마르크 뒤켕, 크리스토프 라베, 『빅데이터 소사이어티』

수시 논술전형 답안지

❶ 본 답안지는 연습용입니다. 실제 시험 답안지와는 다릅니다.

서강대학교 SOGANG UNIVERSITY

모집단위

답안지	성명	응시계열	
인문/인문·자연계열		인문/인문·자연계열	○
		자연	○

수험번호										생년월일 (예:030418)					
N	A	A													
			⓪	⓪	⓪	⓪	⓪	⓪	⓪	⓪	⓪	⓪	⓪	⓪	⓪
			①	①	①	①	①	①	①	①	①	①	①	①	①
			②	②	②	②	②	②	②	②	②	②	②	②	②
			③	③	③	③	③	③	③	③	③	③	③	③	③
			④	④	④	④	④	④	④	④	④	④	④	④	④
			⑤	⑤	⑤	⑤	⑤	⑤	⑤	⑤	⑤	⑤	⑤	⑤	⑤
			⑥	⑥	⑥	⑥	⑥	⑥	⑥	⑥	⑥	⑥	⑥	⑥	⑥
			⑦	⑦	⑦	⑦	⑦	⑦	⑦	⑦	⑦	⑦	⑦	⑦	⑦
			⑧	⑧	⑧	⑧	⑧	⑧	⑧	⑧	⑧	⑧	⑧	⑧	⑧
●	●	●	⑨	⑨	⑨	⑨	⑨	⑨	⑨	⑨	⑨	⑨	⑨	⑨	⑨

① 인적사항 (모집단위·성명, 수험번호, 생년월일)은 반드시 검은색 필기구(연필 제외)로 정확히 기재하기 바라며, 수정이 불가능합니다.
② 답안 작성은 검은색 필기구(연필 포함)를 사용하기 바랍니다(수정테이프 및 지우개 사용가능).
※ 검은색 이외의 필기구 절대 사용 불가
③ 성명에 반드시 감독관의 날인을 받아야 합니다.
④ 반드시 답란 영역 안에 작성하시기 바랍니다.

모의 논술 문제(800~1,000자 범위에서 작성하시오)

50
100
150
200
250
300
350
400
450
500
550

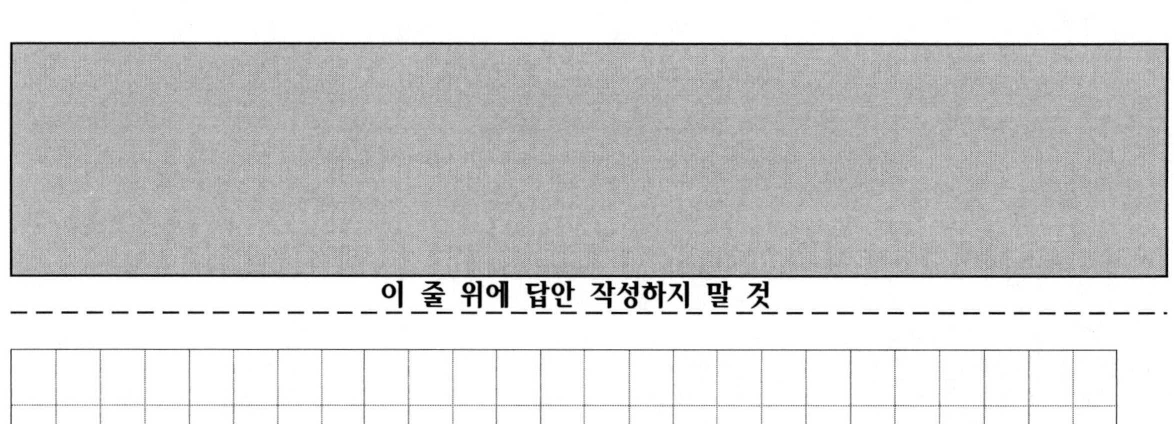

이 줄 위에 답안 작성하지 말 것

600
650
700
750
800
850
900
950
1000

이 줄 아래에 답안 작성하지 말 것

22. 2021학년도 서강대 경제경영 2차 모의 논술

■ 모의논술 유의사항
1. 시험시간은 50분입니다.
2. 답안분량은 800~1,000자입니다.　　**※ 서강대 모의 논술은 계열별 1문항만 출제함**

[가]의 내용을 중심으로 제시문 [나][다]가 보여주는 자료를 설명하고, [가]와 [라]를 근거로 [마]에 서술된 우리나라 상황에 대한 시사점을 쓰시오.

[가] 개인의 삶은 사회 계층 구조의 영향을 받지만, 사회 계층 구조 내 개인의 위치가 항상 고정된 것은 아니다. 개인이나 집단의 계층적 위치는 사회 계층 구조의 더 높은 계층에 소속되기 위한 노력, 사회 구조의 변화 등에 따라 달라질 수 있다. 한 사회의 계층 구조 속에서 개인이나 집단의 위치가 변화하는 현상을 사회 이동이라고 한다. 사회 이동은 폐쇄적 계층 구조를 보이는 사회보다 개방적 계층 구조를 보이는 사회에서, 농촌 사회보다 도시 사회에서 더 빈번하게 나타난다. 누구에게나 공평한 기회가 주어지고 구성원의 능력이나 노력에 따라 사회 이동이 실현될 가능성이 큰 사회에서는 구성원의 의욕이 높아지고 사회가 발전할 가능성이 크다. 그러나 개인의 노력과 상관없이 사회 이동이 이루어지거나 사회 이동 자체가 실현되지 않는 사회에서는 구성원의 의욕이 낮아지고 사회 발전이 저해될 수 있다.

- [고등학교 사회 문화 교과서] 미래앤 사회 문화 4장

[나] 그림 1 소득불평등도와 세대 간 소득 탄력성

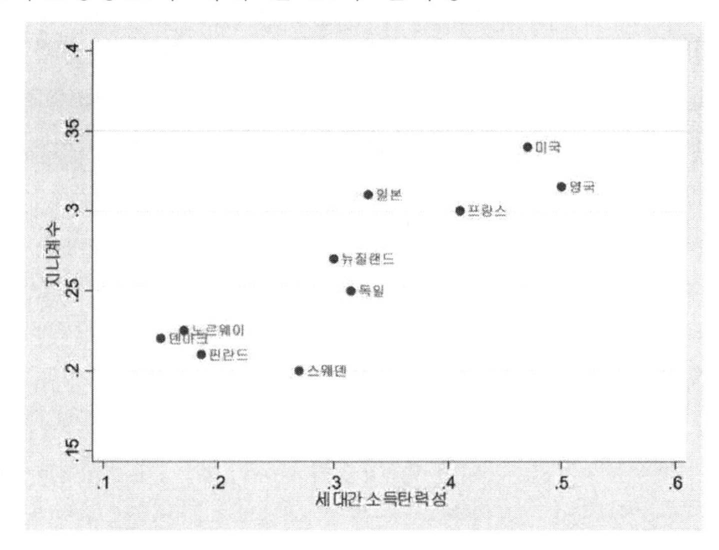

- 출처: 알란 크루거, 미국 소득불평등의 증가와 결과, 백악관 경제 자문 위원회, 2012.

위 그림은 OECD국가들의 소득불평등도와 세대간 소득 탄력성 사이의 관계를 보여준다. 그림에서 Y축의 변수는 각 국가의 지니계수이다. 지니계수는 소득 분배의 불평등 정도를 나타내는 지수로 과 1사이의 값을 가지며 0에 가까울수록 소득 분배의 불평등 정도가 낮다는 것을 의미한다. X축의 변수 "세대간 소득 탄력성"은 한 가족 내의 아버지의 소득이 높고 낮은 정도에 따라 그 아들의 소득이 얼마나 변화하는지를 추정한 값으로 한 가족 내 아버지와 아들의 임금이 얼마나 높은 연관성을

가지는가를 보여 주는 지표다. 이 값이 크면 클수록 소득 분포 상에서 아버지의 위치가 그 아들이 어느 정도의 소득을 받을 것인지에 대한 예측을 하는 데 더 많은 도움이 된다. 한편, 이 값이 작다는 것은 아버지의 소득 수준으로부터 아들의 소득 수준을 예측하기가 어렵다는 것을 의미한다.

[다] 미국 대학 신입생의 사회경제적 지위 분포

	사회경제적 지위 4분위 (퍼센티지)				
	하위 25%	하위25-50%	상위25-50%	상위 25%	합
레벨 1 (최상위)	3	6	17	74	100
레벨 2 (상위)	7	18	29	46	100
레벨 3 (경쟁적인 대학)	10	19	36	35	100
레벨 4 (경쟁적이지 않은 대학)	16	21	28	35	100
지역 전문대	21	30	27	22	100

레벨 1~4는 입학 성적(SAT), 신입생들의 고교 내신 등급, 신입생들의 성적, 합격률 등을 고려하여 배론(Barron)이 대학의 경쟁 정도를 최상위권부터 4단계로 구분한 것이다.

- 출처: 앤소니 카네베일 스테픈 로즈, 사회경제적 지위, 인종/민족성, 그리고 선별적 대학 입학, 리차드 칼렌버그, 미국의 이용되지 않은 재원: 저소득층 학생의 고등교육, 표 3.1. (Richard Kahlenberg, America's Untapped Resource: Low-Income Students in Higher Education)

[라] 1960년대 이후 풍미했던 능력주의라는 시스템이 내부에서 붕괴되려는 바로 그 시점에 버락 오바마의 대통령 당선이 능력주의의 가장 눈부신 성과로 기록되었다는 것은 무엇보다도 서글픈 아이러니다. 모든 통치 질서처럼, 능력주의는 그로부터 가장 큰 혜택을 받은 사람들이 적극 헌신하는 이념이다. 훗날 역사에서 고통의 시대로 기록될 이 시대에 가장 탁월하다고 주목받는 사람들은 대부분 능력주의라는 엘리트 양성과정의 산물이다. 사회에서 가장 명석하고 가장 성실하고 가장 야심찬 구성원들을 뽑아 지도자로 키운다고 하는 기관들이 배출한 오바마 같은 이들이다. 사우스캐롤라이나의 약사와 임시교사의 아들로 태어난 벤 버냉키, 미주리 주의 목사와 농사꾼 사이에서 나고 자란 켄 레이, ...(중략)... 브루클린 임대주택단지에서 자랐으나 골드만삭스의 최고경영자가 된 로이드 블랭크페인, 버밍햄에서 목사의 딸로 태어난 곤돌리자 라이스가 그 산물이다...(중략)... 결과적으로 우리는 전체사회에 불평등을 용인함으로써 사익을 추구하면서도 특권을 누리는 엘리트 계층을 양산하고 말았다. 제도의 연속적인 실패와 그로 인한 권위의 위기를 초래한 장본인이 바로 그 엘리트 계층이다. 개별적인 제도의 실패- 메이저리그, 엔론 사태, 이라크 전쟁-에는 특정한 원인이 작용했겠지만 그 모든 사건의 이면에 있는 공통적인 원인은 엘리트의 불법행위와 부패이다... (중략)... 시대의 대변혁을 가져온 사회운동이 그토록 평등을 부르짖었지만, 먼지가 가라앉은 후 드러난 것은 예전보다 개방적이지만 여전히 불평등이 뿌리 깊은 사회질서였다.

- 똑똑함의 숭배, 크리스토퍼 헤이즈

[마] 한국사회가 매우 역동적이고도 신속하게 경제 선진국의 반열에 올라갈 수 있었던 것도 상당 부분 '계층 상승의 희망'이 있었기 때문이다. 특히 고도 경제성장기에는 교육에 대한 인적투자에 국가와 개인이 모두 적극적으로 나섰으며, 빠르게 성장하는 시장은 이들의 인적자본 투자 결과를 받아들이고, 적절한 보상을 시행했다. 하지만, 지금 저성장기를 맞아 대학을 정점으로 서열화한 교육체제 아래서 달아오른 교육열은 사회계층과 계급의 이동성을 저해하는 부메랑으로 돌아올 가능성이 커졌다. 연구진이 사회이동을 분석한 결과, 예상대로 한국사회는 증가하는 불평등으로 사회계층과 계급은 공고화하고, 강화된 사회계층·계급 격차는 교육격차를 확대하며, 그것이 다시 우리 사회의 사회이동성을 낮추는 악순환의 조짐을 보이고 있다. 산업화세대와 민주화세대를 거쳐 정보화세대로 넘어오면서 고학력 아버지의 자녀가 고학력일 가능성이 커지고 있다. 학력의 대물림 현상이다. 직업계층의 세습도 확인된다. 아버지의 직업이 관리전문직이면 아들의 직업도 관리전문직인 경우가 많았다. 반대로 아버지의 직업이 단순 노무직이면, 아들의 직업도 단순노무직인 경우가 많았다.... (중략)... 특히 정보화세대로 접어들면서 현재 본인 계층이 아버지의 계층에 따라 결정되는 확률이 확연히 높아졌다... (중략)... 학력과 사회계층이 낮은 부모에게서 학업성적이 우수한 학생이 나올 확률은 연령대가 낮아질수록 낮아졌다. 청년들은 이제 아무리 노력해도 부모보다 잘 살 수 없다거나, 부모의 지원이나 후원 없이는 성공하기 어렵다고 여기고 있다.

- 연합뉴스 2016.1. 31 재구성

수시 논술전형 답안지

❶ 본 답안지는 연습용입니다. 실제 시험 답안지와는 다릅니다.

서강대학교
SOGANG UNIVERSITY

모집단위

답안지	성명	응시계열	
인문/인문·자연계열		인문/인문·자연계열	○
		자연	○

① 인적사항 (모집단위, 성명, 수험번호, 생년월일)은 반드시 검은색 필기구(연필 제외)로 정확히 기재하기 바라며, 수정이 불가능합니다.
② 답안 작성은 검은색 필기구(연필 포함)를 사용하기 바랍니다(수정테이프 및 지우개 사용가능).
※ 검은색 이외의 필기구 절대 사용 불가
③ 성명에 반드시 감독관의 날인을 받아야 합니다.
④ 반드시 답안 영역 안에 작성하시기 바랍니다.

수험번호									
N	A	A							
			0	0	0	0	0	0	0
			1	1	1	1	1	1	1
			2	2	2	2	2	2	2
			3	3	3	3	3	3	3
			4	4	4	4	4	4	4
			5	5	5	5	5	5	5
			6	6	6	6	6	6	6
			7	7	7	7	7	7	7
			8	8	8	8	8	8	8
●	●	●	9	9	9	9	9	9	9

생년월일 (예:030418)					
0	0	0	0	0	0
1	1	1	1	1	1
2	2	2	2	2	2
3	3	3	3	3	3
4	4	4	4	4	4
5	5	5	5	5	5
6	6	6	6	6	6
7	7	7	7	7	7
8	8	8	8	8	8
9	9	9	9	9	9

모의 논술 문제(800~1,000자 범위에서 작성하시오)

50

100

150

200

250

300

350

400

450

500

550

이 줄 위에 답안 작성하지 말 것

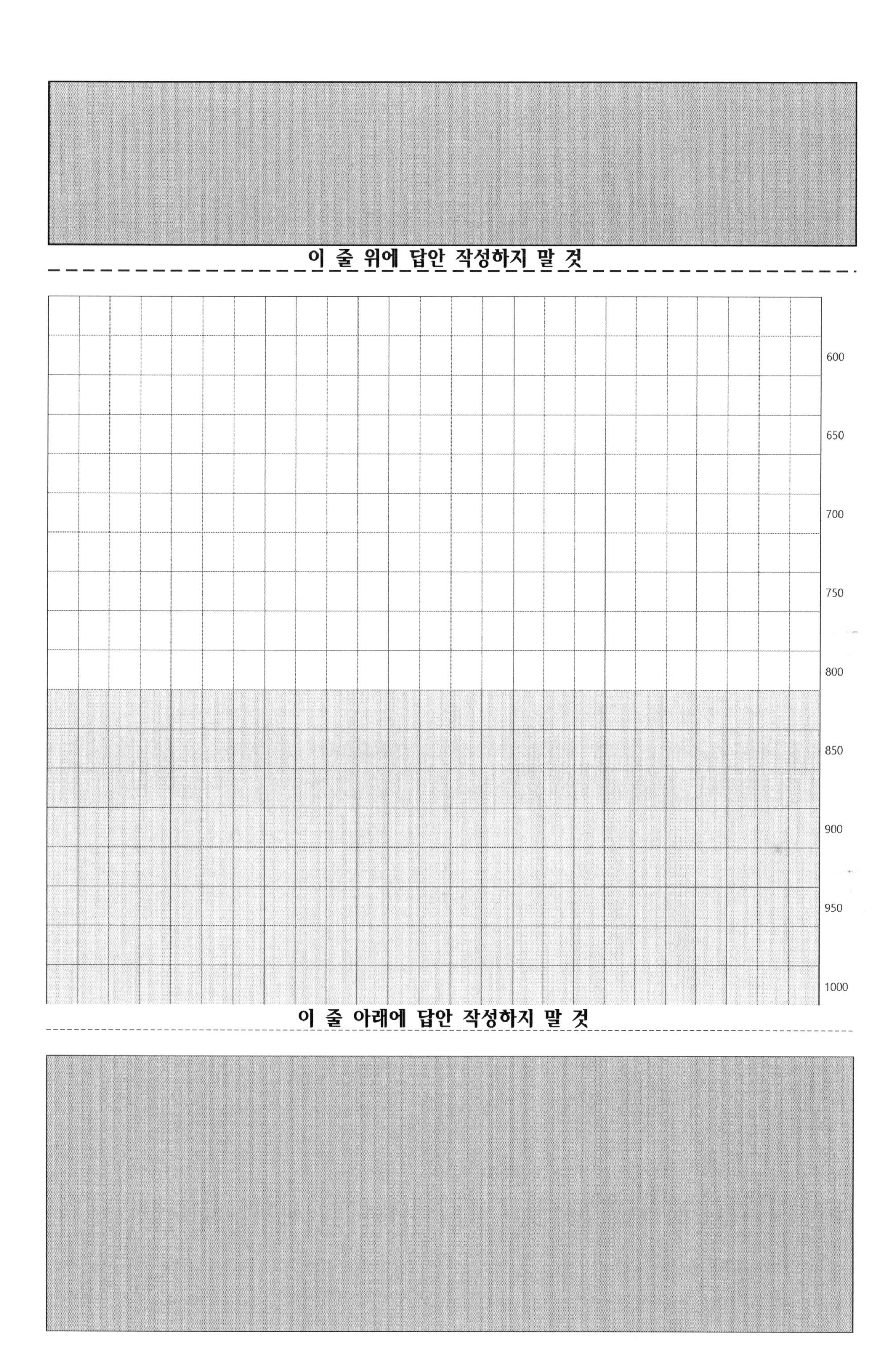

이 줄 아래에 답안 작성하지 말 것

23. 2021학년도 서강대 인문사회 2차 모의 논술

■ 모의논술 유의사항
1. 시험시간은 50분입니다.
2. 답안분량은 800~1,000자입니다. **※ 서강대 모의 논술은 계열별 1문항만 출제함**

[가]와 [나]를 요약하고, [나]의 관점에서 [다]~[마]를 활용하여 [가]의 관점을 비판하시오.

[가] 한 나라 안에서 지역적으로나 사회적으로 여러 형태로 쓰이는 말을 단수 혹은 복수의 표준형으로 제시하는 것은 그 나라 국민들의 효율적이고 통일된 의사소통을 위한 것이다. 국어 토박이 화자가 하는 말은 어휘의 형태나 음운의 발음에서 지역적으로나 사회적으로 여러 가지로 나타나는 경우가 많은데, 이러한 여러 형태나 발음 중 하나 혹은 둘을 표준형으로 제시하고자 하는 것이 표준어 규정의 목적이다. (…) 지역적 기준으로서, 표준어는 서울말이어야 한다. 이는 표준어의 공용어적 성격을 가장 크게 드러내 주는 기준이다. 가령, 많은 지역 사람들이 모여서 공식적인 이야기를 나눌 때 각자의 지역어를 사용한다면 의사소통이 어려워질 수 있는데, 이를 방지하기 위해 표준어의 조건으로 서울말을 제시한 것이다. (…) 서울말을 표준어의 조건으로 한다는 이러한 규정을 어떤 지역어를 사용하면 안 된다는 뜻으로 오해하면 안된다. 표준어는 교육, 방송, 공식적 담화 등에서 써야 할 말이지 지역 사람들끼리 편하게 대화하는 경우에까지 꼭 써야 하는 말이 아니다. 오히려 여러 지역어는 지역의 문화적 가치를 보존하는 소중한 자산이기도 하고 지역 사람들의 연대 의식을 강화하는 긍정적 기능을 하기도 한다.

- 국립국어원, 「한글 맞춤법 표준어 규정 해설」

[나] 공용어는, 그 기원에서나 사회적 사용에서나, 국가와 연결되어 있다. 국가의 성립과정에서 비로소, 표준어가 지배하는 통합된 언어시장이 성립하기 위한 조건들이 만들어진다. 공식적인 자리나 공무를 담당하는 장소(학교, 관공서 등)에서 의무적으로 사용되는 이 국가언어는 모든 언어 실천을 객관적으로 평가하는 이론적 규범으로 나타난다. (…) '공통' 언어라는 유일한 잣대가 사실상 가운데 놓이면서, 언어적 차이는 학교 선생들의 제재대상인 '나쁜 표현과 잘못된 발음'의 지역성이라는 심연으로 던져진다. 공식적인 자리에는 어울리지 않는, 저속하거나 알아들을 수 없는 은어의 지위로 강등되면서, 공용어의 민중적 사용법들은 체계적 평가절하를 겪는다. (…) 모든 점으로 미루어 볼 때, 각각의 특정한 상황에서 언어적 규범(가격형성의 법칙)을 부과하는 것은 올바른 언어능력에 가장 가까운 언어능력의 소유자, 즉 상호작용 안에서 지배적인 화자라고 해도 무방할 듯하다. 그리고 이는 교환의 공식성 정도가 클수록 (공중 앞에서, 공적 장소에서 등) 뚜렷하다. 다른 조건들이 같다고 할 때, (화자들 각자가 소유한) 자본 간의 격차가 클수록 피지배 화자는 그의 위에서 작동하는 검열의 효과 및 올바른 표현양식(사투리 사용자의 경우 표준어)을 택하거나 그러려고 노력해야 할 필요성을 더 강하게 느낀다고 추측해도 좋을 것이다. 반면에 동등한 상징적, 언어적 자본의 소유자들 사이에서는, 예를 들어 농

부들끼리 있을 때는 이러한 제약이 사라진다.

- 피에르 부르디외, 『언어와 상징권력』

[다] (1) 귀하께서는 평소 표준어와 지역 방언을 어떻게 사용하는 것이 가장 바람직하다고 생각하십니까?

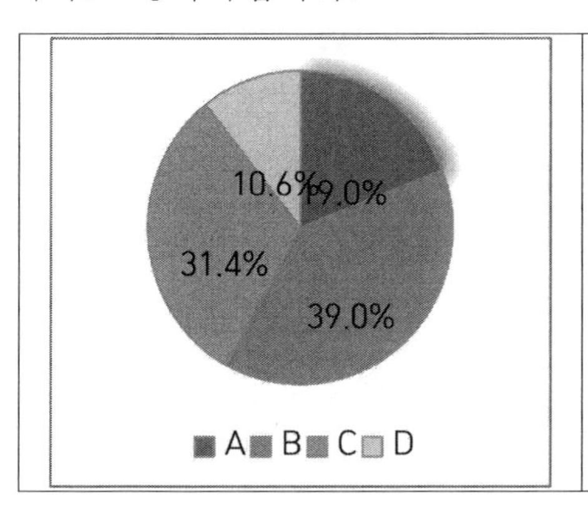

A: 기본적으로 표준어를 사용하고 지역 방언은 가능하면 사용하지 않는 것이 바람직하다 (19.0%)
B: 때와 장소에 따라 표준어와 지역 방언을 구분하여 사용하는 것이 바람직하다 (39.0%)
C: 표준어든 지역 방언이든 어느 것을 사용해도 무방하다 (31.4%)
D: 별생각이 없다 (10.6%)

(2) 귀하께서는 자녀가 지역 방언과 표준어를 모두 사용할 수 있는 환경일 경우 어느 것을 사용하길 바라십니까? 미혼이거나 자녀가 없는 경우에도 자녀가 있다고 가정하고 답변해주십시오

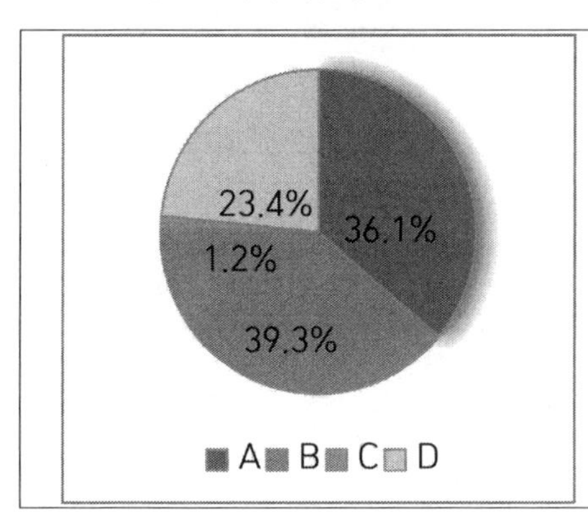

A: 표준어만 사용하기를 바란다 (36.1%)
B: 표준어와 지역 방언 둘 다 사용하기를 바란다 (39.3%)
C: 지역 방언만 사용하기를 바란다 (1.2%)
D: 별로 상관없다 (23.4%)

[라] 그는 촌스러운 고향 사투리를 훌훌 떨쳐버리고 남다른 정열로 열심히 서울말을 익혔다. 수년 동안 가정교사라는 남의 집 고용살이를 하면서 서울말만 배운 게 아니라 눈칫밥 먹으며 서울말로 비굴하게 아첨하는 법까지 터득했다. 대학 졸업 후 직장을 가진 다음에도 얼마간 그 집에 눌러 있었는데, 그것은 소원대로 그 집 맏딸과 결혼했기 때문이었다. 남편의 본적을 따르기를 싫어하는 아내의 비위를 맞추려고 선선히 본적까지 옮기고 나니 그는 깔축없는 서울 사람이 되어 버렸다.

- 현기영, 『순이삼촌』

[마] 근대개혁과 더불어 표준어를 수립해야 한다는 문제의식이 싹트게 되는데요, 근대 민족국가에서 국민어를 수립해야 한다는 생각, 그리고 국민정신이 일치하려면 같은 언어를 써야 한다는 생각이 작용한 측면이 있다고 봅니다. 일제강점기에 조선어학회가 민족정신과 단일한 언어를 강조했고 그게 의사소통의 효율화라는 측면에서는 일정한 역할을 했지만, 1960년대 후반부터 진행된 표준화작업은 실천성보다 관념성이 더 부각되었습니다. 표준화를 민족어의 정립과 관련지어 유난히 강조하는

데, 아까 유신헌법 말씀도 하셨지만 1968년에 국민교육헌장이 나오고 민족정신, 국민정신을 강조하면서 한동안 뜸했던 국어순화운동이 표준어교육과 연동되어 다시 강화돼요. (…) 어문민족주의가 일제강점기까지는 나름대로 민족어 수호에서 중요한 역할을 했다면 60년대 후반부터 제기된 어문민족주의는 상당히 퇴행적이었다는 건데요, 언어의 소통 문제보다도 언어를 통해 특정한 정치적 목적을 관철하려는 경향이 강하게 나타났다는 거지요. 국어순화운동도 그와 맥을 같이하고요. 표준어가 아니면 좋은 말이 아니고 순화어를 안쓰면 정신적으로 문제가 있다는 식으로…. 그러면서 극단적으로 방언을 멸시하는 교육이 진행되었다고 봅니다.

- 백낙청 · 임형택 · 정승철 · 최경봉, 『한국어, 그 파란의 역사와 생명력』

수시 논술전형 답안지

● 본 답안지는 연습용입니다. 실제 시험 답안지와는 다릅니다.

서강대학교
SOGANG UNIVERSITY

모집단위

답안지	성명	응시계열	
인문/인문-자연계열		인문/인문-자연계열	○
		자연	○

① 인적사항 (모집단위, 성명, 수험번호, 생년월일)은 반드시 검은색 필기구(연필 제외)로 정확히 기재하기 바라며, 수정이 불가능합니다.
② 답안 작성은 검은색 필기구(연필 포함)를 사용하기 바랍니다(수정테이프 및 지우개 사용가능).
※ 검은색 이외의 필기구 절대 사용 불가
③ 성명에 반드시 감독관의 날인을 받아야 합니다.
④ 반드시 답란 영역 안에 작성하시기 바랍니다.

수험번호									
N	A	A							

생년월일 (예:030418)

모의 논술 문제(800~1,000자 범위에서 작성하시오)

50
100
150
200
250
300
350
400
450
500
550

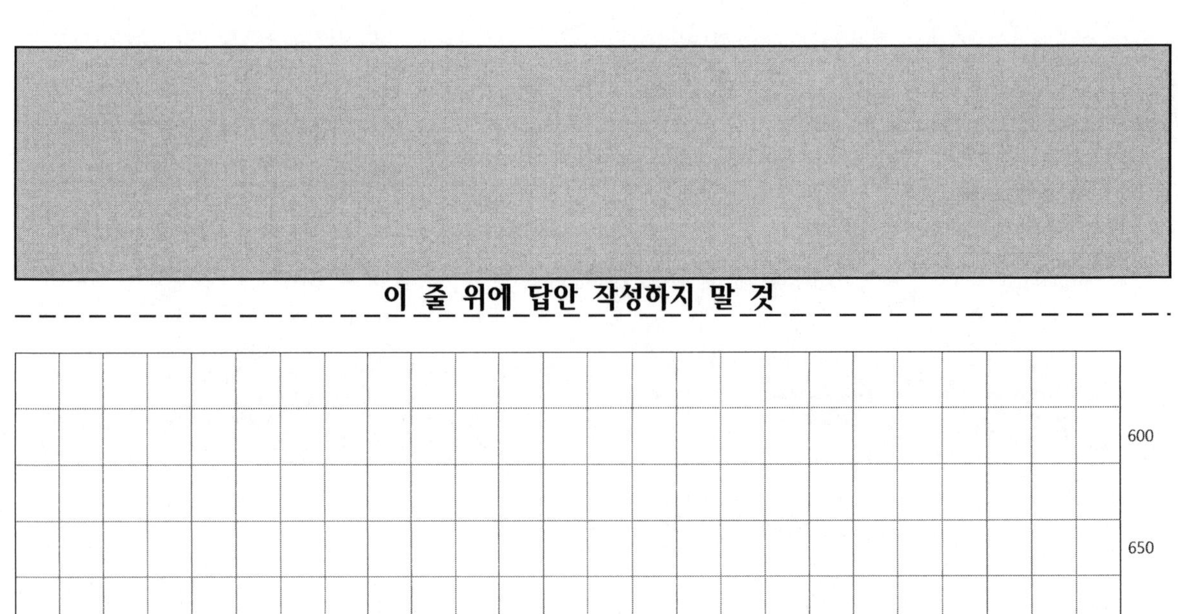

이 줄 위에 답안 작성하지 말 것

																									600
																									650
																									700
																									750
																									800
																									850
																									900
																									950
																									1000

이 줄 아래에 답안 작성하지 말 것

24. 2020학년도 서강대 경제경영 수시 논술

[문제 1] [가]의 현상을 [나]~[마]를 활용하여 분석하고, 이와 같은 현상을 해결하기 위한 방안을 [바], [사]를 토대로 논술하시오. (800~1,000자)

[가] 무모한 거래의 폐해는 언제나 그 당사자들을 넘어 확산되는 경향이 있다. 어느 은행의 신용도에 문제가 있다는 소문이 돌면 이 은행이 발행한 은행권은 모조리 교체하려고 맹렬히 몰려든다. 그들의 신뢰는 무지로 이루어졌고, 그들의 불신은 무지와 난폭함으로 이루어졌다. 이 같은 인출 쇄도로 인해 순차적인 방식이었다면 충분히 인출에 응할 수 있었던 은행마저 무너지는 일이 자주 발생했다. 한 은행의 파산이 낳은 불신이 다른 은행들로 몰려들어 실제로 탄탄한 은행조차 무너뜨렸다. 즉, 목재가옥에서 발생한 불이 다른 집들로 계속 번져가다 보면, 화재 방지시설을 철저히 한 건물까지 대화재의 불길에 휩싸여 무너져버리는 양상을 연출했다.

- 찰스 킨들버거 · 로버트 알리버, 광기, 패닉, 붕괴: 금융위기의 역사 재구성

[나] 경제생활에서 모든 주체는 합리적으로 선택하려고 노력한다. 합리적 선택은 자신에게 가장 이익이 되는 것을 선택하는 것이다. 모든 선택에는 비용과 편익이 동시에 존재한다. (…) 비용-편익 분석에서 비용이란 어떤 선택을 함으로써 치르는 모든 희생(즉, 기회비용)을 말하고, 편익은 선택에 따른 모든 혜택을 말한다. 경제적 의사결정 방법으로서의 비용-편익 분석은 비용과 편익을 객관적으로 평가하고 계량화해서 비교하는 것이 원칙이지만 계량화하기 어려운 경우도 있다. 그런 경우에는 비용과 편익을 주관적으로 평가하여 적용할 수도 있다.

- 고등학교 경제 교과서

[다] 예를 들어 어떤 제품이 내년에 유럽에서 예상 판매량 이상 팔릴 것인지 여부가 문제라고 가정해보자. (…) 사람들에게 0부터 8까지의 척도를 제시하고 내년도에 유럽에서 해당 상품이 일정량 이상 판매될 가능성을 물어본다고 해보자. 이때 '0'은 '그럴 가능성이 없다', '8'은 '절대적으로 확신한다', (…) '5'는 '50퍼센트의 가능성이 있다'는 의미다. 이 실험에서 집단적 논의 후의 답변은 집단 극단화 현상을 보인다. 집단이 구성원들의 사전 평가 중간값에 따라 척도상에서 보다 극단적인 방향으로 움직이기 때문이다. 만약 논의 전에 구성원들의 평가 중간값이 6이었다면, 집단의 판단은 통상 7이 될 것이고, 만약 논의 전에 구성원들의 평가 중간값이 3이었다면, 집단의 판단은 통상 2가 될 것이다.

- 캐스 선스타인 · 리드 헤이스티, 와이저

[라] 사람들은 대개 자기 판단으로 살아간다고 생각한다. 그러나 사람들은 (…) 정보가 부족하면 다른 사람들을 보면서 어떻게 해야 할지 판단한다. 사람들로 북적대는 식당을 두고 텅 빈 식당으로 들어가는 사람은 많지 않다. 사람들은 식당이 북적대거나 텅 빈 데에는 어떤 이유가 있다고 생각한다. (…) 생물학자들은 이것을 사회적 학습(스스로 배우는 것이 아니라 타인과의 상호 작용으로 배우는 것)이라고 부른다.

- 마크 뷰캐넌, 사회적 원자

[마] 많은 사람과 발맞춰 나가면 충만한 감정이 들 수도 있지만, 그 사람들이 모두 틀린 것으로 밝혀지는 경우에는 딱히 도움이 되지 않는다. 생각해보면 그럴 가능성은 불안할 정도로 크다. 혼자서 사회적 영향의 지배로 들어갈 때는 각자 독립적으로 습득한 지식을 문 앞에 놓고 들어가기 때문이다. 집단에 새로운 정보가 유입되지 않으면 의사결정의 수준은 집단이 커질수록 떨어진다. 순전히 수가 많아서 (…) 그럴듯해 보일 수 있어도, 실제로는 장님이 장님을 이끄는 격일 때가 적지 않다.

- 마이클 본드, 타인의 영향력

[바] 인간은 사회생활에서 사회의 가치, 규범 등을 내면화하고 그 사회의 생활 방식을 따르게 된다. 이러한 측면에서 볼 때 개인은 그 사회의 영향으로부터 자유로울 수 없다. (…) 한편 개인이 사회적 영향에 전적으로 종속되지는 않는다. 자신의 외부에 있는 사회적인 영향을 때로는 거부하고, 때로는 적극적으로 수용한다. 즉 사람들은 자신의 자유 의지에 따라 다른 선택을 할 수 있는 능동적 주체이다. 이러한 개인의 의지나 힘에 의해 사회가 변화하기도 한다.

- 고등학교 사회·문화 교과서

[사] 대학생들은 다른 대학생들이 무언가를 행한다고 믿을 경우 그 믿음에 의해 영향을 받게 마련이며, 따라서 다른 학생들의 음주량에 대해 과장된 생각을 갖고 있으면 알코올 남용이 증가할 수밖에 없다. 정책 당국은 통계에 근거한 현실을 강조함으로써 행동을 변화시킬 수 있다는 전제하에 사람들을 보다 나은 방향으로 유인하려는 시도를 해왔다. 예를 들어 몬태나 주는 시민들의 대다수가 술을 마시지 않는다는 사실을 강조하는 대규모 교육 캠페인을 채택한 바 있다. 또한, 광고를 통해 '몬태나 주 대학생 대부분(81%)은 음주량이 일주일에 네 병 이하이다.' 라고 단언함으로써 대학 캠퍼스에서 잘못 인식되어 있는 기준을 바로잡으려고 노력한다. 흡연에 대해서도 '몬태나 주 청소년 대부분(70%)은 담배를 피우지 않는다.' 는 사실을 암시하는 광고를 통해 동일한 접근법을 적용하고 이 같은 전략은 사회적 인식을 바로잡는데 크게 기여했으며 통계상으로도 흡연율이 현저히 감소한 것으로 드러났다.

- 리처드 탈러·캐스 선스타인, 넛지 재구성

[문제 2] [가], [나]는 다국적 기업의 사례이고, [다]는 개발도상국과 선진국의 사례이다.
① [가]의 A사와 [나]의 B사의 생산 방식을 [라]를 활용하여 분석하시오.
② 위 ①의 분석을 바탕으로 [가]의 A사가 [다]의 C국과 D국에 진입하는 방식을 추론하시오.
③ 위 ②의 결과로 [다]의 C국과 D국에 예상되는 경제적 영향에 대해 [다], [마], [바]를 이용하여 논술하시오. (800~1,000자)

[가] 우리나라에 본사를 둔 한 다국적 자동차 기업 A사는 임금이 비교적 저렴한 동남아시아, 중국, 남아메리카 등지에 현지 조립 공장을 두고 있으며, 소비 국가인 유럽, 북아메리카 등지에는 지역 판매 본부를 두었다. 현지 생산·판매 법인은 국내의 자본으로 외국에 설립된 외국 국적의 회사 법인이다.

-『고등학교 세계지리』 교과서 재구성

[나] 세계에서 가장 큰 다국적 커피 전문점인 미국의 B사는 세계 60개국에서 총 19,972개의 점포를 운영하고 있다. 국가별로 우리나라에 있는 544개의 점포를 비롯하여 미국 12,937개, 캐나다 1,273개, 일본 971개, 영국 790개, 중국 657개 등을 운영하고 있다. 미국과 캐나다에서는 잡화점이나 체인점 내부, 공항 등지에서 B사의 점포를 쉽게 접할 수 있다.

-『고등학교 사회』 교과서 재구성

[다] 개발도상국인 C는 1975년 이후 시작된 베이비 붐이 끝나면서 출산율이 감소하기 시작했다. 이에 따라 유소년층의 비중은 감소하고, 청장년층의 비중은 증가하는 추세이다. 1990년대 후반까지 1차 산업의 고용 비중이 70%를 넘는 농업 중심 국가였지만, 2010년에는 2차(22.4%), 3차(29.4%) 산업 종사 자의 비중이 증가하고 있다. (…) 선진국인 D는 청장년층의 비중은 감소하고 노년층의 비중은 증가하면서 노동력 부족에 따른 문제가 나타나고 있다. 1, 2, 3차 산업별 인구 구조는 1970년 기준 각각 2.9%, 22.2%, 74.9%에서 2010년에는 0.7%, 20.3%, 79.0%로 3차 산업의 비중이 증가하고 있다.

-『고등학교 세계지리』 교과서 재구성

[라] 분업이란 재화나 서비스를 생산하는 과정에서 작업자들이 각기 다른 공정을 담당하는 생산 방식을 말한다. (…) 특화란 다른 사람보다 낮은 기회비용으로 생산할 수 있는 분야에 자신의 생산 요소를 투입하여 집중적으로 생산하는 방식을 말한다. (…) 특화와 분업은 종종 혼동되는 경우가 있다. 분업은 단순한 업무의 분담이고, 특화는 자신이 잘하는 분야에 집중하는 것을 의미하는 서로 다른 개념이다. 그럼에도 이 두 개념에 종종 혼동이 생기는 이유는 양자가 중복되는 경우가 있기 때문이다.

-『고등학교 경제』 교과서 재구성

[마] 다음은 일반적으로 1차, 2차, 3차 산업으로 분류되는 주요 산업의 예이다.

구분	주요 산업
1차 산업	농업, 목축업
2차 산업	섬유공업, 철강공업, 조선공업, 자동차공업
3차 산업	도소매업, 요식업, 금융업, 부동산업, 관광업, 공공교육

-『고등학교 세계지리』 교과서 재구성

[바] 해외에 진출한 다국적 기업은 그 나라의 산업화에 필요한 자본이나 기술을 제공하고 고용을 창출하는 효과가 있다. 또한 선진 경영 기법이나 기업 문화를 전파하여 국제 경쟁력을 높이기도 한다. (…) 그러나 초기에는 자본을 유입하였다가도 나중에는 높은 신용을 바탕으로 현지 기업에 투자될 자본을 유출해 가기도 한다. 또한 동일한 산업분야에서 상대적으로 경쟁력이 약한 기업을 도산시킬 위험이 큰 것도 다국적 기업의 문제점이라고 할 수 있다.

-『고등학교 사회』 교과서 재구성

수시 논술전형 답안지

● 본 답안지는 연습용입니다. 실제 시험 답안지와는 다릅니다.

서강대학교
SOGANG UNIVERSITY

모 집 단 위

답 안 지	성 명	응시계열	
인문/인문·자연계열		인문/인문·자연계열	○
		자연	○

수 험 번 호									
N	A	A							
			⓪	⓪	⓪	⓪	⓪	⓪	⓪
			①	①	①	①	①	①	①
			②	②	②	②	②	②	②
			③	③	③	③	③	③	③
			④	④	④	④	④	④	④
			⑤	⑤	⑤	⑤	⑤	⑤	⑤
			⑥	⑥	⑥	⑥	⑥	⑥	⑥
			⑦	⑦	⑦	⑦	⑦	⑦	⑦
			⑧	⑧	⑧	⑧	⑧	⑧	⑧
●	●	●	⑨	⑨	⑨	⑨	⑨	⑨	⑨

생년월일 (예:030418)					
⓪	⓪	⓪	⓪	⓪	⓪
①	①	①	①	①	①
②	②	②	②	②	②
③	③	③	③	③	③
④	④	④	④	④	④
⑤	⑤	⑤	⑤	⑤	⑤
⑥	⑥	⑥	⑥	⑥	⑥
⑦	⑦	⑦	⑦	⑦	⑦
⑧	⑧	⑧	⑧	⑧	⑧
⑨	⑨	⑨	⑨	⑨	⑨

① 인적사항 (모집단위, 성명, 수험번호, 생년월일)은 반드시 검은색 필기구(연필 제외)로 정확히 기재하기 바라며, 수정이 불가능합니다.
② 답안 작성은 검은색 필기구(연필 포함)를 사용하기 바랍니다(수정테이프 및 지우개 사용가능).
※ 검은색 이외의 필기구 절대 사용 불가
③ 성명에 반드시 감독관의 날인을 받아야 합니다.
④ 반드시 답란 영역 안에 작성하시기 바랍니다.

문제 1번 (800~1,000자 범위에서 작성하시오)

50
100
150
200
250
300
350
400
450
500
550

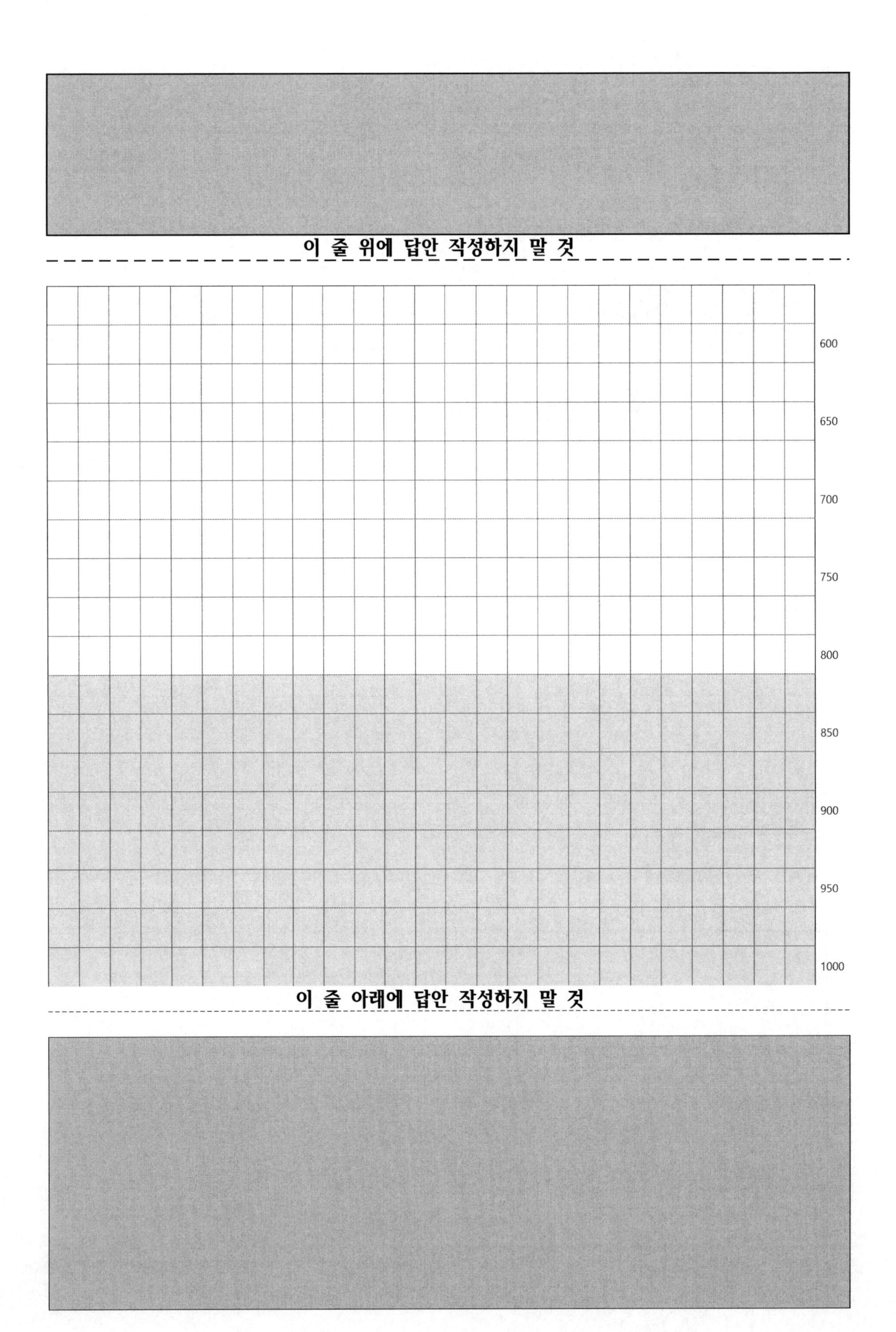
이 줄 위에 답안 작성하지 말 것
600
650
700
750
800
850
900
950
1000
이 줄 아래에 답안 작성하지 말 것

문제 2번 (800~1,000자 범위에서 작성하시오)

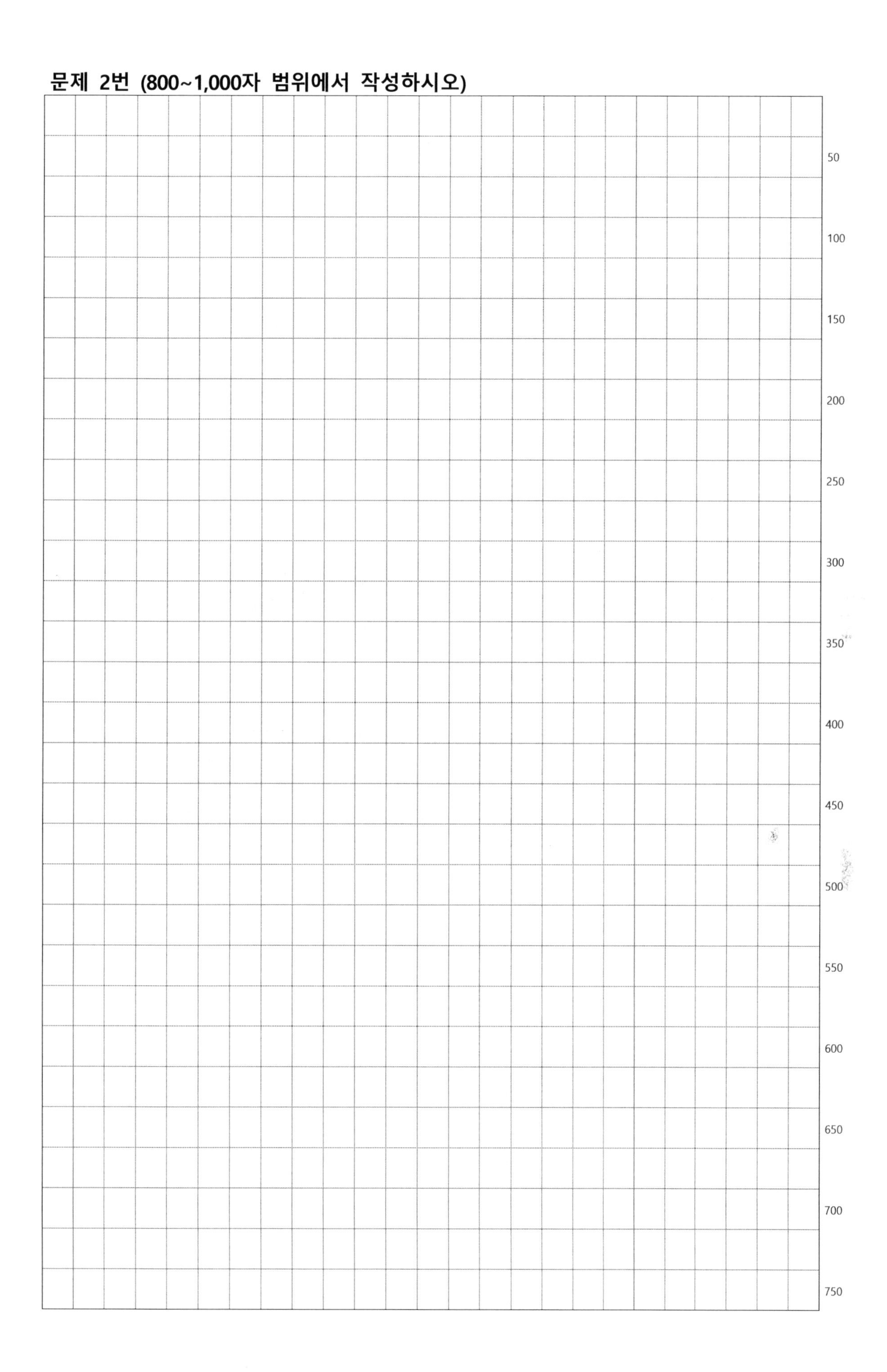

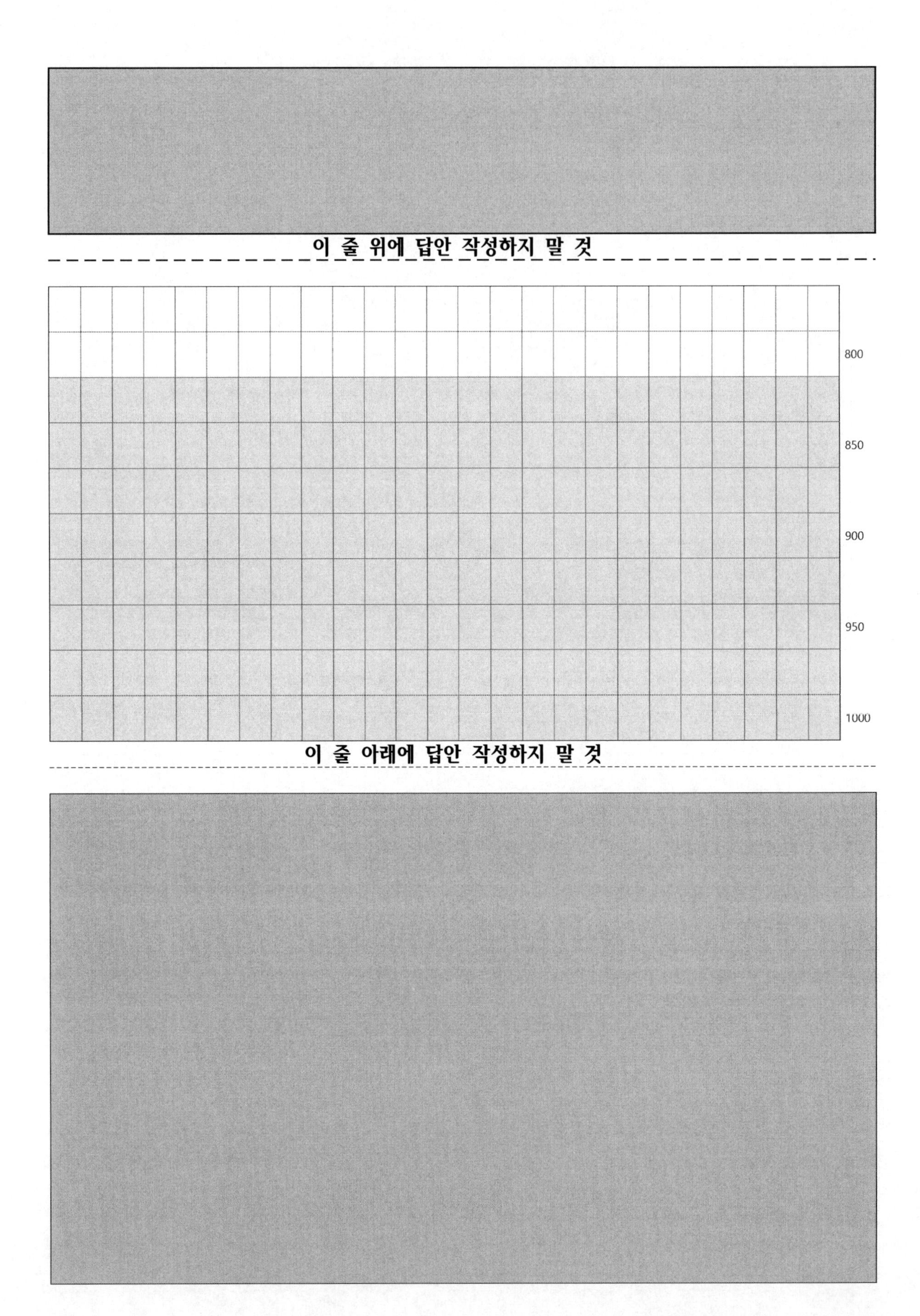

이 줄 위에 답안 작성하지 말 것
800
850
900
950
1000
이 줄 아래에 답안 작성하지 말 것

25. 2020학년도 서강대 인문사회 수시 논술

[문제 1] [나]~[바]를 요약한 후, 두 가지 입장으로 분류하고, 각각의 입장에서 [가]의 현상을 설명하시오. (800~1,000자)

[가] 에스키모 어에는 눈에 관한 낱말이 많다. 에스키모 어는 영어로는 한 단어인 'snow'(눈)를 네 가지 다른 단어, 즉 'aput'(땅 위의 눈), 'quana'(내리는 눈), 'piqsirpoq'(바람에 날리는 눈), 'quiumqsuq' (바람에 날려 쌓이는 눈)으로 표현한다는 것이다. 그런가 하면, 북아프리카 사막의 유목민들은 낙타에관해 열 개 이상의 단어를 가지고 있다고 한다. 우리도 마찬가지다. 예를 들어, 영어의 'rice'에 해당하는 개념에 대해 우리말은 '모', '벼', '쌀', '밥' 등이 있다.

\- 고등학교 독서와 문법 교과서 재구성

[나] 자로가 물었다. "위군이 선생님을 모시고 정치를 하려 한다면 무엇을 먼저 하시겠습니까?" 공자가 말하였다. "반드시 이름을 바로잡을 것이다." 자로가 말하였다. "정말로 그렇습니까? 선생님의 말씀은 정곡을 찌르지 못하는 것 같습니다. 어찌 무엇보다도 먼저 이름을 바로 잡으려 하십니까?" 공자가 말하였다. "자로야, 너는 거칠구나! 군자는 자신이 모르는 것에는 대개 조심스러운 태도를 취해야 한다. 이름이 바르지 않으면 말이 순하지 않고, 말이 순하지 않으면 일이 이루어지지 않는다. 일이 이루어지지 않으면 예악이 홍성하지 않고, 예악이 홍성하지 않으면 형벌이 공정하지 않게 된다. 형벌이 공정하지 않으면 백성들이 어찌할 줄을 모른다. 그러므로 군자는 이름을 붙이면 반드시 말할 만 하게 하고, 말을 한다면 반드시 실천할 수 있게 한다. 군자는 그 말에 구차히 함이 없을 뿐이다."

\- 공자, 논어

[다] 마음은 인지 능력을 갖는다. 인지 능력은 귀를 통해 소리를 알게 되고, 눈을 통해 형체를 알게 된다. 인지 능력은 반드시 감각기관이 여러 가지 종류들을 주관해 정리하기를 기다린 연후라야 알 수 있다. 감각기관이 그것들을 정리해도 알지 못하고, 마음이 그것을 인지해도 언어로 가리키는 말이 없다면 사람들은 모두가 알지 못한다고 할 것이다. 이것이 사물의 '같고 다름'을 구별하는 방식이다. 이렇게 구별한 연후에 이러한 구별에 따라 이름을 붙이게 된다.

\- 순자, 순자

[라] '잘못된 명명(命名)'은 사람의 특성이나 행위, 사건을 기술하기 위해 어떤 명칭이나 용어를 사용하여 표현할 때, 과장하거나 부적절하게 표현하는 것을 말한다. (…) 데이트 신청을 상대방이 받아들이지 않았을 때 "데이트 신청이 받아들여지지 않았다."라고 말하지 않고 "나는 차였다."라고 말함으로써 자신의 처지를 비참하게 만드는 것이 그 예이다.

\- 고등학교 독서와 문법 교과서

[마] 언어구조를 분석하는 것은 여타의 지적 구조를 이해하는 데 도움이 됩니다. 우리가 언어로만 생각하는지 여부에 대해서 어떤 과학적 증거가 있다고 보지 않습니

다. 그러나 곰곰 생각해 보면 반드시 언어로만 생각하지 않는다는 게 상당히 분명합니다. 우리는 시각 이미지에 의존하거나 상황과 사건들을 수단으로 하여, 그 밖의 여러 가지를 매개로 하여 생각하는 것입니다. 더구나 생각하는 내용이 무엇인지 말로 표현할 수조차 없는 경우가 허다합니다. 설사 그것을 말로 표현할 수 있어도 발설한 다음 그것이 우리가 뜻했던 바가 아닌, 별도의 어떤 것임을 뒤늦게 알았던 경험을 모두들 갖고 있습니다.

- 노엄 촘스키, 촘스키, 사상의 향연

[바] 사람들이 의식하고 있지 않은 언어의 강제력이 사람들의 경험과 사고방식을 규정한다. 즉 동일한 현상이라도 언어 배경이 다르면 인식의 방법도 달라진다는 것이다. 예를 들어 우리말에서는 초록색, 청색, 남색을 '푸르다'라고 한다. '푸른 숲', '푸른 바다', '푸른 하늘' 등의 표현의 예에서 알 수 있듯이 우리는 다른 색에 대해 한 가지 말을 쓰고 있다. 사피어와 워프에 따른다면 이러한 현상 때문에 우리는 숲, 바다, 하늘을 한 가지 색깔로 생각하게 된다.

- 고등학교 사회·문화 교과서

[문제 2] [가]에 제시된 상황을 [나]~[라]를 바탕으로 분석하고, 이러한 상황에 대처하는 방안에 대해 [마]~[사]를 활용하여 논술하시오. (800~1,000자)

[가] 청소년들이 차별과 혐오를 유희처럼 또래문화에서 즐기는 일은 과거에도 있었다. 하지만 스마트폰의 급격한 보급, 자정과 규제 없는 개인 인터넷 방송의 증가는 우리가 알지 못했던 상자를 열었다. 인터넷 커뮤니티에서 시작된 혐오문화가 10대의 교실을 잠식한 것이다. (…) 모든 아이들이 혐오를 즐기는 건 아니다. 불편함과 거부감을 호소하는 학생들도 있다. "잘못된 건 다들 알거든요. 근데 학교는 작은 사회잖아요. 반기를 들면 '재 이상해' 이런 취급을 당해요.", "쿨하고 싶어서 대응을 잘 못해요. 애들이 친 농담을 웃어넘기고 인정하는 애들이 인기가 많으니까요. 맞장구치고 같이 키득거리거나 아니면 침묵하거나, 그렇게 되는 거죠." 혐오표현이 쿨한 것으로 여겨지면서, 불편함을 느끼고 상처받는 아이들의 존재는 지워진다.

- 경향신문 , 2017. 10. 1. 재구성

[나] 사회는 구성원이 사회 규범을 지키도록 기대하고 법과 같은 규범을 통해 이를 강제하기도 한다. 그러나 때로 사회 구성원이 이러한 사회적 규범이나 기대에 벗어난 사고와 행동을 하기도 하는데, 이것을 일탈 행동이라고 한다. 일탈 행동은 사회적으로 바람직하지 못한 행동으로 그 사회의 통합과 존속을 저해하기도 하지만 때로 그 사회의 문제를 표출함으로써 사회 변화의 계기가 될 수도 있다. (…) 뒤르켐에 따르면 개인은 한 사회의 규범을 행동의 지침으로 여기는데, 사회 규범이 약화되거나 주도적 규범이 없는 상태가 되면 일탈 행동을 하게 된다. (…) 차별 교제 이론은 일탈 행동을 하는 집단이나 사람들과의 접촉을 통해 일탈 행동이 학습된다는 입장이다. 즉, 일탈 행동을 보이는 사람들과 접촉하는 과정에서 그들과 동화되어 일탈 행동을 하게 된다는 것이다.

- 고등학교 사회·문화 교과서 재구성

[다] 심리 실험이 진행되었다. 참가자는 한 명을 제외하면 모두 가짜였다. 실험자가 직선 하나가 그려진 카드를 보여준 후, 길이가 다른 직선 세 개가 그려진 다른 카드를 참가자들에게 보여주었다. 두 번째 카드의 직선 중 하나는 처음에 제시한 카드의 직선과 길이가 같았는데, 그 직선을 고르는 것이 참가자들에게 주어진 과제였다. 참가자는 한 사람씩 큰 소리로 자신의 선택을 말했다. 진짜 참가자는 끝자리에 앉았기 때문에 앞사람들의 대답을 알 수 있었다. 가짜 참가자들은 일부러 오답을 선택했다. 당황하는 기색이 역력했던 진짜 참가자의 선택은 두 가지였다. 자신의 선택을 유지하면서 혼자 다른 대답을 하거나, 다른 참가자들과 같은 대답을 하는 것이었다. (…) 이런 실험을 수십 번 진행했는데, 다른 이들이 오답을 말할 때 진짜 참가자가 자신의 의견을 관철하는 경우는 37%였다. 그 외는 매번 다수의 의견을 따랐다.

실험 종료 후 진짜 참가자에게 실험에 대해 사실대로 설명하자, 안도의 한숨을 내쉬며 이렇게 말했다. "그들이나 저, 둘 중 한쪽은 비정상이었어요. 그들처럼 제 판단력도 형편없는지 궁금했지만 그들이 맞지 않을까 싶은 생각도 들어서 결정을 못 내렸죠.", "그들이 맞아서가 아니라 그저 묻어가려고 한 거예요. 반대 의견을 펴려면 엄청난 배짱이 필요한 것 같아요."

- 애덤 하트데이비스, 파블로프의 개 재구성

[라] 1990년대 '산업화는 늦었지만 정보화는 앞서가자.'는 목표 아래 본격적으로 진행된 정보화는 우리 사회의 경제 발전과 기술 혁신의 원동력이 되었다. 그러나 긍정적 잠재력 이면에 예기치 못한 다양한 사회 문제를 야기하기도 하였다. (…) 사이버 폭력은 정보·통신망을 통해 부호·글·소리, 화상 등을 이용하여 타인의 명예나 권익을 침해하는 행위를 말한다. 사이버 폭력 중 가장 심각한 것은 인터넷 게시판에서의 악성 댓글이나 채팅 중에 발생하는 언어폭력이다. 사이버 폭력은 원인을 밝히기 어렵고 인터넷을 통해 확산되기 때문에, 피해 범위가 넓고 피해 정도도 크다.

- 고등학교 사회 교과서

[마] 혐오표현은 특정 대상에 대한 개인적 감정 표출에 멈추지 않는다. 그것은 다른 사람에게 특정 대상을 혐오할 것을 부추기거나 기존의 혐오와 그에 바탕을 둔 사회적 억압을 강화하거나 그러한 행동으로 나아갈 것을 선동하는 행위이다. 혐오표현은 다른 사람의 인권을 침해하고 민주적 가치를 훼손하며 인간의 존엄과 가치라는 인류 공동의 이념과 가치를 위협한다. (…) 혐오표현이 전 사회적 대응을 필요로 하게 되는 것은 바로 이 지점에서이다. 시민사회는 일차적인 대응 주체가 된다. 혐오의 대상이 되는 사람들과 연대하여 혐오와 그 해악에 맞서는 공간이 바로 시민사회이다.

- 국가인권위원회, 혐오표현 리포트

[바] 무지란 지식의 결여가 아니라 지식의 포화 상태로 인해 미지의 것을 받아들일 수 없는 상태를 말한다. 이 말은 피부로 다가온다. '난 그것에 대해 잘 모른다.' 고 선선히 인정하는 사람은 자기의 주장을 고집하는 일이 없다. 타인의 말을 우선 잠자코 듣는다. 그런 다음 무언가를 터득했다거나 납득이 갔다거나 시원하게 정리되었다고 하면서 스스로의 내면을 응시하고 판단한다. 그러한 반응을 통해 우선 옳고 그름을 판단할 수 있는 사람을 나는 '지성을 갖춘 사람'으로 간주한다. 그런 사람은 지성이 활발하게 기능한다. 그들은 단지 새로운 지식이나 정보를 더해 나가는 것이 아니라 자신의 지적인 틀 자체를 그때마다 다시 정립하기 때문이다. 지성이란 앎의 자기 쇄신을 가리킨다고 생각한다. (…) 어떤 개인이 지성적인지 아닌지는 그 개인이 사적으로 소유한 지식의 양이나 지능 지수나 연산 능력에 따라 판별할 수 없다. 그 사람이 그 자리에 있음으로써, 또는 그 사람의 발언이나 행동에 의해 그가 속한 집단 전체의 지적 능력 이 그가 없을 때보다 훨씬 높아질 경우, 사후적으로 그 사람은 지성적인 인물이었다고 판정할 수 있다.

- 우치다 다쓰루, 반지성주의를 말하다

[사] 개인 윤리적 관점은 인간 삶에서 발생하는 윤리 문제가 개인의 양심 및 합리

적 판단과 관련된다고 보는 견해이다. 이러한 관점에서 보면 사회의 윤리 문제는 사회를 구성하고 있는 개별 구성원의 양심이나 합리적 판단에 문제가 있어 발생하는 것이며, 사회의 도덕성 회복 역시 개인의 도덕적 양심이나 실천적 합리성의 완성을 통해서만 가능하다. (…) 사회 윤리적 관점은 윤리 문제가 사회적 구조나 제도와도 밀접한 관계를 맺고 있어, 그 발생과 해결이 개인적 도덕만으로는 환원될 수 없는, 사회적 구조와 제도의 특수한 논리에 의해서도 이루어질 수 있다는 견해이다. 따라서 사회 윤리적 관점은 궁극적으로 사회 문제의 근본적 원인을 사회 제도나 구조 또는 정책의 문제에서도 찾을 수 있어야 하며 그 문제의 해결 역시 이러한 사회적 제도, 구조, 정책 등의 개선과 함께 이루어야 한다고 주장한다.

- 고등학교 생활과 윤리 교과서

수시 논술전형 답안지

❶ 본 답안지는 연습용입니다. 실제 시험 답안지와는 다릅니다.

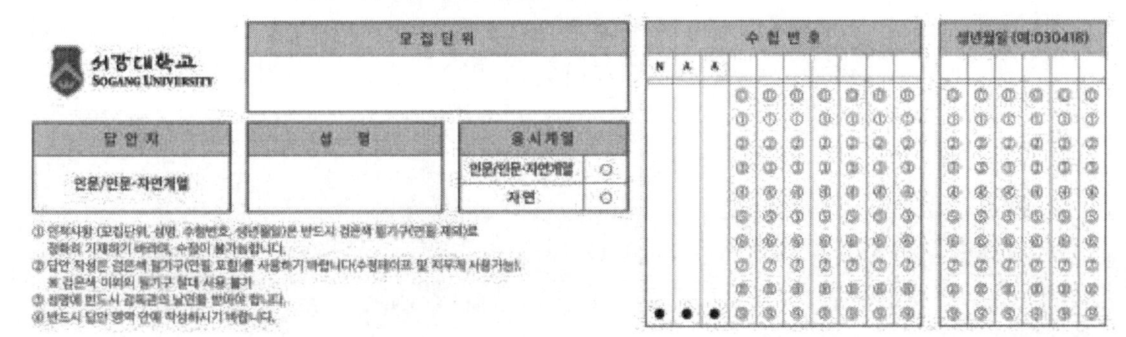
서강대학교
SOGANG UNIVERSITY

모집단위

답안지: 인문/인문·자연계열

성명

응시계열: 인문/인문·자연계열 ○ / 자연 ○

수험번호: N A A

생년월일 (예:030418)

① 인적사항 (모집단위, 성명, 수험번호, 생년월일)은 반드시 검은색 필기구(연필 제외)로 정확히 기재하기 바라며, 수정이 불가능합니다.
② 답안 작성은 검은색 필기구(연필 포함)를 사용하기 바랍니다(수정테이프 및 지우개 사용가능).
※ 검은색 이외의 필기구 절대 사용 불가
③ 성명에 반드시 감독관의 날인을 받아야 합니다.
④ 반드시 답안 영역 안에 작성하시기 바랍니다.

문제 1번 (800~1,000자 범위에서 작성하시오)

50
100
150
200
250
300
350
400
450
500
550

이 줄 위에 답안 작성하지 말 것

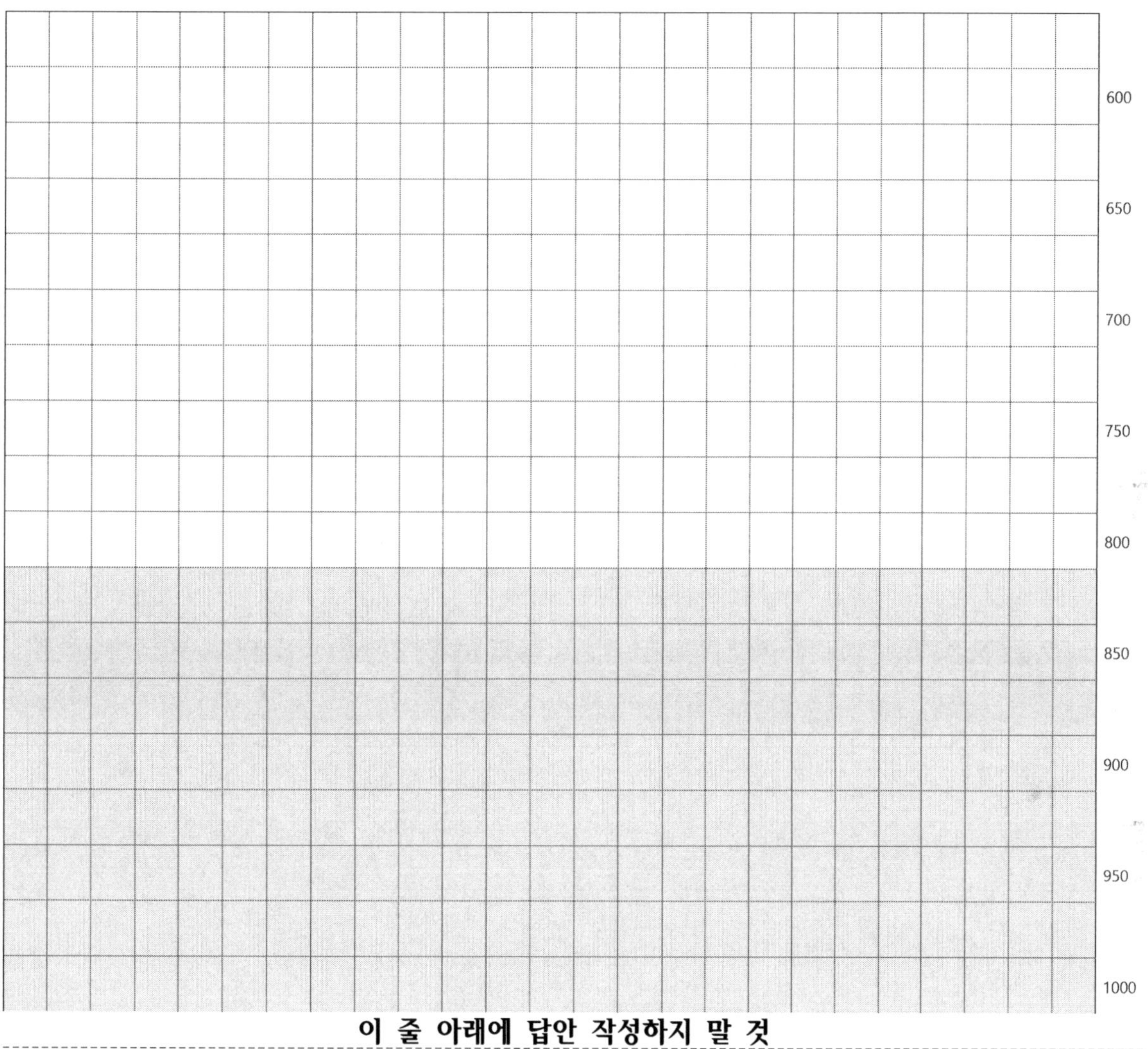

이 줄 아래에 답안 작성하지 말 것

문제 2번 (800~1,000자 범위에서 작성하시오)

50
100
150
200
250
300
350
400
450
500
550
600
650
700
750

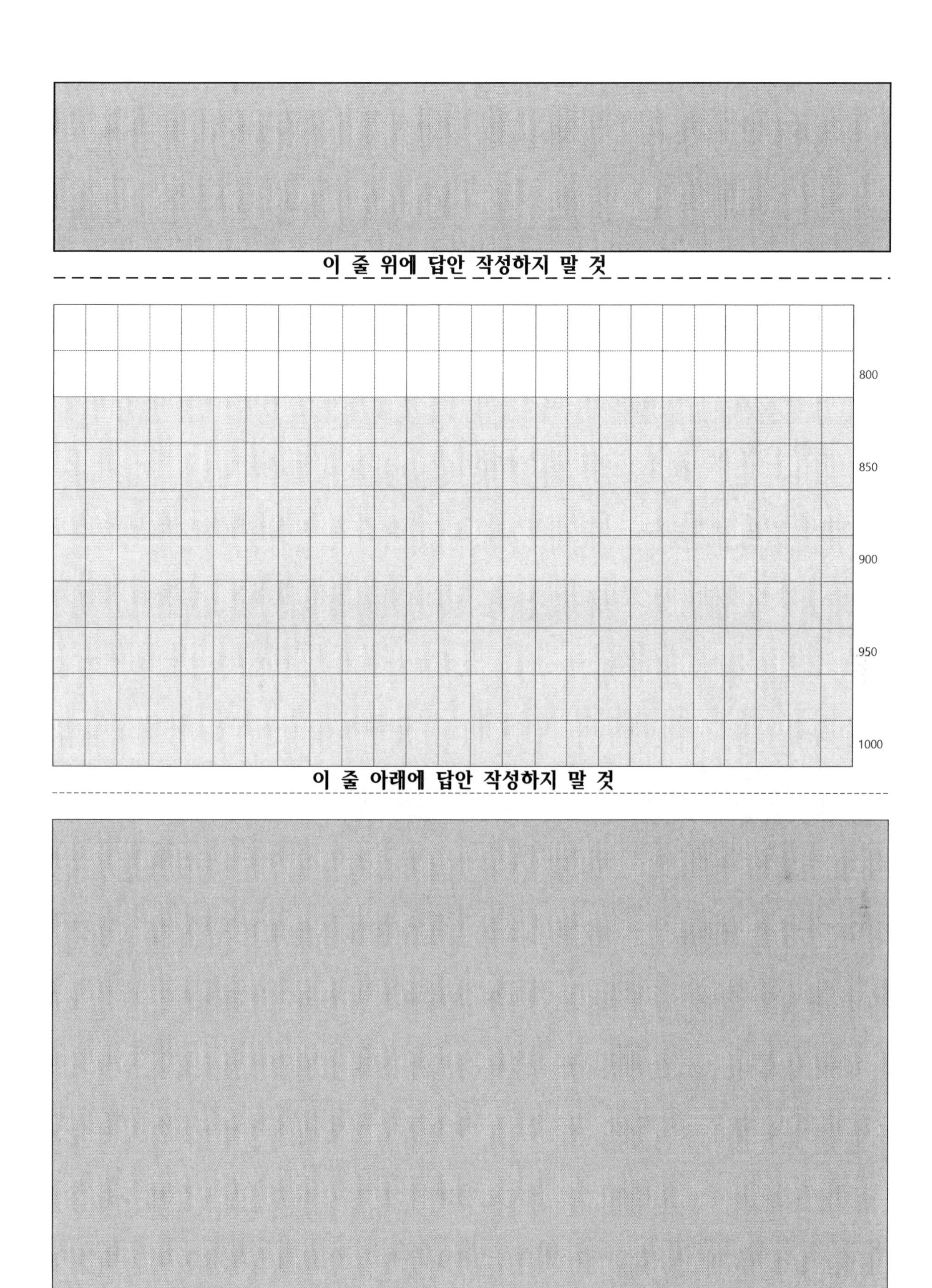
이 줄 위에 답안 작성하지 말 것
800
850
900
950
1000
이 줄 아래에 답안 작성하지 말 것

26. 2020학년도 서강대 경제경영 1차 모의 논술

■ 모의논술 유의사항
1. 시험시간은 50분입니다.
2. 답안분량은 800~1,000자입니다.   ※ 서강대 모의 논술은 계열별 1문항만 출제함

무상급식 논쟁에 참여한 제시문 [마]의 참가자들 의견을 찬성과 반대로 분류하고, 이들의 의견을 [가]~[라]의 제시문과 연결지어 무상급식 찬성과 반대 입장을 각각 논증하시오.

[가] 효율성은 '최소의 대가로 최대의 효과를 구한다'는 경제 행위의 원칙을 말한다. 비용과 편익을 고려하여 자원의 효율적 배분을 달성하는지를 판가름하는 기준이다. 이를 달리 표현하면, 의도한 효과를 가장 적은 비용으로 달성하는 상태 혹은 동일한 비용으로 가장 좋은 성과를 창출하는 상태라 할 것이다. 효율성을 증진하는 것은 국가의 중요한 경제 목표 중 하나이다.

반면, 공정성은 옳음과 그름에 적용되는 개념으로, 사회 정의에 비추어 판단되는 규범적 기준에 해당한다. '공정한 분배'란 바로 공정성 관점에서의 정의로운 분배를 일컫는다. 공정한 분배를 달성한다는 것은 자원을 효율적으로 배분한다는 것 못지않게 중요한 과제이다. 그런데 효율성의 문제와 달리, 공정성의 문제는 주관적 가치판단에 의존해 평가할 수밖에 없다.

『고등학교 경제』 교과서 재구성

[나] 공정한 분배에 있어 가장 대표적인 방식은 공리주의적 가치판단이다. 이는 벤담(J. Bentham)의 유명한 경구, '최대다수의 최대행복'이라는 말에 집약되어 나타난다. 공리주의에서는 어떤 일의 옳고 그름이 그 일로 인해 사람들이 받는 영향의 좋고 나쁨에 의해서 판가름나게 된다. 바꾸어 말하면 사람들의 '쾌락' 또는 '행복'이 본래적 가치이자 선(virtue)이다. 따라서, 공리주의적 관점에서의 바람직한 분배란 그 사회의 총체적 후생(행복)을 극대화할 수 있는 분배여야 한다.

그런데 최대다수의 최대행복을 가져오는 분배상태란 구체적으로 어떤 상태가 될 것인가? 우선적으로 말할 수 있는 것은 공리주의적 입장에 서 있는 사람들이 일반적으로 평등한 분배에 상당히 호의적인 태도를 갖는다는 사실이다. 빌 게이츠에게서 100만 달러를 가져다 형편이 어려운 100명에게 1만 달러씩 나누어 준다면, 게이츠의 후생은 하락하겠지만, 돈은 받은 100명의 총 후생은 그보다 증가할 것이다. 하지만, 공리주의적 가치판단이 불균등한 분배의 상태를 정당화시켜 줄 때도 있다. 소득세율의 인상은 일과 투자에 대한 의욕을 꺾어 생산성 감소로 이어질 수 있다. 이로 인해 전반적인 사회의 경제적 이익이 줄고 재분배할 양도 줄어들게 된다. 이 경우 공리주의자들은 소득세 인상을 오히려 반대할 것이다.

『고등학교 생활과 윤리』 교과서 재구성

[다] 이와는 달리, 철학자 롤즈(J. Rawls)는 어떤 분배의 상태가 바람직한지를 논의하면서, 한 사회에서 가장 못사는 사람의 생활수준을 가능한 한 가장 크게 개선시키는 것이 최우선의 과제가 되어야 한다고 주장했다. 형편이 '최소'인 사람의 후

생을 '극대화' 시킨다고 하여 최소극 대화(maximin)의 원칙이라고도 불린다.
롤즈의 이같은 주장은 원초적 상태(original position) 개념에 의존하고 있다. 원초적 상태란 자신이 사회에서 차지할 위치가 어디가 될지를 모르는 가상의 상태를 의미한다. 자신이 부자가 될지 또는 가난한 자가 될지를 모르는 원초적 상태 하에서는 사람들이 분배 문제에 대해 공정하고 불편부당하게 임하게 된다는 것이다. 롤즈는 이러한 상태 하에서는 미래에 발생 가능한 최악의 결과에 대해 일종의 보험을 제공해 주는 최소극대화 원칙을 사람들이 지지하게 될 것이라고 주장하였다. 롤즈의 이러한 주장은 사회적 약자들을 위한 현대적 사회복지제도의 설계에 지대한 영향을 미쳤다.

마이클 샌델, 신현주, 『10대를 위한 JUSTICE 정의란 무엇인가』 재구성

[라] 앞선 두 가치판단 하에서는 사회가 적절하다고 판단한 경우 개인의 소득이란 당연히 재분배될 수 있는 공동의 자산이라는 인식이 깔려있다. 최초 소득분배가 결정되는 과정의 정당성이나 소득재분배 시 사용되는 절차의 정당성에 대한 고려는 없다. 이를 극복하는 차원에서 철학자 노직(R. Nozick)은 자유 지상주의적 정의관을 제시한다. 이에 따르면, 개인의 권리는 어떤 경우에도 침해될 수 없으며, 어느 누구도 사회 전체를 위한다는 미명 아래 다른 사람을 이용할 권리를 갖지 못한다. 노직이 생각하는 정의로운 분배는 모든 사람이 정당하게 가질 권리가 있는 것만을 소유하는 상태를 뜻한다. 결과의 정의보다 절차상의 정의를 더욱 중요시하는 것이다. 분배의 절차가 공정하면 그 결과가 어떻게 나오든 그 분배는 공정하다고 본다.
이에 따라 노직은 유형화된 정의론을 거부하고, 자유시장에서 사람들의 선택을 존중해야 한다고 주장했다. 여유로운 사람이 자선의 행위로 타인을 돕는 것은 바람직할지라도, 그런 일은 개인이 스스로 결정할 일이지 정부가 강제할 게 아니라는 것이다. 이에 따르면, 국가가 부유한 납세자들에게 가난한 사람을 위한 사회 프로그램을 지원하라고 강제할 권리는 어디에도 없다.

『고등학교 생활과 윤리』 교과서 재구성

마이클 샌델, 신현주, 『10대를 위한 JUSTICE 정의란 무엇인가』 재구성

[마] 다음의 보기는 '무상급식' 즉, 학교에서의 급식을 전교생에게 무료로 제공하는 급식제도의 도입을 둘러싼 논쟁의 일부이다.

< 논쟁 요지 >
김씨: 부모의 가난으로 인해 자녀의 기본적인 권리가 침해받아서는 안 된다. 무상급식을 통해 결식아동 문제를 원천적으로 해소할 수 있다. 결식아동에 대한 보호는 사회의 우선적 책무이기도 하다. 이씨: 자녀 양육은 사회가 아닌 부모의 책임이 아닌가? 국가가 일반 국민을 대상으로 무상급식 도입에 따른 세금 부담을 지우는 것은 바람직한 해결책이 아니다. 박씨: 무상급식을 시행하면 학부모의 부담은 줄겠지만 그만큼 일반 국민들의 세

부담은 늘어난다. 납세자들의 심리적 저항과 사회적 갈등 조장까지 고려하면, 사회적 후생 차원에서의 손해가 크다.

최씨: 국민들의 납세 부담이 늘어나지만, 급식비 수금에 따른 선생님들의 행정 부담이 줄고 결식아동의 건강도 증진되는 등 긍정적인 혜택이 더 크다. 국민 후생의 측면에서 손해보다는 이득이 큰 정책이다.

정씨: 무상급식을 시행할 경우, 급식에 대한 학부모 및 학교 당국의 관리와 감독이 소홀해질 수 있다. 이 경우 급식에 대해 동일한 비용을 지출하고도 학생들 식단의 질적 하락이 초래될 것이다. 비용대비 효과성이 떨어지는 방안이다.

수시 논술전형 답안지

❶ 본 답안지는 연습용입니다. 실제 시험 답안지와는 다릅니다.

서강대학교 SOGANG UNIVERSITY

모집단위

답안지	성명	응시계열	
인문/인문·자연계열		인문/인문·자연계열	○
		자연	○

수험번호	생년월일(예:030418)
N A A	

① 인적사항 (모집단위, 성명, 수험번호, 생년월일)은 반드시 검은색 필기구(연필 제외)로 정확히 기재하기 바라며, 수정이 불가능합니다.
② 답안 작성은 검은색 필기구(연필 포함)를 사용하기 바랍니다(수정테이프 및 지우개 사용가능).
※ 검은색 이외의 필기구 절대 사용 불가
③ 성명에 반드시 감독관의 날인을 받아야 합니다.
④ 반드시 답안 영역 안에 작성하시기 바랍니다.

모의 논술 문제(800~1,000자 범위에서 작성하시오)

50
100
150
200
250
300
350
400
450
500
550

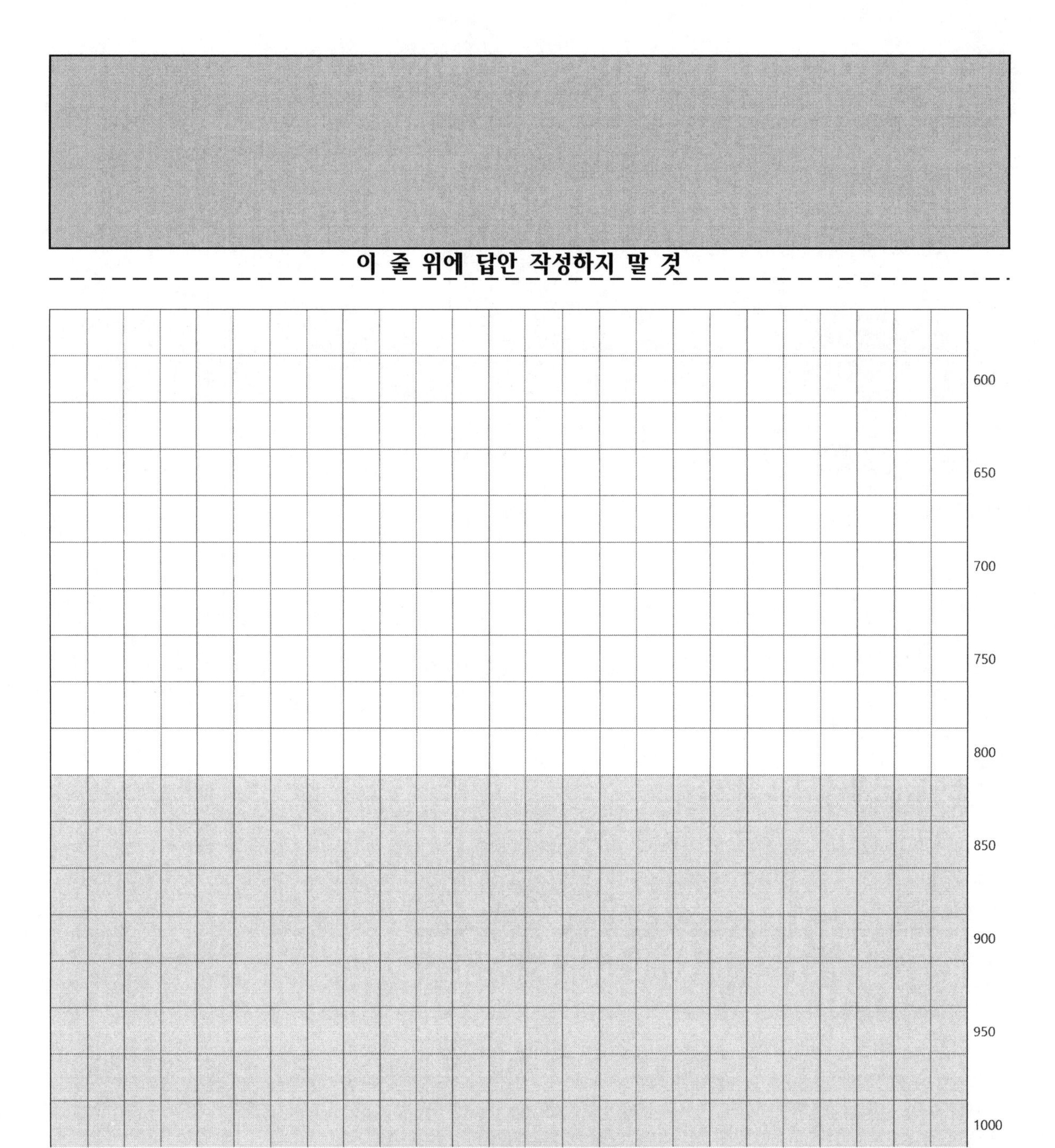

이 줄 아래에 답안 작성하지 말 것

27. 2020학년도 서강대 인문사회 1차 모의 논술

■ 모의논술 유의사항
1. 시험시간은 50분입니다.
2. 답안분량은 800~1,000자입니다.　※ 서강대 모의 논술은 계열별 1문항만 출제함

[가]의 주요 주장이 성립되기 위한 전제를 [나]~[다]를 활용하여 기술하고, 그 주장의 실행에서 발생할 수 있는 문제점은 [라]~[마]를, 그에 대한 해결 방안에 대해서는 [바]~[사]를 참고하여 서술하시오.

[가] 정치권력은 국민의 자발적인 동의와 합의에 따라 형성되고, 동의와 합의는 문자와 문서로 형식화된 법으로 규정된다. 정치는 권력의 내용이고, 법은 권력의 형식이다. 즉 정치가 인간의 권력적 상호 작용으로서의 의미를 지닌다면, 법은 권력적 상호 작용의 근거로서의 의미를 지닌다. 그래서 모든 권력은 법에 근거해서 행사되어야 한다는 법치주의 원리가 요청된다.

김왕근 외, 〈고등학교 법과 정치〉

[나] 자연 상태는 자유롭고 평화롭지만, 옳고 그름을 구별하는 법이 없고, 다툼을 해결해 주는 재판관도 없으며, 법을 집행할 수 있는 합법적인 권력도 없다. 그래서 모두가 스스로 옳다고 판단하는 자연 상태는 불안정하다. 국가는 이러한 불안정한 상태를 예방하고 자유와 평등을 안전하게 보장하기 위해 사회 구성원의 계약을 통해 만들어진 것이다. 인간은 상호 계약을 통해 만들어진 국가의 보호 속에서 자유와 평등을 안전하게 누릴 수 있게 된다.

로크, 〈통치론〉

[다] 플라톤이 정의를 명령과 복종의 관계 위에 세운 것과 달리, 아리스토텔레스는 정의를 상호성의 관계를 통해서 연합하는 것이라고 보았습니다. 여기서 상호성이란 비슷한 것끼리의 교환, 가치가 동등한 것끼리의 교환을 말합니다... 아리스토텔레스는 부분적 정의를 다시 분배적 정의와 교정적 정의로 나누었습니다. 먼저 분배적 정의에 대해서는 산술적으로 동등한 가치의 교환이라고 보는 상호성에서 한발 더 나아가 비례를 고려한 상호성을 주장합니다. 만약 두 사람이 동등하다면 그들의 몫이 같아야 공정한 분배가 이루어집니다. 그러나 그 사람들이 동등하지 않다면 산술적 평등만으로는 고정하지 못하게 됩니다. 이때 아리스토텔레스는 당사자의 기여도를 비교하여 분배를 해야 공정하다고 합니다.

김영란, 〈열린 법 이야기〉

[라] 하세가와 데루는 일본의 야마나시에서 태어난 일본인이었으나, 일본의 중국 침략에 반대하며 반침략 운동을 전개하였다. 다니던 학교에서 퇴학당하고, 중국인 유학생 류런을 만나 결혼하였다. 중일전쟁이 발발하자 중국 국민 정부에서 활동하였다. 중국 내 여러 지역을 옮겨 다니면서 일본의 중국 침략에 반대하는 라디오 방송을 진행하였다. 유창한 일본어로 계속되는 반일 방송은 전쟁이 장기화되어 가면서 일본 군인들의 사기를 떨어뜨렸다. 당시 도쿄의 신문에서는 그녀를 '달콤한 목소

리의 매국노' 라고 비난하였고, 하세가와의 가족은 목숨을 위협하는 편지를 받기도 하였다.

안병우 외, 〈고등학교 동아시아사〉

[마] 모든 사람은 사상, 양심 및 종교의 자유에 대한 권리를 가진다. 이러한 권리는 스스로 선택하는 종교나 신념을 가지거나 받아들일 자유와, 단독으로 또는 다른 사람과 공동으로, 공적 또는 사적으로 예배, 의식, 행사 및 선교에 의하여 그의 종교나 신념을 표명하는 자유를 포함한다... 어느 누구도 스스로 선택하는 종교나 신념을 가지거나 받아들일 자유를 침해하게 될 강제를 받지 아니한다...자신의 종교나 신념을 표명하는 자유는, 법률에 규정되고 공공의 안전, 질서, 공중보건, 도덕 또는 타인의 기본적 권리 및 자유를 보호하기 위하여 필요한 경우에 만 제한받을 수 있다. 이 규약의 당사국은 부모 또는 경우에 따라 법정 후견인이 그들이 신념에 따라 자녀의 종교적・도덕적 교육을 확보할 자유를 존중할 것을 약속한다.

〈시민적 및 정치적 권리에 관한 국제규약, 18조〉

[바]

일자	주요 내용
제6차 개헌 (1969. 10. 21)	· 대통령 3선 허용
제7차 개헌 (1972. 12. 27)	· 대통령 임기 6년 · 대통령 긴급조치권 · 통일주체국민회의에서 대통령 선출 · 헌법위원회 설치
제8차 개헌 (1980. 10. 27)	· 대통령 선거인단이 대통령 선출 · 대통령 임기 7년
제9차 개헌 (1987. 10. 29)	· 대통령 직선제 · 대통령 임기 5년 · 헌법재판소 부활

차병직 외, 〈지금 다시, 헌법〉

[사] 호주제도는 한국사회의 가부장 의식과 악습을 제도적으로 뒷받침하는 여성차별적 제도라는 비판 끝에 결국 폐지되기에 이르렀다. 우선 호주제는 가족 구성원을 호주에게 종속시켜 개인의 자율성과 존엄성을 부정하고 일률적으로 순위를 정함으로써 평등한 가족관계를 해쳤다. 특히 여성은 혼인 전에는 아버지가 호주인 호적에, 결혼하면 남편이 호주인 호적에, 남편이 사망하면 아들이 호주인 호적에 올라야 하는 예속적인 존재로 규정되었다. 또한 호주승계 순위를 아들→딸(미혼)→처→어머니→며느리 순으로 정해 놓아 아들 선호를 조장하였다. 부가(父家) 입적과 부성(父性) 강제 계승을 통한 가족제도 유지는 다양해지는 가족형태를 반영하지 못해 한 부모 가족, 재혼 가족을 비정상적인 가족으로 만들었다. 가족법에 있어 양성평등과 민주적 가족법을 구현하기 위한 가족법 개정운동의 결과 1977년・1990

년・2002년에 부분적 개정이 이루어졌고, 2005년에 이르러 마침내 호주제 폐지를 골자로 하는 민법개정안이 공포되기에 이르렀다.

〈한국민족문화대백과〉

수시 논술전형 답안지

● 본 답안지는 연습용입니다. 실제 시험 답안지와는 다릅니다.

서강대학교 SOGANG UNIVERSITY

모집단위

답안지	성명	응시계열	
인문/인문-자연계열		인문/인문-자연계열	○
		자연	○

수험번호									
N	A	A							

생년월일 (예:030418)

① 인적사항 (모집단위, 성명, 수험번호, 생년월일)은 반드시 검은색 필기구(연필 제외)로 정확히 기재하기 바라며, 수정이 불가능합니다.
② 답안 작성은 검은색 필기구(연필 포함)를 사용하기 바랍니다(수정테이프 및 지우개 사용가능).
※ 검은색 이외의 필기구 절대 사용 불가
③ 성명에 반드시 감독관의 날인을 받아야 합니다.
④ 반드시 답안 영역 안에 작성하시기 바랍니다.

모의 논술 문제(800~1,000자 범위에서 작성하시오)

50
100
150
200
250
300
350
400
450
500
550

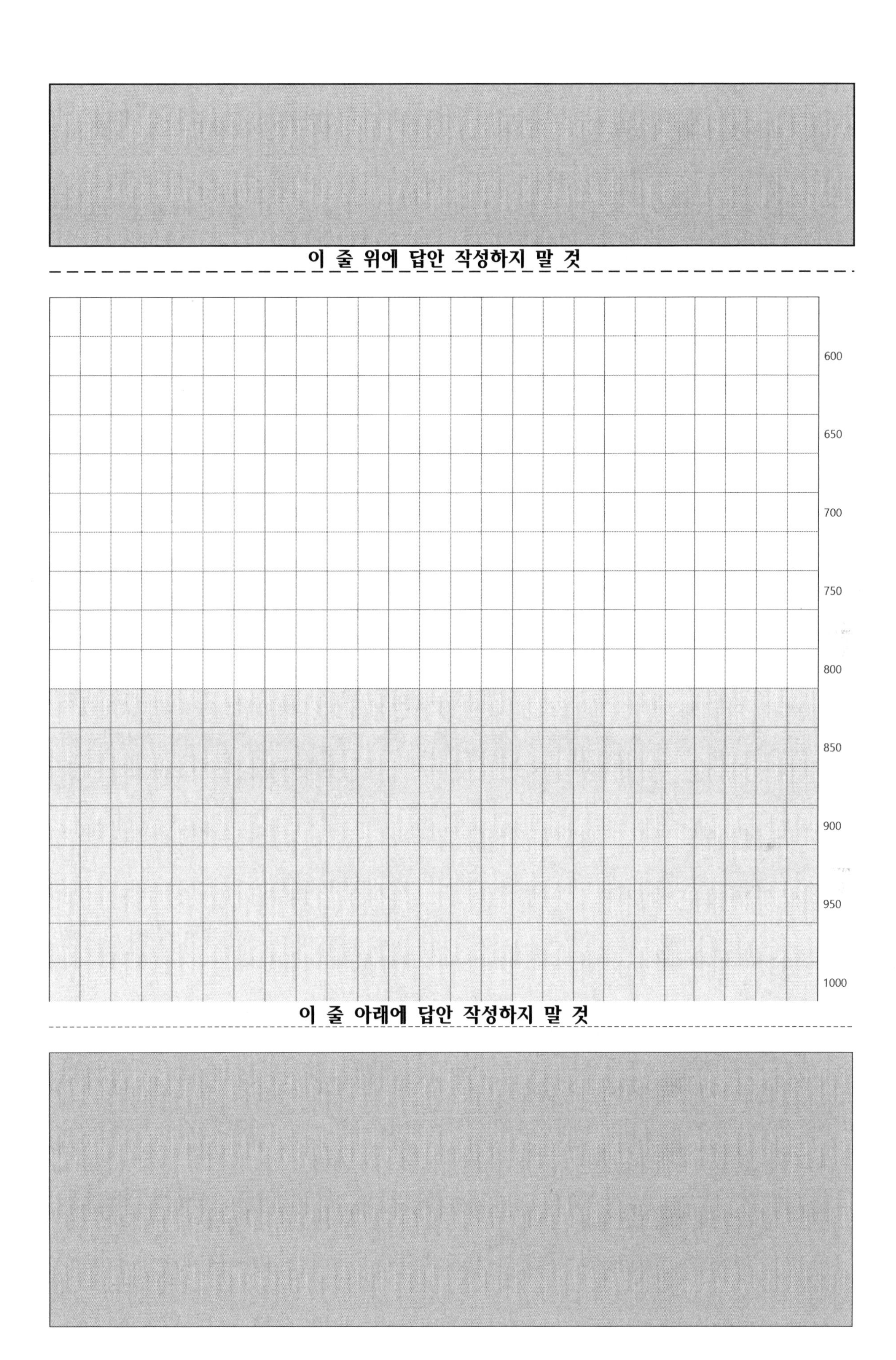
이 줄 위에 답안 작성하지 말 것
600
650
700
750
800
850
900
950
1000
이 줄 아래에 답안 작성하지 말 것

28. 2020학년도 서강대 경제경영 2차 모의 논술

■ 모의논술 유의사항
1. 시험시간은 50분입니다.
2. 답안분량은 800~1,000자입니다. ※ 서강대 모의 논술은 계열별 1문항만 출제함

제시문 (나)를 이용하여 제시문 (가)의 정부 정책을 설명하고, (가)와 같은 정부 정책의 타당성에 대한 상반된 견해를 제시문 (다)~(바)를 이용하여 논술하시오.

(가) 정부가 올해 하반기 경기가 반등할 것이라는 기존 전망을 수정하면서 경제 성장률 목표치를 2.4~2.5%로 낮췄다. 미-중 무역분쟁과 반도체 가격 회복 지연으로 수출과 투자 부진이 장기화하자 경기 하강 위험이 더 커졌다고 보았기 때문이다. 정부는 수출 효과를 기대하기 어려운 상황에서 경기를 떠받치기 위해 하반기에 10조원 이상 투자 프로젝트를 추진하고 대규모 감세 정책을 펴겠다고 밝혔다. (중략) 정부는 4월까지만 해도 "하반기엔 경제 상황이 좋아질 것" 이라며 다소 낙관적인 모습이었다. 하지만 수출, 생산, 소비 등 실물 지표가 좀처럼 나아지지 않자 (중략) 이전보다 엄중한 경제 인식을 드러내며 경기 불씨를 살리는데 역량을 총동원하겠다는 의지를 드러냈다.

(한겨레 2019년 7월 3일)

(나) 정부는 경제 성장, 물가 안정, 고용 창출 등을 위해 정부 지출과 조세를 조절하여 총수요를 관리하는데 이를 재정정책이라고 한다. 정부는 시장에서 다양한 재화와 서비스를 구입하며 교육이나 국방과 같은 공공재를 공급하기도 한다. 이 과정에서 정부 지출이 발생하는데 경기 상황에 따라 정부 지출을 늘리거나 줄임으로써 경기 안정을 도모할 수 있다. 정부가 가계 소득에 관한 세율을 조정하면 가계가 사용할 수 있는 실질 소득이 변하게 된다. 예를 들어 세율을 인상하면 가계의 처분가능 소득이 줄어들고 이에 따라 소비가 감소한다. 정부의 세율 조정은 기업의 투자에도 영향을 미친다. 예를 들어 기업이 벌어들인 이윤에 부과하는 세율을 인하하면 기업의 투자가 늘어난다.

(고등학교 경제 교과서)

(다) 영국의 경제학자 케인스는 사람들이 경제에 대해 갖는 대체로 근거가 약한 낙관론과 비관론의 파동 때문에 총수요가 변동하고 이것이 경기 변동을 낳게 한다고 생각하였다. 경제에 대한 비관론이 지배하면 가계는 소비 지출을 줄이고 기업은 투자 지출을 줄인다. 이에 따라 총수요가 줄고 생산이 감소하여 실업률이 높아진다. 반대로 낙관론이 지배하면 총수요가 늘어나 물가 상승의 압력을 받는다. 이처럼 낙관론과 비관론의 파동이 일어날 때 정부와 중앙은행이 경제 안정화 정책을 통해 총수요를 적절하게 관리하면 경기 변동에 능동적으로 대처할 수 있다고 하였다.

(고등학교 경제 교과서)

(라) 온수를 사용하기 위해 처음에 샤워 꼭지를 틀면 찬물이 나오기 마련입니다. 조금 기다리면 될 텐데 바보는 뜨거운 물이 빨리 나오게 하려고 샤워 꼭지를 얼른 더

돌립니다. 이런 식으로 바보는 하루 종일 샤워 꼭지를 돌리며 앉아 있게 되는데 이는 그가 샤워 꼭지 조작과 그 조작의 결과 사이의 시차를 무시한 채 순간순간의 수온에 대한 정보에만 집착해서 행동하기 때문입니다. 정부가 시장에 개입하면 이러한 "샤워실의 바보" 현상이 나타납니다. 경기 과열이나 경기 불황에 대응하기 위해 정부나 중앙은행이 시장에 과도하게 개입하면 예상치 못한 부작용 및 정책 효과의 지연을 일으켜 오히려 경기 불안을 가중하게 되는 것이죠. 따라서 정부는 경제 개입을 줄여야 합니다.

(고등학교 경제 교과서)

(마) 실업은 경제 활동 인구 중 일할 능력과 의사가 있음에도 일자리를 구하지 못한 사태를 말한다. (중략) 대부분의 사람은 노동을 통해 생계를 유지하며 정서적으로 성취감을 느낀다. 그러므로 일자리를 갖지 못하면 생활 수준이 낮아지고, 직업을 통한 자아실현의 기회 상실, 사회적 관계의 단절 등을 경험한다. 실업은 사회적으로도 큰 문제이다. 유휴 인력이 생산 활동에 투입되지 않아 생산력이 저하되고 소득 분배 상황이 악화되는 등 사회가 불안정해질 수 있다. 또한, 실업 급여나 직업 훈련비를 비롯한 정부의 사회 보장비 지출이 증가하여 국민 경제에 부담이 될 수 있다. [중략] 실업은 다양한 원인에 의해 발생하며 원인에 따라 다른 대책이 필요하다. 경기적 실업은 경기 변동에 따라 나타나는 실업으로 경기 침체로 생산이 줄어 고용이 감소하면서 나타나는 실업이다. 이를 해결하기 위해서는 경기 활성화와 일자리 창출을 위한 공공 지출을 확대해야 한다.

(고등학교 경제 교과서)

(바) 한국개발연구원(KDI)의 보고서에 따르면 2001~2010년 연평균 실질 국내총생산(GDP) 성장률(4.4%) 중 생산성의 기여도는 1.6%포인트였던 반면, 2011~2018년에는 성장률(3.0%) 중 생산성 기여도가 0.7%포인트로 급감했다. 최근의 저성장 국면이 세계 경제 둔화 등에 따른 일시적 침체라기보다는, 우리 경제 내부의 구조적 요인에 따른 결과일 가능성이 크다는 것이다. 이 보고서는 구조적인 하강 국면에 접어든 경제 여건에 대응하기 위해서는 단순한 '경기 살리기' 용 재정지출 확대보다 생산성을 끌어 올리기 위한 제도 개혁이 필요하다고 주장한다. 또한, 지금의 성장률 둔화가 구조적이라면 단기 경기부양을 목표로 확장적인 재정정책을 장기간 반복할 경우, 중·장기적으로 재정에 부담이 될 수 있다고 지적한다.

(2019년 5월 16일 자 한국일보 기사를 재구성)

수시 논술전형 답안지

❶ 본 답안지는 연습용입니다. 실제 시험 답안지와는 다릅니다.

서강대학교 SOGANG UNIVERSITY

모 집 단 위

답 안 지	성 명	응시계열	
인문/인문·자연계열		인문/인문·자연계열	○
		자연	○

① 인적사항 (모집단위, 성명, 수험번호, 생년월일)은 반드시 검은색 필기구(연필 제외)로 정확히 기재하기 바라며, 수정이 불가능합니다.
② 답안 작성은 검은색 필기구(연필 포함)를 사용하기 바랍니다(수정테이프 및 지우개 사용가능).
※ 검은색 이외의 필기구 절대 사용 불가
③ 성명에 반드시 감독관의 날인을 받아야 합니다.
④ 반드시 답안 영역 안에 작성하시기 바랍니다.

수 험 번 호									
N	A	A							
			⓪	⓪	⓪	⓪	⓪	⓪	⓪
			①	①	①	①	①	①	①
			②	②	②	②	②	②	②
			③	③	③	③	③	③	③
			④	④	④	④	④	④	④
			⑤	⑤	⑤	⑤	⑤	⑤	⑤
			⑥	⑥	⑥	⑥	⑥	⑥	⑥
			⑦	⑦	⑦	⑦	⑦	⑦	⑦
			⑧	⑧	⑧	⑧	⑧	⑧	⑧
●	●	●	⑨	⑨	⑨	⑨	⑨	⑨	⑨

생년월일 (예:030418)					
⓪	⓪	⓪	⓪	⓪	⓪
①	①	①	①	①	①
②	②	②	②	②	②
③	③	③	③	③	③
④	④	④	④	④	④
⑤	⑤	⑤	⑤	⑤	⑤
⑥	⑥	⑥	⑥	⑥	⑥
⑦	⑦	⑦	⑦	⑦	⑦
⑧	⑧	⑧	⑧	⑧	⑧
⑨	⑨	⑨	⑨	⑨	⑨

모의 논술 문제(800~1,000자 범위에서 작성하시오)

50

100

150

200

250

300

350

400

450

500

550

이 줄 위에 답안 작성하지 말 것

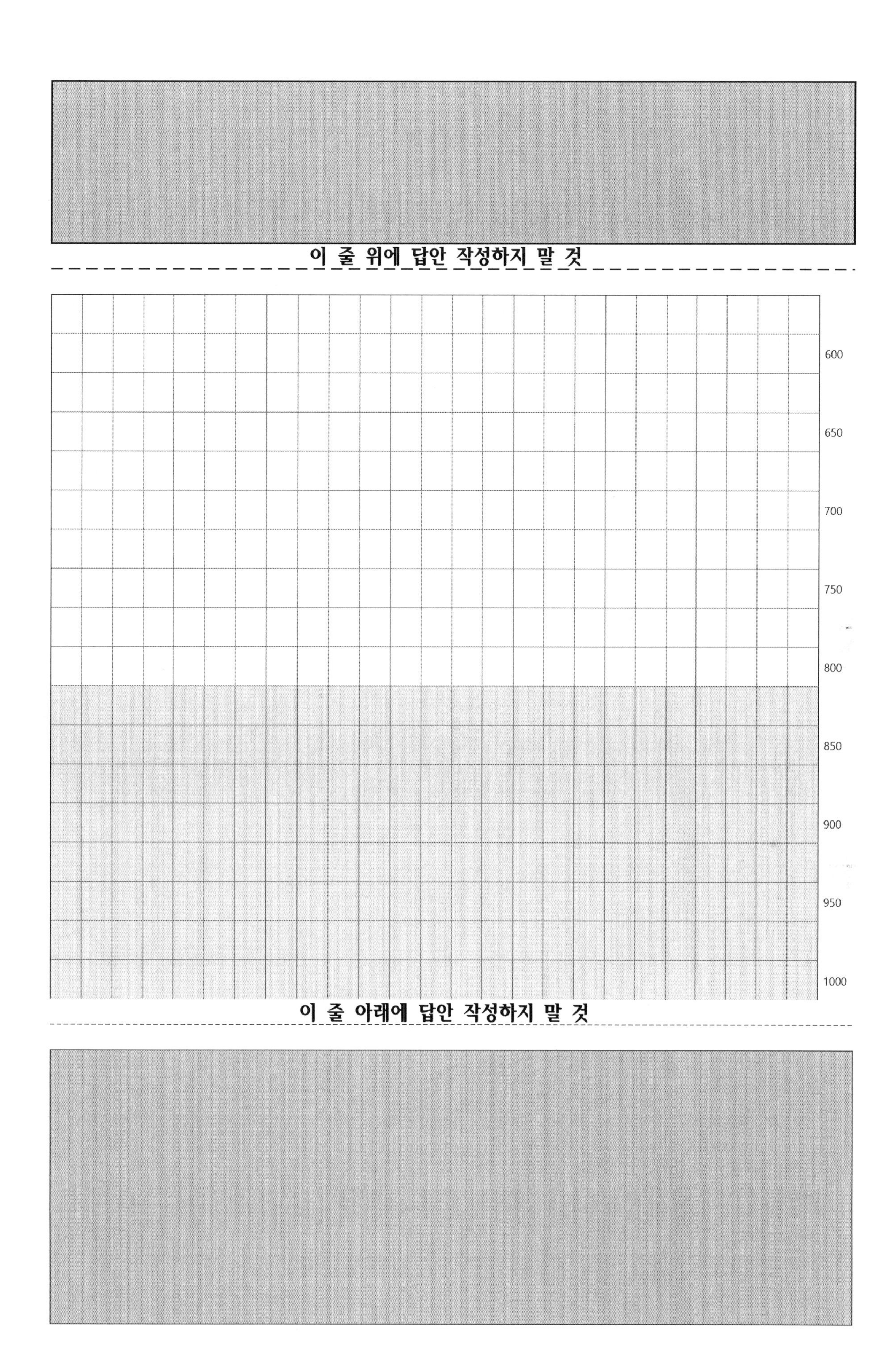

이 줄 아래에 답안 작성하지 말 것

29. 2020학년도 서강대 인문사회 2차 모의 논술

■ 모의논술 유의사항
1. 시험시간은 50분입니다.
2. 답안분량은 800~1,000자입니다. ※ 서강대 모의 논술은 계열별 1문항만 출제함

[가]와 [나]의 결론과 시사점을 요약하고, [다], [라], [마], [바], [사]를 활용하여 비판적으로 평가하시오.

[가] 일반적으로 근대화란 전근대적인 상태에서 근대적인 상태로 이행하는 과정을 의미한다. 여기서 '근대적'이라는 것은 산업 혁명을 계기로 전통적인 농경 사회가 산업 사회로 변화하면서 나타난 사회 전반에 걸친 총체적인 사회 변화를 뜻한다. 즉 근대화는 경제적으로는 경제 활동의 중심이 농업에서 공업으로 변화하고, 정치적으로는 신분적 차별이 철폐되어 시민의 평등한 정치 참여가 확립되며, 사회 전반에 걸쳐 이성과 과학을 중시하는 합리주의적 경향이 두드러지는 변화를 의미한다.

결국 정치, 경제, 사회·문화 등 사회의 다양한 영역에서 전반적으로 구조적인 변화가 진행되어 좀 더 향상된 생활 조건으로 바뀌어 가는 과정을 근대화라고 할 수 있다.

- 미래엔 사회·문화, 213 쪽

[나] 과거 몇 십년 동안 사회학자, 정치학자, 경제학자들은 1백여 개 이상의 나라들에 관하여, 부/성장과 다양한 정치적·경제적·사회적 특징들 사이의 상관관계를 보여주는 엄청난 양의 데이터를 축적했다. 결국 이 모든 나라는 각각 상이한 사회적·제도적 특징을 지닌 '있는 그대로의 실험'이라고 할 수 있다. 주의 깊게 통계를 분석해 보면, 우리는 부의 원인과 결과에 관한 몇 가지 조심스러운 결론을 끌어낼 수 있다. 이 어지러운 숫자들로부터 번영, 심리적 안녕, 민주주의, 전통적 가치와 개인적 권한에 관한 사회학적 척도 등 많은 것들 사이의 흥미로운 관계가 나타난다. ….

1950년대 말에 정치사회학자 세이무어 립셋(Seymour Lipset)이 최초로 이런 종류의 객관적인 분석을 했다. 립셋의 주된 관심은 민주적 발전에 있었다. 당시 정치적·경제적·종교적 요인들이 각각 민주주의에 얼마나 중요한가에 관한 학문적 논쟁이 진행되고 있었다. (예를 들어 종교적 결정론을 지지하는 사람들은 거의 모든 민주주의 국가가 유대-기독교에서 기원했다고 지적한 반면, 이에 반대하는 사람들은 이탈리아와 독일의 파시즘을 반례로 들었다. 립셋에게 거슬힌 것은 양측 모두 가용한 모든 데이터를 분석하려고 하지 않아 보였다는 것이다. 통계적 관점에서 보면, 정치와 경제 시스템은 매우 '지저분'하다. 밥값을 할 줄 아는 사회학자라면 가장 근본적인 사회학적 원리들에 대해서도 수많은 예외를 발견할 수 있다.) 립셋은 민주적 발전에 관한 단순한 척도에서 출발하여 그 발전에 영향을 미칠 수 있는 가능한 모든 요인에 대한 통계적 분석을 수행했다. 가장 중요한 요인은 부와 교육수준인 것으로 드러났고, 이것들이 민주적 제도들을 지탱하는 것으로 보였다. 1959년에 립셋의 선구적인 논문이 발표된 이래 몇 십 년 동안 사회학자, 경제학자, 정치학자들은 그의 지도를 따랐다.

- 윌리암 번스타인, 부의 탄생

[다] 매미나 작은 비둘기가 높이 나는 붕을 비웃으며 말한다.

"우리는 한껏 날아올라도 낮은 느릅나무나 다목나무 가지에 이르고, 어떤 때는 거기에도 못 미쳐 땅바닥에 떨어지기도 한다. 그런데 무엇 때문에 붕새는 구만리나 올리가 남쪽으로 가려 하는 걸까."

근교의 들판으로 나가는 사람은 세 끼 밥만 있어도 돌아올 때까지 배고픈 줄 모르지만, 백 리나 되는 길을 갈 사람은 전날 밤에 충분히 식량을 마련하고, 천 리 먼 길을 가는 사람은 삼 개월 전부터 식량을 모아서 준비한다. 그런데 매미나 비둘기 같이 작은 것이 어찌 이러한 이치를 알겠는가.

소소한 지혜는 큰 지혜에 미치지 못하고 짧은 수명은 긴 수명에 미치지 못한다. 어떻게 그런 줄 아는가? 아침에 잠깐 사는 버섯인 '조균'은 하루를 다 알지 못하고, 한 계절만 사는 쓰르라미인 '혜고'는 계절의 변화를 알지 못하는데, 이것이 짧은 수명이다. 초나라 남쪽에 '명령'이란 거북이 있는데, 이 거북은 오백 년을 봄으로, 오백 년을 가을로 하며 산다. 아주 먼 옛날 '대춘'이라는 나무는 봄과 가을을 각각 팔천 년씩 하여 살았다. 그런데 '팽조'는 요즘에 오래 산 사람으로 유명해져서 세상 사람들이 그렇게 살기를 바라는데, 명령이나 대춘에 견주어 보면 가련하지 않은가!

- 해냄에듀 고전, 장자 소요유 편, 고전

[라] 당신이 태어난 위대한 유럽에는
자유의 나라들이 번성하고 있지요.
물질의 풍요와 산업과 기술
모두를 가지고 있지요.

그곳은 세속의 기쁨이 더 크고
분주한 생활도 더 많겠지요.
과학도 문학도 그리고 모든 일들이
더 많이 변하고 있겠지요.

이곳에 사는 우리에게 진보는 없어도
우리에겐 기쁘고 평온한 마음이 있어요.
기술은 없어도
우리에겐 더 깊은 부처님의 가르침이 있지요.

- 헬레나 노르베리 호지, 오래된 미래: 라다크로부터 배운다

[마] 1936년 미국 대통령 선거를 예측하기 위해 미국의 잡지사인 “리터러리 다이제스트 (The Literary Digest)”는 공화당의 랜든 후보와 민주당의 루스벨트 후보의 지지도를 알아 보기 위해 잡지의 구독자들을 중심으로 1,000만명에게 우편엽서를 통한 설문조사를 실시하기로 하고, 전화번호부와 자동차 등록 명부를 사용하여 구독자들의 연락처를 파악하였다. 설문에 응답한 약 230만 명 중 랜든의 지지율이 57%인 반면 루스벨트의 지지율은 43%에 머물러 이 잡지사는 랜든 후보의 압도적인 우세와 당선 가능성을 발표하였다. 하지만 선거 결과는 루스벨트 후보가 61%의 지지를 얻어 당선되었다. 왜 이러한 결과가 나왔을까? 우선 이 잡지의 구독자들이 미국 전 국민의 성향을 대표할 수 없었고, 구독자들의 연락처를 파악하기 위한 자료로 활용한 당시의 전화번호부와 자동차 등록 명부에는 대부분의 저소득층이 제외된 것에 큰 문제가 있었다.

- 지학사 사회문화

[바] 2002년 농촌 진흥청은 “대입 수험생의 아침 식사가 수능 성적에 크게 영향을 미친다.” 라고 밝혔다. 농촌진흥청에서 국내 대학생을 대상으로 6월에 실시한 조사 결과 아침 식사 횟수가 많은 사람일수록 수능 성적이 높은 것으로 나타났다. 그런데 조사 결과 ‘아침 식사의 충실성’과 ‘수능 성적’의 상관 관계가 밝혀졌을 뿐, 인과 관계는 입증되지 않았다는 지적도 있다. 농촌 진흥청에서는 “아침 식사를 거르지 않는 수험생은 포도당 섭취로 두뇌 활동이 원활하게 이루어져 집중력이 향상될 수 있다.” 라고 주장하였을 뿐, 수험생의 아침 식사의 충실성에 영향을 미칠 수 있는 다른 변수와 그것이 수능 성적에 미친 효과 등에 관한 정보는 제공하지 않았다.

- 미래엔 사회, 한국일보, 2002년 7월 6일자 기사

[사] 아래 그림은 미국 정부의 부채와 GDP 성장률 간의 관계를 보여주는 그림과, 그와 관련된 서술이다.

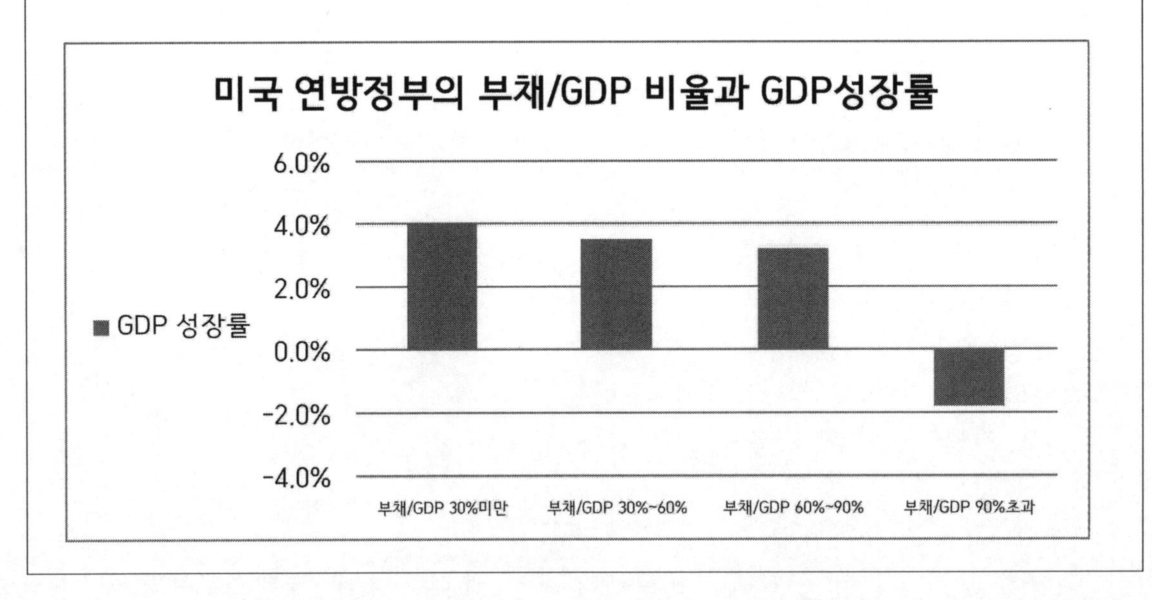

우리가 던져야 될 진짜 질문은 다음과 같다. 높은 부채가 낮은 경제성장을 가져오기 때문에 정부가 부채를 줄여야 하는가? 아니면 낮은 경제성장이 부채 부담을 증가시킨 원인인가? 만약 관찰된 상관관계가 후자의 이유를 반영한다면 이 연구결과가 정부정책에 주는 시사점은 매우 작을 것이다.

- 벧시 스티븐슨 · 저스틴 울퍼스, 『블룸버그』, 2013. 4. 28

수시 논술전형 답안지

❶ 본 답안지는 연습용입니다. 실제 시험 답안지와는 다릅니다.

서강대학교 SOGANG UNIVERSITY

모집단위

수험번호			
N	A	A	

생년월일 (예:030418)

답안지	성명	응시계열	
인문/인문-자연계열		인문/인문-자연계열	○
		자연	○

① 인적사항 (모집단위, 성명, 수험번호, 생년월일)은 반드시 검은색 필기구(연필 제외)로 정확히 기재하기 바라며, 수정이 불가능합니다.
② 답안 작성은 검은색 필기구(연필 포함)를 사용하기 바랍니다(수정테이프 및 지우개 사용가능).
※ 검은색 이외의 필기구 절대 사용 불가
③ 성명에 반드시 감독관의 날인을 받아야 합니다.
④ 반드시 답안 영역 안에 작성하시기 바랍니다.

모의 논술 문제(800~1,000자 범위에서 작성하시오)

50
100
150
200
250
300
350
400
450
500
550

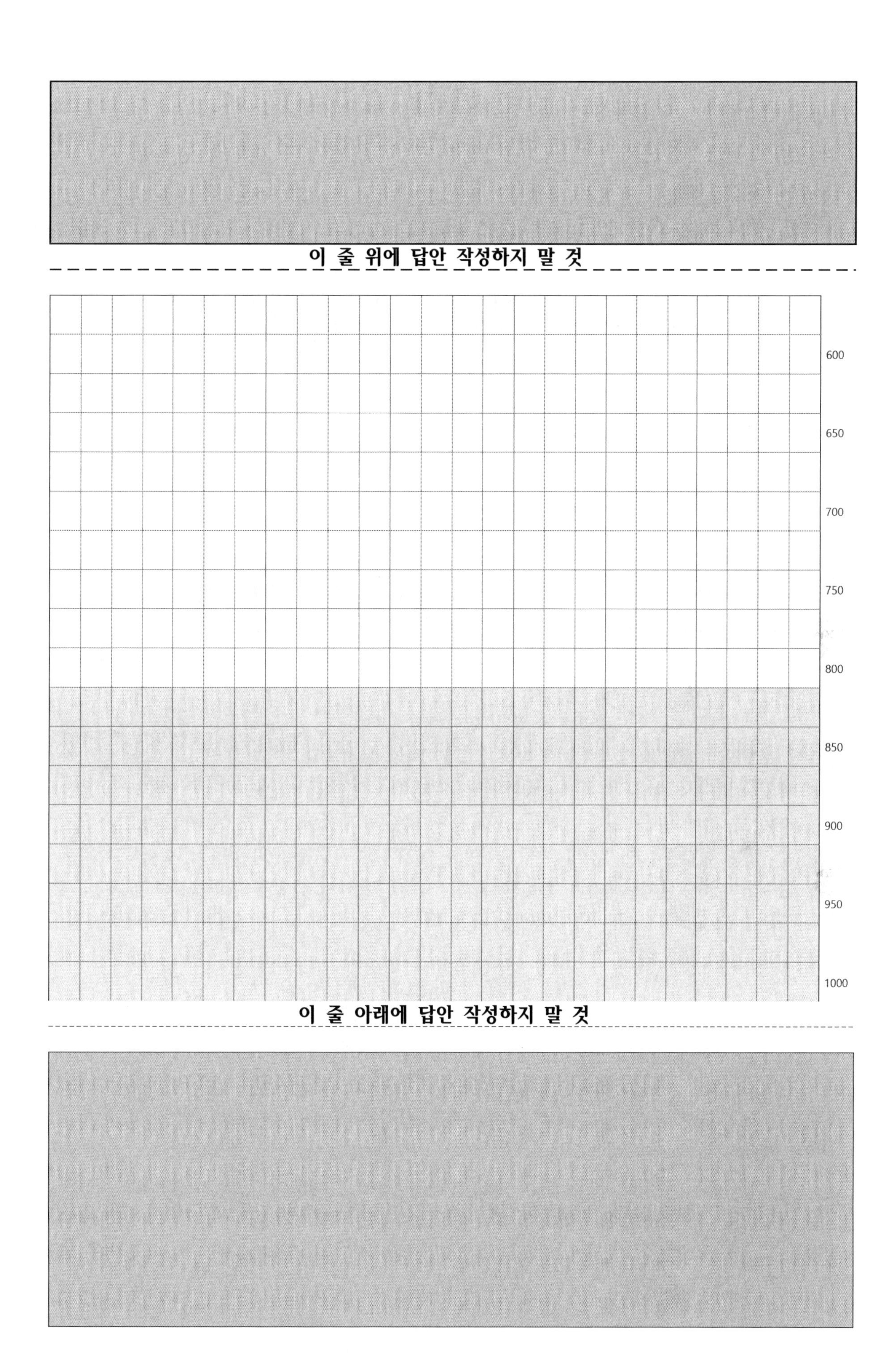
이 줄 위에 답안 작성하지 말 것
600
650
700
750
800
850
900
950
1000
이 줄 아래에 답안 작성하지 말 것

VI. 예시 답안

1. 2024학년도 서강대 경영경제 1차 수시 논술

[문 제] 제시문 [가]의 현상이 발생하는 원인을 [나]와 [다]를 활용하여 분석하고, [가]의 현상을 해결할 수 있는 방안을 [라], [마], [바]를 바탕으로 제시하시오. (800~1,000자)

[가]는 마녀사냥이 사회와 개인 모두와 관련된 현상이라는 점을 제시한다. 마녀사냥에 대한 원인을 분석하자면, 마녀사냥은 [나]의 꼭두각시처럼 개인들을 움직이고 제약하는 '사회의 교묘한 끈'을 자각하지 못하여 사회집단의 의견을 무비판적으로 수용하고, 사회적 제약을 바꾸기 위해서 노력하지 않는 것에 기인할 수 있다. [다]는 지도자가 집단의 단결을 유지하기 위한 수단으로 두려움을 자극하는 방법을 사용하는 것에 대한 타당성을 기술하고 있다. 이에 근거하면, 마녀사냥은 지도자들이 두려움을 자극하는 방법을 사용하여 정치적, 종교적으로 큰 에너지를 띤 민중들을 자신이 원하는 질서에 편입시키고자 하는 것에 기인할 수 있음을 알 수 있다.

[라]-[바]를 바탕으로 모색한 마녀사냥에 대한 해결 방안은 다음과 같다. [가]와 [나]에서 제시된 바와 같이 지도자들의 사회통제 의도를 지각하지 못하고 집단의 의견을 무비판적으로 수용하는 개인의 모습을 감안할 때, [라]에서 제시된 것처럼 개인들이 정치 사상가들의 사상을 공부함으로써 자신의 견해를 정립하고 비판적 판단 능력을 함양할 때 마녀사냥과 같은 사회 현상이 해결될 수 있음이 시사된다. 하지만 [마]에서는 사회문제의 해결을 위해서는 개인과 사회 구조/제도가 모두가 바뀌어야 할 필요성을 제시하고 있다. 따라서 [라]가 제시하듯 개인은 비판적 능력을 함양하되, 사회 구조/제도적 차원에서는 국가권력이나 지도자가 개인을 통제하고자 하는 시도를 하지 못하도록, 그리고 집단의 왜곡된 의견이 매체를 통해서 개인들에게 무분별하게 전달되지 못하도록 제도를 개선할 필요가 있음을 해결책으로 제시해주고 있다. [바]는 지도자의 바름이 형벌이 없이도 사회를 바르게 유지할 수 있는 방법이라고 제시하고 있다. 이를 참고하면 지도자(사회권력)가 청렴하고 바르게 통치한다면 마녀사냥이라는 잘못된 통제장치를 사용하지 않고도 개인들간의 질서를 잘 유지할 수 있고, 그렇다면 마녀사냥과 같은 사회문제는 사라질 수 있음을 시사해주고 있다.

[문 제 2] 제시문 [다], [라], [마], [바]의 내용을 제시문 [나]에 나타난 선택의 근거와 연결하여 설명하고, 이들의 공통점을 바탕으로 [가]의 실험 결과가 [나]에서 정의된 합리적 선택이라는 주장을 뒷받침하는 논거를 제시하시오. (800~1,000자)

[나]에 제시된 선택의 근거는 비용과 편익이다. 선택의 주체는 모든 비용과 편익을 객관적으로 평가해야 하지만, 계량화가 어려울 때는 상대적 가치에 기반하여 판단할 수 있다는 점을 명시한다.

[다]에 제시된 선택의 주체는 본인 소유 주식의 99%를 평생에 걸쳐 기부하겠다는 선택을 하였다. 이와 같은 선택은 본인의 딸을 포함한 다음 세대 아이들의 잠재력 향상과 사회 평등 촉진과 같은 가치를 기반으로 결정되었고, 이는 타인이 저커버그의 편익과 선택에 영

향을 준 것으로 볼 수 있다.

[라]는 보석 가게 티파니의 진열장을 방문하는 홀리의 모습을 보여 준다. 홀리의 선택은 보석 자체로부터 얻을 수 있는 편익은 거의 없지만, 본인의 자아 정체성 확립 및 사회적 지위 향상이라는 편익을 준다. 사회적 지위 향상이라는 편익은 사회 집단에 의해서 결정된다는 측면에서 타인이 홀리 자신의 선택에 영향을 미쳤다고 볼 수 있다.

[마]의 앤은 레드먼드로 이주하지 않고 마릴라 곁을 지키며 교사가 되겠다는 선택을 한다. 앤의 선택은 시력을 잃어가는 마릴라를 배려한 결정으로써, 앤은 그 선택의 편익이 가장 크다고 믿는다. 시력 저하로 인한 마릴라가 겪을 수 있는 일상생활 불편이 앤의 선택에 영향을 미쳤다는 점에서 타인이 앤의 선택에 영향을 미친 것이다.

[바]는 유행에 따라 상품을 구매하는 소비 현상인 편승 효과를 언급하고 있는데, 편승 효과의 본질 중 하나는 타인의 소비에 의해 자신의 소비가 영향을 받는 현상이라고 해석할 수 있다.

[가]에 나타난 실험은 실험 참여자가 자신의 금전적 이익을 극대화하는 선택이 아닌, 타인의 금전적 이익을 고려한 선택을 하는 모습을 보여 준다. [다]-[바]에 공통으로 나타난 개인의 편익과 비용이 타인에 의해 영향을 받는다는 점을 고려할 때, 타인의 금전적 편익이 실험 참여자들의 편익 또는 비용에 영향을 미치고 이와 같은 편익 및 비용에 대한 주관적 평가가 [가]의 실험 결과가 합리적 선택이라는 주장을 뒷받침한다.

2. 2024학년도 서강대 인문사회 2차 수시 논술

[문 제 1] 제시문 [가]와 같이 누리 소통망을 활용한 기부 공간을 만들고, 모금 참여자들이 댓글로 지지하는 비율에 따라 기부금 지원 대상을 결정하려는 계획의 긍정적 측면과 부정적 측면을 [나], [다], [라], [마], [바]를 활용하여 논하시오. (800~1,000자)

제시된 계획의 긍정적 측면은 다음과 같다. 첫째, 누리 소통망을 활용한 기부 공간이 효과적으로 계획된다면 확장성, 전파력, 항공망 네트워크 효과로 인해 많은 기부 참여자를 모을 수 있다. [다]에 의하면 '재스민 혁명' 사례와 같이 누리 소통망은 전파력이 높다. 이를 [가]의 누리 소통망 기부 공간은 누리 소통망을 통해 입소문을 낼 수 있는 확장성이 있다는 것과 연계한다면, 제시된 기부 공간을 통해 기부 참여자가 많아질 수 있음을 추론할 수 있다. 또한 [라]에 의하면 누리 문서는 허브에 연결망이 집중된 항공망 같은 네트워크이기 때문에, 제시된 계획이 효과적이면 다른 누리 소통망 기부 공간보다 많은 참여자를 모을 수 있다. 둘째, 기부 참여자가 원하는 대상에게 효율적으로 기부할 수 있는 공간을 만들 수 있다. 이는 [가]의 참여자가 직접 기부 형태나 내용을 선정할 수 있다는 자율성에 근거한다. 이를 통해 [나]의 공정 무역 제품 구매가 가장 가난한 노동자의 수익을 높이지 못하는 것과 같은 구조적 문제를 해결할 수 있다.

제시된 계획은 다음의 부정적 측면을 가지고 있다. 첫째, 여러 지원 대상 후보 중 일부만이 최종 지원 대상으로 선정될 수 있고, 따라서 일부 기부자는 원하는 대상에게 효율적으로 기부하지 못하는 [나]와 같은 결과가 발생할 수 있다. [라]와 같이 일부 댓글이 허브가 되어 지지가 집중될 수 있는데, 제시된 계획이 댓글 지지 비율로 지원 대상을 결정하는 방

식을 사용한다는 것이 그 근거이다. 둘째, [바]와 같이 기부 참여자들이 가짜 뉴스에 속아서 거짓으로 지원을 요청하는 대상에게 기부할 수 있다. 만약 가짜 뉴스가 [라]의 허브가 된다면 문제는 더 심각해진다. 셋째, 정보 격차로 인해 일부 사람들은 기부에 참여하기 어려울 수 있다. [마]에서 알 수 있듯, 정보 기기를 소유하고 있지 않거나 정보 활용 능력이 부족한 사람에게는 누리 소통망을 통한 기부가 기존의 기부 방식보다 오히려 접근성이 낮을 수 있다.

[문 제 2] 제시문 [가]와 같은 문제가 발생하는 근본 원인을 [나]와 [다]를 활용하여 각각 설명하고, 이를 극복할 수 있는 방안을 [나]와 관련해서는 [라]를 근거로, [다]와 관련해서는 [마]를 근거로 제시하시오. (800~1,000자)

[가]는 사회적 소수자에 대해 정의 내리고 이들이 사회적으로 차별받고 부당한 대우를 받고 있음을 설명한다. 이러한 소수자에 대한 사회적 차별의 근본 원인은 [나]와 [다]를 바탕으로 설명될 수 있다.

[나]에 따르면 어린아이는 자라면서 오른손잡이와 왼손잡이라는 구분과 더불어 이러한 구분이 무언가에 대한 중요성을 결정하는 기준이 될 수 있다는 것을 배우며, 이는 어린아이가 집단에 대한 구분의 잣대와 의미를 성장하는 과정에서 사회적 학습이나 관습을 통해 습득하고 있음을 의미한다. 따라서, 소수자에 대한 편견과 이로 인한 사회적 차별 또한 사회적 학습이나 관습으로 인해 발생한다.

[다]는 매체를 통해 전달되는 정보가 생산자의 관점, 가치, 의도, 목적에 따라 얼마든지 재구성될 수 있음을 설명한다. 따라서 현대인들이 자주 사용하는 매체에서 전달하는 메시지에 소수자에 대한 사회적 편견이 담겨있고, 이에 대해 지속적으로 노출되었을 때 이용자는 자신도 모르는 사이에 소수자에 대한 편견을 갖게 되어 사회적 차별이 발생한다.

소수자 차별에 대한 해결안을 [라]와 [마]를 연결하여 제시하면 다음과 같다. [라]는 각 문화가 갖는 문화적 특성과 문화 간의 차이를 인정해야 한다는 문화 상대주의를 설명한다. 이를 고려하면, 소수자들의 문화를 존중함으로써 [나]와 관련된 원인인 관습이나 사회적 학습을 통해 형성된 편견을 극복할 수 있다. 하지만, 모든 문화적 가치는 인정되어야 하기 때문에 자칫 소수자에 대한 편견을 지지하는 문화적 가치 또한 인정될 수 있다는 극단적 문화 상대주의에 빠지지 않게 주의를 기울여야 한다.

[마]는 천하 만물 중에 지켜야 할 것으로 '나'를 언급하며 '나'는 외부의 유혹에 쉽게 빠져들기 때문에 항상 살피고 지킬 필요가 있음을 강조한다. [다]와 [마]의 연결을 통한 해결안은 매체로부터 전달받는 소수자에 대한 편견을 담고 있는 메시지에 유혹되지 않고 비판적으로 해석하여 끊임없이 자신을 살펴보는 자아 성찰이 필요하며, 이를 통해 사회적 편견과 차별을 극복하는 것이다.

3. 2024학년도 서강대 경제경영 1차 모의 논술

[문제 1] 지문 [가]를 이용하여 [나]와 [다]를 설명하고, 지문 [라]와 [마]를 이용하여 [바]와 [사]에 대해 논하시오. (800~1,000자)

제시문 [가]는 정보의 비대칭성에 대해 설명한다. 해당 개념에 따르면 사람마다 가지고 있는 정보가 서로 다를 수 있으며, 이로 인해 경제 주체들에게 피해가 발생할 수 있다고 한다. 구체적으로, 정보를 많이 가지고 있는 사람이 정보를 적게 가지고 있는 사람에게 정보를 공유하지 않아 피해를 입힐 수 있다. 제시문 [나]는 상대적으로 적은 정보를 가진 주택 거래 소비자들이 사기 피해를 입은 정보 비대칭성으로 인한 피해 사례를 보여준다. 또한, 제시문 [다]는 바이오 산업 분야의 특성으로 인해 개인 투자자들이 정보의 비대칭성에 취약할 수 있으며 이로 인해 피해를 자주 볼 수 있다고 한다. [나]와 [다]는 각각 다른 분야에서의 정보의 비대칭성으로 인한 경제 주체들의 다양한 피해 사례들을 보여준다.

이러한 정보의 비대칭성으로 인한 피해를 해결하기 위해 정부가 개입하기도 한다. 제시문 [바]에서 보여주듯, 정부는 게임사의 정보 공개 의무화를 추진하는 법안을 가결하여 소비자들의 정보 비대칭성으로 인한 피해를 해결하고자 했다. 또한, 제시문 [사]에서는 정부가 주식 시장에서의 소액 주주를 보호하기 위해, 상장회사 임원과 주요 주주의 주식 거래시 매매계획을 공시하도록 하는 제도를 도입하려고 했음을 보여준다. 하지만, 이러한 정부의 개입에 반대하는 의견들도 있어 주의가 필요하다. 제시문 [라]는 시장의 비효율성을 해결하기 위한 정부의 개입 또한 실패할 수 있음을 주의하고 있다. 정부 또한 충분한 정보를 가지고 있지 않을 수 있으며, 정부가 의도하지 않은 효과가 일어나 정부 실패가 발생할 수 있다고 한다. 제시문 [마] 또한 정부 개입에 반대하는 의견으로써 제도가 제거되면 오히려 자유 체제가 저절로 확립된다고 주장한다.

4. 2024학년도 서강대 인문사회 1차 모의 논술

[문 제] [가]에서 나타난 사건에 대한 자신의 입장을 [나]와 [다]에 기술된 개념을 활용하여 서술하고, [다]와 [라]를 바탕으로 [마]에서 제시된 모형 중 우리 사회가 수용할 수 있는 가장 적합한 모형을 근거와 함께 제시하시오. (800~1,000자)

문화 상대주의와 인권의 개념을 활용하여 제시문 [가]에 나타난 명예 살인 사건을 살펴보면, 이 사건은 기본적인 인권이 침해된 사례로 볼 수 있다. 제시문 [가]에 나타난 것처럼 이라크 사회의 명예 살인이 허용되는 것은 [나]에서 제시된 문화 상대주의적 입장으로 이해될 수 있다. 문화 상대주의적 입장에서는 티바 알-알리의 행동은 사회에서 통용되는 문화에 반하는 행동으로 해석되며, 그 아버지의 행동은 가족 명예를 지키려는 행동으로 해석될 수 있다. 그러나 제시문 [다]에서 언급된 인권의 개념을 고려할 때, 명예 살인은 개인의 기본적인 인권을 침해하는 행위로 간주되어야 한다. 모든 인간은 존엄성과 권리를 가지며, 누구도 다른 사람의 인권을 박탈할 수는 없다. 따라서 문화 상대주의적 측면을 강조한다고 할지라도 아버지의 행동은 비난받아 마땅할 범죄 행위이며, 이러한 범죄 행위는 정당화될 수 없다.

차별적 배제 모형과 동화 모형은 제시문 [다]에서 나타난 인권의 개념과 충돌하는 한계를 가진다. 이런 모형들은 개인과 집단의 다양성을 무시하거나 인권 침해의 가능성을 내포하고 있다. 특히 제시문 [라]에서 볼 수 있듯 동화 모형의 사례인 프랑스의 라이시테는 문화적 다양성을 인정하지 않아 사회 갈등을 유발하고 있다. 우리 사회에서는 빠르게 다문화화가 진행되고 있으며, 사회적 통합과 다양성 존중의 필요성이 더욱 강조되고 있다. 이런 상황에서 다문화 모형은 다양한 문화를 포용하고 인권을 존중하며, 문화 간 갈등을 최소화하여 사회적 통합을 촉진할 것이다. 그러므로 제시문 [마]에서 나타난 세 가지 모형 중 샐러드 볼과 모자이크에 비유되는 다문화 모형이 우리 사회가 향후 받아들여야 할 가장 적합한 모형이라고 할 수 있다.

5. 2024학년도 서강대 2차 모의 논술

[문 제] [가] 현상으로 인해 초래될 수 있는 문제점에 대해 제시문 [나], [다], [라]를 각각 연결하여 설명하고, [가] 현상을 극복해야 하는 당위성을 [마]와 [바]를 바탕으로 서술하시오. (800~1,000자)

[가]에 따르면 장애인이나 장노년층을 비롯한 취약 계층에서 정보 격차가 발생하고 있으며, 정보화 기기에 대한 접근, 역량, 그리고 활용 수준이 일반 국민에 비해 취약 계층에서 상대적으로 낮게 나타난다.

정보 격차가 초래하는 문제점을 [나], [다], [라]와 연결하여 설명하자면, 우선 [나]는 기술의 발달로 인해 인간만이 담당해 왔던 많은 직업을 로봇이 대체하고 있으며, 심지어 전문 직종도 대체되기 시작하면서 직업 추구가 어려워지고 있음을 설명한다. 따라서 정보 기술에 의존하는 직업의 비중이 높은 현대 사회에서 정보 격차는 직업 추구에 있어서의 불평등을 초래할 수 있다.

[다]에서는 소프트웨어에 대한 지적재산권을 인정해야 한다는 취지의 빌 게이츠의 주장을 제시하고 있다. 정보는 소프트웨어와 마찬가지로 지적재산권의 핵심으로 간주되고 있기 때문에 정보 격차는 지적재산 축적에 있어서의 불평등과 직결된다.

[라]는 사회 자본이 사회적 거래 비용을 감소시킴으로써 개인에게도 긍정적인 영향을 줄 수 있고, 누리 소통망을 통한 사람들의 인적 관계망 활동이 사회 자본을 늘릴 수 있음을 제시한다. 이는 누리 소통망이라는 정보화 기술에 대한 접근과 활용에 있어서의 격차가 인적 관계망에 기반하는 사회 자본 확보에 있어서의 불평등을 초래할 수 있음을 보여 준다.

이러한 불평등을 초래하는 정보 격차를 극복해야 하는 당위성은 [마]와 [바]를 통해 설명될 수 있다. 우선, [마]는 아리스토텔레스의 '정의'에 대해 설명하며, 정의란 공동체의 행복 추구를 위해 옳게 행동하며 옳은 것을 원하게 하는 성품을 의미한다. 따라서, 취약 계층에 있어서의 불평등 해소는 정의를 실현한다는 당위적이다. 다음으로, [바]에서는 진화를 위해서는 환경에 대한 능률적인 적응이 요구되지만, 경쟁보다는 공생이 더 중요할 수 있다는 점을 제시한다. 이에, 공동체의 전체적인 성장을 위해 취약 계층에 대한 배제가 아닌 공존을 택함으로써 정보 격차로 인한 불평등을 극복하는 것은 당위적이다.

6. 2023학년도 서강대 경제경영 수시 논술

[문제 1] 제시문 [가]의 입장을 뒷받침하는 논리를 [나]에서 도출하고, 이를 바탕으로 [다]의 두 가지 관점에서 각각 [라]의 사례를 설명하시오. (800~1,000자)

제시문 [나]에 따르면, 깨끗한 물이나 모래와 같은 자연 자원은 더 이상 무상으로 사용할 수 없고 희소성을 가지고 거래되는 경제재이다. 따라서 [가]에 제시된 자연의 개발과 보존

에 대하여 [나]가 제시하는 대로 비용을 줄이거나 욕구의 충족치를 최대화 하는 경제 원칙의 관점에서 접근할 필요가 있다고 볼 수 있다. 한편, 환경 문제는 [가]에 제시된 바와 같이 인간의 물질에 대한 지나친 욕망 추구와 같은 무분별한 활동에 의해 일어나게 되며, 인류의 생존을 위협하고 있다. 우리는 환경 문제에 대한 책임 의식을 갖고 적극적 대응을 이끌어낼 수 있도록 개발과 보존이 적절히 균형을 이루는 '환경적으로 건전하고 지속 가능한 개발'의 개념을 실현해야 한다고 볼 수 있다. 이는 [나]에서 나타난 개인이나 정부의 경제 활동과 관련해서 반드시 필요한 재화나 서비스를 생산하고, 적절한 만큼만 소비하고, 필요한 곳에 분배하도록 하는 합리적 선택의 개념으로 설명될 수 있다.

[다]는 [가]와 [나]를 통해 설명된 개발과 보존의 균형적 접근방법으로써 경제학의 한 분야인 환경경제학과 경제학과 생태학을 아우르는 생태경제학을 언급한다. [라]에서는 인간 욕망 충족을 위한 갯벌의 간척은 환경오염을 일으켰고, 이에 대해 지불해야하는 경제적 비용이 갯벌을 복원하여 얻게 될 생태적 가치보다 적으므로 복원이 결정된다. 이는 생태 문제를 해결하는 데 있어 더 이상 인간을 중심에 두지 않고 갯벌이라는 희소한 생태 자원 복원을 위해 경제적 관점인 비용을 고려하는 것이므로 생태경제학적 측면의 접근이라고 할 수 있다. 갯벌 복원을 통해 생태체험공간을 만들면, 방문자들은 즐거움이나 배움과 같은 욕망을 충족할 수 있고, 새로운 일자리와 정부의 수익원이 창출되어 분배 활동이 좀 더 효율적으로 이뤄질 수 있도록 도움이 될 것이다. 이는 환경경제학의 입장에서 인간을 위해 필요한 정도의 가치를 만들어내면서도 제한된 환경적 자원인 갯벌을 무분별하지 않게 활용하기 위한 합리적 선택에 의한 것이라고 할 수 있다.

[문제 2] 제시문 [가]의 A국이 취한 정책의 이론적 배경을 [나]를 통해 간략히 설명하고, [다]와 [라]를 참고해 A국의 사회 문제가 발생한 원인을 분석하시오. 이러한 사회 문제를 해결할 방안을 [마], [바]의 입장을 반영하여 각각 추론하시오. (800~1,000자)

제시문 [가]의 A국이 취한 산업화 정책의 이론적 배경은 [나]를 통해 파악할 수 있다. [나]는 국제 무역의 비교 우위에 관한 비유인데, 비교 우위란 두 국가가 각자 상대적으로 기회비용이 적은 재화나 서비스에 특화하여 생산 후 교역하면 양국에 모두 도움이 된다는 이론이다. A국은 1차산업보다 2차산업에 비교 우위가 있다고 판단하여 때문에 2차산업에 특화한 산업화를 추진하였을 것이다.

A국이 처한 사회 문제의 발생 원인은 [다], [라]를 통해 유추할 수 있다. [다]는 맹목적인 통계 사용의 문제점을 보여주는 예시인데, 중요한 결정을 할 때 단일 통계인 평균에만 의존하지 말고 전체 분포를 포괄적으로 고려해야 한다는 교훈을 준다. [라]는 공동체의 이익은 구성원 개인의 이익 분포보다 구성원 전체의 이익 총합을 중요시하는 견해다. [다], [라]를 종합하면 A국의 사회 문제가 발생하게 된 원인은 다음과 같이 분석할 수 있다. 산업화 정책을 추진하면서 평균적인 시민의 이익이나 최대 다수의 이익 총합에 매몰되어 산업화로 인해 소외되고 손해를 입게 될 피해자에 대한 제도 및 정책적 배려가 부족했다.

[마], [바]는 각각 견해가 다른데, 우선 [마]는 노화, 장애 등 각 개인의 통제 밖의 원인으로 입게 되는 사회·경제적 손해 또는 피해에 대해 제도적 장치를 마련해 결과적인 평등을 추구해야 한다는 입장이다. 따라서 [마]의 입장에서 A국은 무역 정책의 피해자를 보호

할 수 있는 복지 정책과 사회 안전망을 마련해 산업화로 인한 피해자의 사회·경제적 결과의 평등을 도모할 것이다. [바]는 국가 경제에 정부의 적극적 개입을 강조하는 입장이다. 무역 정책으로 인해 직접적인 피해자뿐만 아니라 많은 사람이 직장을 잃거나 소비 감소를 경험할 수 있다. A국은 무역이 끼칠 부정적인 경제적 영향을 완화하기 위해 적극적으로 경제에 개입하여 일자리 사업과 같은 정부 공공사업 등으로 돈을 풀게 될 것이다.

7. 2023학년도 서강대 인문사회 수시 논술

[문제 1] 제시문 [가], [나]를 참고하여 [다]를 요약하고, 제시문들의 함축된 의미에 기초해 [가]와 [나], [나]와 [다], [다]와 [가]에 대해 각각 두 제시문 간의 유사점과 차이점을 설명하시오. (단, 유사점은 나머지 한 제시문과 대비해 서술할 것) (800~1,000자)

제시문 [가]와 [나]는 사회 불평등의 원인과 효과 등에 대해 상반된 시각을 나타낸다. 이와 관련하여, [다]는 조선시대의 불평등 문제를 기술하고 있다. 먼저, 불평등 현상의 원인이 무엇보다 출생과 신분에 의해 정해진다는 것이다. 또한 이런 신분 차별이 경국대전에 명문화되듯, 법제화를 통해 국가 제도적으로 확립되었다. 불평등에 대한 근본 인식에 있어서, 당시엔 그런 차별적 대우를 '불변의 이치'로 지극히 마땅한 것으로 여겼고, 지식인들도 신분제가 유지되지 않으면 사회 질서가 무너지고 국가의 통치 및 존립이 위태롭게 된다고 봤다. 따라서 신분에 의한 불평등이 하나의 절대적 규범으로 작용했음을 짐작할 수 있다.

이에 근거하면, 첫째, 사회 불평등이 국가의 법제화에 의해 사전에 기획되고 고착화된 [다]에 비해, [가]와 [나]에서는 하나의 사후 결과로서 나타난 가변적 사회 현상이라는 점에서 유사하다. 둘 간의 차이점으로서 [가]는 과정의 공정성과 결과의 공익성에 근거해 '지지 입장'인 반면, [나]는 과정도 불공정하고 결과도 사회 갈등을 야기한다는 이유로 '비판적 입장'에 있다.

둘째, 불평등이 능력과 노력 등 개인 차원의 미시적 요인에 의한 것임을 보여주는 [가]에 비해, [나]와 [다]는 둘 다 불평등이 국가·사회적 차원의 거시적 요인에 의해 발생하는 것임을 보여준다. 다만 [나]에서는 불평등이 권력이나 배경과 같은 요인에 의한 '사회의 구조적 문제'인 반면, [다]의 경우엔 법에 의해 강제된 통치체제 및 사회규범과 같은 보다 근본적인 '국가 제도 자체의 문제'라는 점에서 차이를 보인다.

셋째, 관련 문제에 비판적 입장인 [나]에 비해, [다],[가]는 둘 다 우호적/긍정적 입장이라는 점에서 유사하다. 그러나 [다]는 이런 차별과 불평등이 사회 질서와 국가 존립에 필수적이라는 논리로 기존 제도 고수를 주장한다는 점에서 '현상유지'적인 반면, [가]는 개인의 동기부여과 사회발전을 목적으로 한다는 점에서 '변화지향'적이라는 데서 차이가 있다.

[문제 2] 제시문 [가]에 나타난 사회 문제에 대한 분석을 참조하여 [나]에서 놀부가 고립되는 양상과 원인을 해석하고, 이러한 사회 문제에 대해 우리가 책임감을 느껴야 할 이유를 [다]~[마]를 바탕으로 각각 논술하시오. (800~1,000자)

제시문 [가]는 홀로 살며 고립감을 느끼는 청년의 가구 수가 증가하는 것을 사회 문제로 제시한다. 그리고 청년을 노동력을 제공하는 자원으로 보는 것을 원인으로 분석하여, 각 개인을 개성을 지닌 인격으로 존중해야 한다고 제안한다. 이를 참조하여 제시문 [나]에서 놀부가 고립되는 양상을 보면, 놀부는 배가 고파서 도움을 호소하는 아우 흥부를 내쫓음으

로써 고립되고 있다. 즉 자신의 아우인 흥부보다 그간 모은 돈이나 곡식 또는 자신이 기르는 개와 병아리 돼지를 더 중시함으로써 천륜지정이나 형제 관계로부터 고립되고 있다. 이로써 놀부가 고립되는 원인은 근원적인 인간관계나 약자를 구휼하는 도덕성보다 자신의 자산 증식이라는 경제적 이해로써 타인을 대하는 것, 즉 전도된 가치관이나 도구적 인간관 등에 있음을 알 수 있다.

고립이라는 사회 문제에 대해 우리가 책임감을 느껴야 할 이유는 [다], [라], [마]에서 각각 추론할 수 있다. [다]는 '모나리자'의 표현을 통해 모든 존재는 다른 존재로부터 비롯되니 다른 것으로 바뀔 수도 있음을 제시한다. 여기에서 개인도 개별자로서가 아니라 다른 존재와의 관계 속에서 존재하니, 고립을 자신과 무관한 타인의 문제로 외면할 수 없음을 추론할 수 있다. [라]는 인간은 사회적 존재로서, 사회화는 개인과 사회의 성장과 존속을 위해 필수적임을 제시한다. 여기에서 고립의 반사회적 영향을 확인하여 우리 사회가 책임감을 느껴야 함을 추론할 수 있다. [마]는 고립감을 해소할 수 있는 로봇 기술의 발전이 인간성과 민주주의에 위해가 될 수 있음을 제시하고 있다. 여기에서 우리가 고립이라는 사회 문제에 대해 기술적 대안으로써 해결하지 말고, 인간성과 사회적 토대를 성숙시킬 수 있는 방안을 찾는 데에 책임감을 느껴야 함을 추론할 수 있다. 즉, 고립이라는 사회 문제에 대해 우리는 존재의 성격, 사회화의 의의, 기술 발전의 한계 등을 고려할 때에 책임감을 느껴야 하는 것이다.

8. 2023학년도 서강대 경제경영 1차 모의논술

제시문 [가]에 설명된 개념을 바탕으로 제시문 [나]의 문제를 제시문 [다]의 관점에서 분석하고, 제시문 [라]와 [마]의 관점을 대비하여 해결책을 논술하시오. (800~1,000자)

제시문 [가]는 비용 인상 인플레이션의 개념에 대해 설명한다. 해당 개념에 따르면 생산비용 상승으로 인해 경기 침체와 물가상승이 동시에 발생하는 스태그플레이션 현상이 나타날 수 있으며, 이로 인해 경제주체들에게 피해가 발생할 가능성이 크다.

제시문 [나]에서는 이와 같은 비용 인상 인플레이션이 최근 전세계적으로 발생하고 있음을 보여준다. 이에 따라 제시문 [가]에서 제시된 스태그플레이션의 발생 위험도 커지고 있음을 나타내고 있다.

한편 제시문 [다]에는 어떠한 부정적 현상에 대한 영향이 개인별로 달라질 수 있음을 나타내고 있다. 이러한 비유를 제시문 [나]에 나타난 현상에 적용해 보면, 최근의 비용 인상 인플레이션의 영향이 모든 이에게 같지 않으며 개별 경제주체별로 달라질 수 있음을 유추할 수 있다.

이와 같은 논의를 바탕으로 제시문 [라]와 제시문 [마]는 이와 같이 비용 인상 인플레이션의 부정적 영향이 경제주체별로 달라지는 문제에 대한 해결책을 대비하고 있다. 제시문 [라]에서는 먼저 비용 인상 인플레이션의 발생으로 인해 피해를 보고 있는 소비자들과 해당 현상으로 인한 정제 마진 증가 등으로 호황을 누리고 있는 에너지기업이 존재함을 제시한다. 나아가 이와 같은 문제의 해결을 위해 정부가 적극 개입하고 있는 스페인의 예를 보여주고 있다. 비용 인상 인플레이션으로 인해 이득을 보고 있는 에너지 기업에게 일명 '횡재세'를 부과하여 재원을 확보하고, 해당 재원을 비용 인상 인플레이션으로 고통받고 있는

소비자들의 부담을 경감하기 위해 사용하는 것이다. 반면 제시문 [마]는 이러한 정부 개입을 통한 해결이 오히려 경제 주체들에게 부정적 영향을 줄 수 있음을 역설하고 있다.

9. 2023학년도 서강대 인문사회 1차 모의논술

[가]-[다]의 상황을 [라]-[마]의 관점에서 평가하고, 이를 바탕으로 [바]에 나타난 인물들에 대한 서술자의 태도를 분석하되, 서술자가 추구하는 행복을 실현할 수 있는 방법을 논의하라. (800~1,000자)

[가]에 따르면 한국의 청년들은 남들과 비교해서 자괴감에 빠지거나 취업에 성공해야 한다는 압박감 등 때문에 번아웃 증후군에 시달리고 있다. 그 이유는 한국 사회가 지나치게 개인을 경쟁으로 내몰고 있기 때문이다. [다]에서 보듯 노동 시장이 이원화되어 있는 상황에서는 더 나은 일자리를 찾기 위해서 과도하게 노력할 수밖에 없다. 경제적 구조의 불평등은 [나]에서 보이듯 행복의 불평등을 가져온다. 이를 [마]와 [바]를 바탕으로 이해하면, 주관적인 마음의 상태인 것처럼 보이는 행복이 사회 구조의 영향을 받는다는 점을 알 수 있다. 행복의 객관적 조건인 경제적 안정이 노동 시장의 이원적 구조 때문에 이루어지지 않으며, 구조적 불평등은 끊임없는 사회적 비교를 개인에게 강요한다. 저소득 국가와 달리 한국에서는 어느 정도의 소득은 보장되지만, 일자리의 우열이 이미 정해져 있는 이상 개인들은 좀 더 나은 일자리를 얻기 위해 경쟁할 수밖에 없는 것이다.

[바]의 서술자가 한국에서는 자신이 원하는 행복을 성취할 수 없다고 보고 있는 이유는 이러한 사회 구조 때문이다. 서술자는 '자산성 행복'과 '현금흐름성 행복'으로 행복의 주관적 조건을 둘로 나누고 있다. '지명'은 '기자'라는 직업을 얻었다는 성취감만으로 자신의 몸을 혹사하고도 행복감을 가질 수 있다. 반대로 '엘리'는 직업적 안정보다는 순간의 즐거움을 추구하면서 행복감을 가진다. 이들과 달리 서술자는 직업적 안정과 삶의 즐거움을 둘 다 추구하고자 하며, 이를 가능하게 하는 사회적 분위기가 필요하다고 여긴다. 그러나 미연과 은혜를 비롯하여, 타인을 불행하게 만듦으로써 자신의 행복을 추구하려는 사람들은 자신의 불행을 다른 개인의 탓으로 돌리고, 사회적 비교를 발생시키는 사회의 구조를 외면하고 있다. 서술자가 추구하는 행복을 실현하기 위해서는 먼저 지나친 경쟁을 야기하는 노동 시장의 문제점이 개선되어야 하며, 개인은 타인과의 비교에만 몰두하지 않고 자신의 삶의 즐거움을 추구할 수 있어야 한다.

10. 2023학년도 서강대 경제경영 2차 모의논술

지문 [가]와 [나]를 이용하여, [마]와 [바]를 설명하고, 지문 [다]와 [라]를 이용하여 [바]에서 언급된 '통큰치킨'에 대해 논하라. (800~1,000자)

제시문 [가]는 공급 곡선의 이동, 즉 공급의 변화를 일으키는 요인에 대해 설명한다. [마]는 치킨 가격 상승의 주요 원인으로 배달비 증가를 지적하는데, 이는 [가]의 생산 요소 가격의 증가에 대응된다. 즉, 치킨 가격의 상승은 생산 요소 가격의 증가에 따른 공급 곡선의 이동에 의한 것으로 연결시킬 수 있다.

제시문 [나]는 합리적 소비 실천, 무분별한 과소비 지양, 소비자 주권 확립 등이 소비자로서 지켜야 할 바람직한 행동임을 설명한다. [바]에 소개된 치킨 불매 운동은 프랜차이즈

치킨 업계의 가격 상승에 대응하여 소비자들이 강력하게 의사를 천명한 예로, 소비자들이 비프랜차이즈 치킨을 구매함으로써 합리적 소비 및 소비자 주권을 실현하고 있다고 판단된다.

제시문 [다]는 동일한 사안에 대해 정치 논리와 경제 논리가 다를 수 있다고 설명한다. [바]에 언급된 10여년 전 '통큰치킨'이 일주일 만에 판매가 중단된 사건은 정치 논리의 결과로 보인다. 하지만 '통큰치킨'의 유사 제품들이 재출시되고 있는 현시점에서, 치킨 프랜차이즈 업계는 제대로 반대 의사 표시를 못 하고 있다. 이는 해당 업계가 치킨 가격 상승으로 인해 소비자들의 반감을 사고 있는 상황 하에서 섣부르게 정치 논리로 접근하지 못하고 있음을 보여준다. 나아가 [라]는 기존의 원칙이 새로운 상황에 직면하면 재조정될 수 있다고 변증법적 논리로 설명한다. 과거에는 '통큰치킨'이 실현되지 않은 이익에 기반하여 경제 논리를 펼쳤기 때문에 대중들에게 받아들여지지 못하였으나, 현재는 일종의 결과가 남았기 때문에 '통큰치킨'의 유사 상품이 논란을 딛고 계속 판매될 가능성이 있음을 시사한다.

11. 2023학년도 서강대 인문사회 2차 모의 논술

[가]와 [나]에 나타난 현상을 [다], [라]를 통해 분석하고, 그 해결의 필요성과 방향을 [마], [바], [사]를 통해 논하시오.

제시문 [가]와 [나]는 최근 심각성이 더해지고 있는 정치 양극화와 온라인 커뮤니티의 집단 극화 현상을 소개하고 있다. 이 두 현상의 공통점은 자신과 비슷한 의견을 갖는 집단이나 같은 정체성을 갖는 사람들끼리 같은 정보와 감정을 공유하여 집단 내 사람들끼리의 공통된 의견은 더욱 공고해 지지만 다른 의견을 갖는 사람들은 배타적으로 대한다는 것에 있다.

제시문 [나], [라]를 통해 해당 현상에 대한 다양한 차원의 원인을 찾을 수 있다. 제시문 [다]는 다른 동물과 구별되는 인간의 기본 능력으로서의 친화력을 소개하고 있다. 인간은 사소한 특성을 공유함으로써 쉽게 친밀감을 형성하고 해당 집단에 대해 소속감을 갖는다. 제시문 [라]에서는 사람은 사회적 관계 맺음과 상호작용을 통해 자신이 속한 집단의 행동방식과 사고방식을 학습한다는 사회화 과정을 소개하고 있다. 특히 사회화가 가치와 규범의 전수를 통한 집단의 지속성을 가능하게 하는 과정임을 언급하여 정치 양극화와 온라인 커뮤니티 집단 극화가 장기간 유지될 수 있음을 시사한다.

숙의민주주의와 사회적 규범의 달성 방식을 소개한 제시문 [마]와 [바]를 통해 우리는 집단 극화 현상이 해결되어야 할 문제인 것을 알 수 있다. [마]는 심의 민주주의의 기본 요건으로 의사결정 과정에서의 시민들이 토론과 대화의 중요성을 언급하고 있으며, [바]는 담론 윤리를 소개하며 집단적 합의과정에서의 개방성과 평등성, 호혜성을 기반으로 한 소통의 중요성을 언급한다. 반대로 집단 극화는 상호간 오해와 갈등을 유발시켜 숙의민주주의와 집단규범 형성을 방해한다. 이를 해결하기 위한 방안으로 [사]가 제안하는 양방향 소통을 활용할 수 있다. 온라인 기반의 양방향성 글쓰기는 독자의 반응을 쉽게 알 수 있어 글쓴이로 하여금 읽는 사람의 의견을 반영한 설득력 있는 글을 작성하게 한다. 비단 온라인 글쓰기 뿐 아니라 다양한 의사소통에서 타인의 의견이나 감정을 고려하면 집단 극화를 완화하고 원활한 공동의 합의를 이룰 수 있을 것이다.

12. 2022학년도 서강대 경제경영 수시 논술

[문제 1] 제시문 [가]를 추구할 때 당면할 수 있는 문제점과 해결방안을 [나]~[라]를 참조하여 설명하고, [가]가 사회와 공동체에 갖는 의미를 [마], [바]를 대비하여 평가하시오.

제시문 [가]는 기업가 정신이 혁신과 창의성을 바탕으로 낡은 것을 도태시키며 새로운 것을 창조하는 '창조적 파괴'를 통해 자본주의 경제의 역동성을 가져온다고 설명한다.

그러나 [나], [다]는 그러한 혁신적인 시도가 종종 사회적 저항에 부딪히며, 기존의 법과 제도 하에서 실행되기 어려움을 보여준다. [나]는 창조적 파괴 활동이 사회에 지대한 편익을 가져올 수 있음에도 불구하고 기존 기술·지식에 기반한 집단은 혁신이 자신들의 기득권과 권력에 위협이 된다는 점을 우려한 나머지 이를 도입하는 데 소극적이거나 저항한다는 점을 지적한다. 문제는 현재 존재하는 규범과 제도가 기존 세력의 이해 관계만을 반영·비호할 때 나타난다. [다]에 나온 갈등론은 사회 유지의 바탕이 되는 사회 제도가 지배 집단이 자신들의 기득권을 유지하기 위해 유리한 법과 규범을 채택한 결과라고 설명한다.

이로써 창조적 파괴와 혁신 과정은 종종 기존의 규범 및 제도와의 마찰을 불러 일으키며, 이 때문에 기존 법규나 규제 하에서 혁신을 추진하기 어렵다는 점을 알 수 있다. [라]는 이에 대한 해결책으로, 기존 규제에도 불구하고 새로운 아이디어와 기술이 시도 및 발전될 수 있도록 유예 기간을 두는 제도를 설명한다. [그림1]과 [그림2]는 규제 샌드박스의 혜택을 받은 기업들이 지속적으로 더 많은 고용을 창출하고 투자를 유치하는 등 긍정적인 성과를 내고 있다는 점을 보여준다.

기업가 정신이 사회에 갖는 의미는 무엇일까? [마]에 나온 이탈리아의 금융가들은 당시 유럽 전반의 현금 흐름이 한 곳에 편중되는 구조적인 문제를 혁신적으로 해결함으로써 사회에 큰 편익을 가져왔지만, [바]의 성장 호르몬 시장의 성장 사례는 혁신적 기술이 공동체의 문제를 해결하기보다 도리어 불필요한 인식을 확산시켜 사회에 비용을 전가할 수 있다는 점을 알려준다. 결론적으로, 기업가 정신을 도모하고자 할 때는 기존 제도가 갖는 한계와 혁신이 사회에 미치는 영향을 다각도로 고려해야 한다.

[문제 2] 제시문 [가]에서 문제가 된 현상이 일어난 이유를 [나], [다]의 관점에서 각각 설명하고, [가]의 문제를 방지할 방안을 [라]~[사]의 내용을 근거로 각각 제시하시오.

제시문 [가]는 어느 군청에서 공무원과 업자들이 뇌물과 편의를 주고받다가 처벌된 부패 사건을 보도하고 있다. [나]의 관점에서 공무원과 업자들은 모두 합리적 행위자로서 처벌의 비용에 비해 뇌물과 편의를 주고 받음으로써 얻게 될 편익이 높다고 평가하였기 때문에 일어난 결과이다. [다]는 개인들이 가진 물건들은 영적인 힘을 가지고 있기 때문에 받은 물건은 반드시 돌려줘야 한다는 마오리족의 사회·문화적 관행을 설명하고 있다. [다]의 관점에서 공무원과 업자들이 뇌물과 편의를 교환하는 현상은 문화적 논리가 반영된 사회적 관행에 해당한다.

[라]~[사]는 부패를 방지할 수 있는 내용을 포함하고 있는데, 그 방안은 다음과 같다. [라]에서 애덤 스미스는 국가가 국방과 치안 유지라는 최소한의 역할을 수행할 것을 강조하였는데, [라]는 만약 정부의 역할이 작아진다면 공무원들이 부패에 연루될 기회도 함께 줄어들 것이라는 점을 제시한다.

[마]는 정부가 집행부와 입법부 및 사법부의 권한을 분리하고 서로 견제하게 할 경우 특정 부에 권력이 집중되는 것을 막고 자유를 보존할 수 있다고 주장한다. [마]에 따르면 정부 권한을 분리하고 견제하게 할 경우 공무원들은 서로를 감시하고 통제할 것이기 때문에 부패가 감소할 것으로 기대된다.

[바]는 아테네 민주정에서 집행부 구성원이 자격을 갖춘 시민들 중 추첨에 의해 뽑히고, 이들의 연임이 제한된다는 내용을 설명한다. [바]를 부패 문제에 적용하면 전문성을 가진 시민들에게 공직을 개방하고 그 임기를 제한할 경우 공무원이 동일한 업무를 장기간 관할함으로써 발생할 부패는 줄어들 것으로 예상된다.

마지막으로 [사]는 권력 거리 지수가 높은 한국의 조직문화에서 부하 직원이 상사의 눈치를 보면서 반대 의견을 내놓지 못한다는 점을 설명하고 있다. [사]는 공무원 조직문화를 개방적으로 개선할 경우 공무원들이 부패 문제를 자유롭게 이야기할 수 있는 분위기가 조성됨으로써 부패가 통제될 수 있다는 점을 제시한다.

13. 2022학년도 서강대 인문사회 수시 논술

[문제 1] 제시문 [가]의 내용을 [나]~[라]를 이용하여 비판하고, [라]의 '잊힐 권리'가 갖는 의미를 [마]를 참조하여 논술하시오.

제시문 [가]는 정보 통신 기술의 발달이 우리 사회에 미친 '긍정적인' 변화에 대해 설명한다. 그러나 [나]~[라]는 [가]에서 소개된 정보화의 순기능이 제대로 작동하지 않거나, 사회적 합의를 요구하거나, 다른 부작용을 야기할 수 있다고 비판한다.

먼저, [나]의 사회 집단별 정보 격차 지수에 따르면, 장노년층과 결혼이민자는 일반 국민에 비해 컴퓨터나 인터넷의 접근성이 떨어지고, 특히 활용 측면에 있어 그 지수가 64.1과 68.0으로 일반 국민의 약 2/3 수준에 불과하다. 이는 [가]의 설명과는 달리 나이, 인종을 초월한 활발한 의사소통 및 자유로운 교류가 실제로는 어려움을 보여준다.

둘째, [가]는 정보 통신 기술의 발달로 거의 모든 일에 걸쳐 편리성이 증진되었다고 하였으나, [다]에서 지적한 것처럼 인공 지능 의사가 오진을 하거나, 자율 주행차가 사고를 낼 경우, 이에 대한 법적·윤리적 책임 소재를 따지는 것이 간단하지 않다. 왜냐하면 이는 단순히 법률 개정을 통해 해결할 수 있는 문제가 아니라, 인공 지능 기계의 행동을 이해하는 사회적·제도적 직관의 구성에 대해 합의를 도출해야 하기 때문이다.

셋째, [라]의 '잊힐 권리'는 [가]에서 설명한 시공간의 제약을 극복한다는 것이 정말 좋기만 한 일인지 비판한다. 인간의 생물학적 한계로 인해 기억은 잊혀지기 마련인데, 정보 통신 기술의 발달로 과거의 안 좋은 일이 인터넷에 박제되어 사람들의 아픈 상처를 계속 건드리는 부작용을 야기할 수 있다.

[마]는 르누아르의 작품을 통해, 생명의 유한함이 인생의 가치를 형성하며, 지금 이 순간을 오롯이 향유함으로써 인간이 행복할 수 있다고 말한다. 정보 통신 기술의 발달은 과거를 '못' 잊혀지게 만들어 과거의 기억이 현재를 지배하고, '현재'가 가진 아름다운 가치를 훼손할 수 있다. 즉, '잊힐 권리'는 과거를 지움으로써, 현재에 집중하여 행복하게 살아갈 수 있게 하는 원동력이 될 수 있다.

[문제 2] 제시문 [가]의 내용을 토대로, [나] 작품의 출현과 [다] 시위의 발생 사이의 차이를 [라], [마], [바]를 참조하여 분석하고, 그러한 변화의 가치를 [사]를 바탕으로 논술하시오.

제시문 [가]에 따르면, 사생활은 역사적 현실이며 공적 생활과 관련해서만 의미가 있다. 또한 소박한 물건이라도 개인이 자기 것이라고 주장하는 물품들은 사생활을 누림에 상징적 가치를 지닌다. [라]는 사생활의 권리는 개인의 주권으로서, 사회는 개인의 가치와 존엄을 증진하기 위해 존재한다는 개인주의의 전제가 됨을 밝힌다. 또한 [마]는 방을 소유할 권리는 인간의 기본권이기에, 방의 소유는 개인의 독립성과 자기존중을 보장함을 밝힌다.

이상의 견해에 따르면, [나] 작품의 출현과 [다] 시위의 발생은 사생활에 대한 정의, 그리고 공적 생활과의 관련에서 차이가 있다. 즉 [나]는 남성의 문방사우와 대비되는 바느질 용품을 여성의 소유물로 취급한다는 점, 그리고 규방이라는 독립적인 공간을 전제한다는 점에서 여성의 사생활이 존중되고 있음을 보인다. 그러나 이는 여성은 규방의 예만 일삼고 공적인 일에는 참여하지 않음이 옳다는 [바]의 규범에 따른 것이다. 따라서 [나]에서 사생활의 추구는 수동적이고 공적 생활에 폐쇄적인 한계를 지닌다.

이에 비하여 [다] 시위는 정부의 지침에 반대하여 개인의 결정권을 요구한다는 점에서 개인의 육체와 건강을 사생활의 영역으로 삼고, 백신 접종 완료라는 공적 영역에 대항하여 사적 권리를 주장한다. 즉 공적 생활과의 관계에서 사생활을 보다 능동적이며 주체적으로 규정한다. 즉 [나]와 [다]의 차이는 사생활의 범주를 확장하고, 공적 영역과의 갈등 속에서 사생활을 보다 주체적으로 규정하게 되는 변화로 이해된다.

이러한 변화는 [사]에 제시된 민주주의의 발전과 관련하여 그 가치를 이해할 수 있다. [사]는 민주주의의 발전은 제도만으로는 한계가 있어서 사회 구성원의 적극적인 참여를 통해 실현되고, 그 과정에서 개인도 만족감을 얻게 된다고 하였다. 그렇다면 사생활의 범주를 공적 생활과의 갈등 속에서 능동적으로 규정하게 되는 변화는 사회 구성원으로서의 존엄을 공적으로 구현함으로써 민주주의를 발전시키는 과정이자, 사회의 주체로서 자아를 실현하는 과정이라는 가치를 지녔음을 알 수 있다.

14. 2022학년도 서강대 경영경제 1차 모의 논술

제시문 [가]~[다]의 주장을 바탕으로 제시문 [라], [마]에 나타난 문제를 분석하고, 제시문 [바], [사]에서 제시된 방법들이 문제를 해결하는데 어떻게 도움이 될 수 있는지에 대하여 논술하시오.

[가]는 인류 공통의 과제인 환경 문제를 전 지구적 입장에서 해결하여야 함을 주장하지만, [나]는 각국의 이해관계가 달라 해결책을 찾는데 어려움이 따른다고 주장한다. [다]에 의하면 세계화가 점차 지속될수록 선진국과 개발 도상국 간에 불평등과 빈부격차가 발생하며, 이러한 문제의 해결을 위해서는 선진국의 책임 있는 자세와 개발 도상국 간의 협력이 필요하다.

선진국과 개발 도상국 간의 환경 문제는 [라]와 같이 선진국이 자국의 안전을 위하여 환경오염의 원천을 개발 도상국으로 이전하는 공해 수출 때문에 발생할 수 있는데, 이는 개발 도상국에 심각한 사회적 문제를 초래한다. 또한 [마]와 같이 온실가스 배출 등의 환경

문제를 통해 개발 도상국이 상대적으로 더 큰 피해를 보게 되는 기후 정의와 같은 윤리적 문제가 발생한다. 이러한 문제는 선진국과 개발 도상국 간의 환경 문제의 원인 제공을 둘러싼 갈등과 이에 대한 책임 문제를 유발할 수 있다. 따라서 선진국의 책임 있는 자세가 필요하며, 전 지구적 차원에서 환경 문제를 해결하기 위하여 개발 도상국도 환경 문제의 해결에 기여하려는 노력이 필요하다.

[바]와 [사]는 선진국과 개발 도상국 간의 환경 문제에 대한 해결책의 예를 제시한다. [바]는 선진국의 개발 도상국에 대한 환경 지원 체제인 청정개발체제를 소개하고 있는데, 이 체제하에서는 양자 모두 이익을 얻을 수 있어 지속 가능한 자발적 협력을 유도할 수 있다. [사]는 기후 변화 협약의 새로운 체제인 파리협정을 소개하는데, 이 협정은 환경 문제에 대한 주된 책임이 있는 선진국의 개발 도상국에 대한 지원뿐만 아니라, 환경 문제의 전 지구적 해결을 위해 개발 도상국도 자발적이고 능동적으로 참여할 수 있도록 유연한 접근 방법을 실행할 필요가 있음을 주장한다.

15. 2022학년도 서강대 인문사회 1차 모의 논술

[나], [다], [라], [마]에서 각각 제시하고 있는 인간의 속성에 근거하여 [가] 현상의 원인을 분석하고, 그에 대한 해결 방안을 [바]와 [사]의 관점에서 설명하시오.

[가]는 코로나19 전염이 확산된 집단을 비난하고 혐오하는 현상을 보여준다. 이러한 현상의 원인을 [나]~[마]에 제시된 인간의 고유한 속성으로 설명해볼 수 있다.

먼저, [나]에 따르면, 인간은 내집단과 외집단을 구분하고, 외집단에 대해 부정적 태도를 나타내는 경향이 있다. [가]는 코로나19 확진자가 속한 집단을 외집단으로 분류하고 이들에 대한 부정적 태도를 표출한 결과라 할 수 있다. 다음으로, [다]에서 알 수 있듯이, 인간은 감염병의 위험으로부터 생존하기 위해, 실제로 감염병에 걸리지 않았더라도 감염 위험을 암시하는 특성이 있는 대상에게 혐오를 느끼고 피하는 행동면역체계를 발달시켰다. [가]는 행동면역체계가 과도하게 작동하여, 코로나19가 확산된 집단 전체에 혐오가 과잉 일반화된 결과라고 볼 수 있다. 또한, [라]에 따르면, 외집단 구성원은 고유한 개인으로 인식되기보다는 오직 집단의 속성에 의해서만 정의되는 경향이 있다. 코로나19가 확산된 집단의 사람들도 감염 위험이라는 속성만을 가지고 있다고 인식되어, [가]에서와 같이 비난과 혐오의 대상이 되었을 수 있다. 끝으로, [마]는 부조리한 결과를 희생자 탓으로 돌림으로써 세상을 정의롭고 안전한 곳으로 인식하고자 하는 인간의 속성을 제시한다. [가]의 현상도 코로나19가 확산된 집단을 비난하고 탓함으로써 정의와 안전에 대한 믿음을 유지하려는 행위로 볼 수 있다.

그렇다면 [가]의 현상을 어떻게 해결할 수 있는가? [가]의 혐오 현상이 인간의 고유한 속성에 의해 발생했더라도, 이것이 어쩔 수 없는 문제가 아니라는 점을 깨닫는 것이 중요하다. [바]에서 알 수 있듯이 본성을 가지고 어떻게 살아갈 것인가는 필연이 아니라 선택의 문제이기 때문이다. 따라서, 혐오와 차별을 야기하는 인간의 속성을 인식하고, 이를 바로잡기 위한 적극적 행동이 필요하다. 구체적으로, [사]에서 제시하는 것과 같이 입법을 통해 혐오와 차별을 규제하고 인식의 변화를 도모하는 것이 하나의 해결책이 될 수 있다.

16. 2022학년도 서강대 경제경영 2차 모의 논술

제시문 (나), (다), (라)를 이용하여 제시문 (가)의 정부 정책을 설명하고, 제시문 (마)와 (바)를 이용하여 제시문 (가)의 정책을 평가하시오.

제시문 (가)는 담합 사실을 먼저 신고한 기업에 한하여 시정 조치나 과징금 등 제재를 감면해 주는 '자진 신고자 감면 제도(리니언시 제도)'에 대해 설명한다. 담합에 참여한 기업으로 하여금 누가 먼저 자진 신고할지 모르는 불확실한 상황 하에서, 적어도 상대방보다 불리한 위치에 처하지 않기 위한 차선책으로 자진 신고를 하도록 유인하는데, 이는 제시문 (라)에서 제시된 '용의자의 딜레마'의 상황과 유사하다. 즉, '용의자의 딜레마'에서와 같이 담합에 가담한 기업으로 하여금 담합 사실을 인정하는 것이 부인하는 것보다 더 유리한 선택이 되도록 리니언시 제도는 설계되었다.

제시문 (나)는 시장이 불완전하거나 자원의 효율적 배분이 이루어지지 못하는 '시장 실패'에 대해 설명하며, 독과점 시장에서의 담합을 그 예로써 든다. 담합이란 독과점 시장에서 시장 지배력을 가진 소수의 기업들이 공모하여 생산량을 조절하거나 가격을 높게 책정함으로써 부당 이익을 추구하는 행위로 시장의 자유로운 경쟁을 교란한다. 제시문 (다)는 경제 활동에 필요한 규칙을 확립하여 기업과 개인들이 자유롭게 경쟁하며 경제활동을 영위할 수 있는 환경을 조성하는 정부의 역할에 대해, 공정거래위원회를 통한 불공정 행위의 규제를 그 사례로 설명하고 있는데, 이를 통해 제시문 (가)의 리니언시 제도도 담합을 제재하기 위한 공정거래위원회의 규제 수단임을 유추할 수 있다.

제시문 (마)는 리니언시 제도가 담합에 있어서, 오로지 자진 신고를 누가 먼저 했는지 여부에 따라 주범인지 공범인지와는 무관하게 제재를 감면해 주는 맹점이 있음을 지적하며, 특히 리니언시 제도 도입 이후 주범 내지 대기업들이 일방적으로 제도의 혜택을 입고 있다고 비판한다. 하지만 제시문 (바)는 리니언시 제도가 담합 적발과정에 있어 담합사실의 인지는 물론 입증 과정에 있어서 중요한 역할을 하며, 담합 예방 효과가 차원에서도 긍정적인 기여를 한다고 순기능을 설명한다.

17. 2022학년도 서강대 인문사회 2차 모의 논술

[가]에 제시된 문제 상황을 요약하고, 이 문제 상황의 원인과 해소 방안에 대해 [나]~[마]를 활용하여 논술하시오.

제시문 [가]에 제시된 문제 상황을 요약하면 다음과 같다. '문학적 지식인'과 '과학자'는 서로를 이해하지 못하며, 서로에 대해 왜곡된 이미지를 가지고 있는데, 이러한 몰이해와 왜곡된 이미지는 건설적이지 않을뿐더러 그 대부분이 오해에 기인한다.

위와 같은 문제 상황의 원인은 여러 가지인데 제시문 [나]~[마]를 고려하면 다음의 세 가지를 제시할 수 있다. 먼저, [다]에서 보듯이 자연과학(과학자)과 정신과학(문학적 지식인)은 '대상' 과 '대상에 대한 인식 방법'이 이질적인데 이러한 이질성이 서로를 이해하는 데에 장벽이 될 수 있다. 다음으로, [라]에서 제시한 '판단 보류'의 중요성을 간과할 때 문제 상황이 나타날 수 있다. 문학적 지식인과 과학자가 각자의 견해를 고집하면 둘 사이의 갈등이 첨예해질 수밖에 없기 때문이다. 끝으로, [마]에 따르면, '통제된 인지 과정'은 '자

동적 인지 과정'의 시중을 드는데, 이 역시 문제 상황의 원인이 된다. [가]에 제시된 문제 상황은 대개 오해에서 기인하는 데, 오해는 근거와 추론에 의한 '통제된 인지 과정'보다는 직감, 직관, 사회성 등을 따르는 '자동적 인지 과정'에서 기인하기 쉽기 때문이다.

그렇다면 '문학적 지식인'과 '과학자' 사이의 문제 상황은 어떻게 해소할 수 있는가? 우선, [나]에서 언급하는 상대주의에 따라 상대의 고유한 의미와 가치를 인정해야 한다. 그리고 상대 주의는 [다]에서 언급한 '대상'과 '대상 인식 방법'의 이질성과 부합하기도 한다. 다음으로, [나]에서 상대주의와 함께 언급된 보편성을 추구하면 이해의 기반이 공고해지게 되어 문제 상황 해소에 기여할 것이다. 끝으로, 문제 상황은 상대에 대한 왜곡된 이미지 등에서 기인하는 데 [라]에서 제시한 '판단 보류'는 왜곡된 이미지 등이 형성되거나 '자동적 인지 과정'이 우선 하는 것을 방지함으로써 문제 상황 해소에 기여할 수 있다. 판단 보류를 통해 사안과 증거 등을 충분히 숙고하여 추론하면 차이와 갈등이 해소될 여지가 증가하는 것이다.

18. 2021학년도 서강대 경제경영 수시 논술

[문제 1] 제시문 [가]를 근거로 우리 정부가 '국민건강증진'을 위해 흡연율을 낮추는 정책을 실시하였다고 가정하자. 이 결정의 타당성을 [나]~[사]를 활용하여 평가하시오.

제시문 [가]의 그래프를 살펴보면 국가별 호흡기 질환에 의한 사망률과 흡연율의 추세선이 우상향하므로 두 변수 간에는 양의 관계가 있음을 알 수 있다. 따라서 이를 근거로 우리 정부가 국민건강증진을 위해 흡연율을 낮추는 정책을 실행한다고 할 때 얼핏 타당하다고 생각할 수 있으나, 제시문 [나]~[사]는 이러한 결정이 타당하지 않은 이유들을 제시한다.

우선 [라]의 그래프에서 호흡기계 질환과 흡연율은 우하향하는 추세선이 존재하므로 [가]와는 달리 음의 관계임을 볼 수 있다. 이렇게 동일한 변수들 사이에 상반되는 관계가 나타나는 현상을 통해 흡연이 호흡기계 질환의 직접적인 원인이 아닐 수 있음을 알 수 있다. 제시문 [마]에서 의사는 존의 혈압이 높지 않다는 이유로 염증이 발생할 수 없다고 결론지었으나 결과적으로 염증은 발생하였다. 의사는 평소 높은 상관관계를 보였던 두 현상을 직접적인 원인과 결과로 단정하는 오류를 범하고 있다. [다]의 토론자는 근본적인 원인을 방치한 채 겉으로 드러난 현상만 바꿔봤자 문제의 해결책이 될 수 없다고 주장한다. 이를 종합해 보면 정부가 흡연율을 낮춘다고 호흡기계 질환에 의한 사망률을 낮출 것이라 볼 수 없다.

한편 제시문 [바]와 [사]를 통해 나라별로 제도와 문화가 현저히 다를 경우 생활 모습에 큰 차이가 나고 같은 행위도 다른 결과를 초래할 수 있다는 점을 알 수 있다. 또한 제시문 [나]는 표본이 모집단의 특성을 제대로 반영하지 못할 때 조사의 결과를 일반화할 수 없다고 말한다. 설령 [가]를 통해 유럽에서 흡연율이 호흡기 질환에 의한 사망에 직접적인 영향을 미친다는 사실을 알 수 있다 해도, 여러 가지 제도, 문화, 생활환경이 다른 유럽 국가들을 대상으로 한 조사 결과를 우리나라에 적용하는 것은 부적절하다.

결론적으로, 흡연과 호흡기계 질환에 의한 사망 사이의 직접적인 인과관계가 밝혀지지 않은 상황에서 생활풍습, 제도, 사회적 관념이 매우 다른 유럽만의 사례를 일반화해 우리나라에 적용하려는 정부의 정책 결정은 타당하지 않다.

[문제 2] 제시문 [가]를 읽고 [나]~[바] 각각에 대해 효율성 관점에서 바람직한지를 분석하고, 이를 종합하여 효율성 추구의 필요성과 한계점에 대해 논하시오.

[가]에 따르면 최소 비용으로 최대 만족을 추구하는 효율성은 자유로운 시장 거래에서의 총잉여 최대화 추구로 구체화되며, 이는 시장 균형에서 달성된다. 또한, 대기오염 등과 같은 부정적 외부효과로 인해 효율성이 저하되는 시장 실패가 존재하는 경우 정부가 온실가스배출권 거래제 등을 통해 개입하여 이를 개선할 수도 있다.

[나]는 부부가 자신의 소중한 것을 팔아서 준비한 크리스마스 선물이 서로에게 쓸모없게 됨으로써 효율성(총잉여)이 감소하는 상황을 묘사한다. [다]는 자원이 부족한 두 나라가 교역을 통해 모두 이득을 보는 효율성(총잉여) 증대의 상황을 보여준다. [라]와 [마]는 모두 대기오염과 소음이라는 부정적 외부효과로 인한 시장 실패로 효율성(총잉여)이 감소한 상황이지만, [마]에서는 정부 개입의 부재로 과도한 소음이라는 비효율성이 유지되는 반면, [라]에서는 정부가 온실가스배출권 거래제를 통한 대기오염 감소로 효율성(총잉여) 증대를 꾀하고 있다. [바]에 따르면 IT 기술과 빅데이터를 통해 공급자가 개별 소비자에게 다른 가격을 책정함으로써 소비자 잉여를 생산자 잉여로 빼앗아 올 수 있는데 기존의 시장 균형 가격에서 최대화된 총잉여가 감소하지는 않을 것임을 [가]로부터 추론할 수 있다. 따라서 [나]와 [마]는 총잉여가 감소한 효율성 관점에서 바람직하지 않은 상황인 반면, [다], [라], [바]는 총잉여가 증대하거나 최대화된 효율성 관점에서 바람직한 상황이다.

[다]의 효율성 추구를 통한 두 나라 모두의 이익 증대와 [마]의 효율성 달성 실패로 인한 소음의 과대 발생이라는 사회 문제는 효율성을 달성하는 것이 왜 필요한지를 보여준다. 그러나 효율성만을 추구하는 경우 사랑 등과 같은 정서적 가치가 무시될 수 있으며, 환경오염을 상품으로 인식하여 환경오염 행위에 대한 윤리의식의 약화를 가져올 수 있고, 시장 거래에서 발생하는 총잉여를 생산자가 모두 가져가게 되어 분배악화와 형평성 저해를 가져올 수 있음을 [나], [라], [바]는 각각 보여 준다.

19. 2021학년도 서강대 인문사회 수시 논술

[문제 1] 제시문 [나], [다], [라] 각각의 내용에 근거하여 [가] 현상의 문제점을 분석하고, 그에 대한 해결 방안을 [마]와 [바]의 관점에서 설명하시오.

제시문 [가]는 대학생들이 입시결과를 바탕으로 서로를 서열화하는 현상을 기술하고 있다. 이와 같은 서열화가 문제가 될 수 있는 이유는 먼저 [나]에서 알 수 있듯이 사회·문화 현상은 개연성과 확률의 원리가 작용하고 있기 때문이다. 지능이 높으면 학업 성취도가 높지만 그렇지 않은 예외가 있을 수 있듯이 입시결과가 좋지 않은 학과의 학생이 반드시 입시결과가 좋은 학과의 학생보다 점수가 낮은 것은 아니다. 마찬가지로 입시에서 좋은 결과를 얻은 학생이 반드시 실력이 뛰어나거나 노력을 많이 했다고 볼 수도 없다.

또한, [라]에 나타나 있듯이 확률적인 사건의 경우에는 충분히 많은 시행이 있어야만 기대하는 결과를 안정적으로 얻을 수 있다. 하지만 입시결과는 단 한 번의 시험에 의해서 결정된다. 그러므로 (문제의 수가 많다고 하더라도) 그 사람의 능력 외에 우연적인 요소가 개입할 여지가 있다. 시험 당일 아픈 운이 나쁜 학생이나, 찍은 문제가 많이 맞은 운이 좋은 학생이 있기 때문이다.

설사 입시결과가 그 사람의 능력을 정확히 반영하고 있다고 하더라도 [다]의 내용을 보면 입시결과에 따른 서열화는 적절하지 않을 수 있다. 캐나다에서는 1월에 태어난 아이들이 좋은 코치와 훈련 프로그램을 경험할 기회가 많기 때문에 실제로 실력이 좋은 하키 선수로 성장하는 경우가 많다고 한다. 따라서 입시결과에서 드러난 개인의 능력도 그 사람이 통제할 수 없는 외부 요인에 의해 크게 영향을 받았을 가능성이 있다.

이렇게 입시결과에 따라 서열화하는 것이 정확한 판단이 아니라면 어떻게 그것을 피할 수 있을까? [마]에서 제안한 것처럼 사람을 입체적인 존재로 파악하고 관계를 통해 그 사람의 다양한 가능성을 종합적으로 판단한다면 입시결과처럼 단편적인 정보에 의해 조급하게 서열화하는 것을 막을 수 있을 것이다. 또한 [바]에서 주장하고 있는 것처럼 눈에 보이지 않는 상황의 힘을 직시한다면 입시결과가 좋은 사람을 과대평가하는 일도, 입시결과가 나쁜 사람을 과소평가하는 일도 줄어들 것이다.

[문제 2] 제시문 [가]를 토대로 [나], [다]의 문제점을 각각 분석하고, 이를 기반으로 [라]에 대한 해결 방안을 [마], [바], [사]를 종합하여 논하시오.

[나]의 '그'는 잘못된 배경 지식과 경험에 따라 처음 보는 임 씨에 대해 잘못된 추론을 하였다. [다]의 체임벌린 총리 역시 마찬가지다. 정치적 의도 실현을 목적으로 보고 싶은 단서만 수집, 히틀러에 대해 오판을 하고 공동체에도 큰 위험을 가져왔다.

이처럼 인물과 사건에 대한 판단을 정확하게 하는 것은 참으로 어려운 일이다. 이러한 점은 [라]에 기술된 언론의 역할 역시 쉽게 실현되기 어려울 것임을 예상하게 한다. 언론이 객관적이고 중립적으로 대중에게 정보를 전달하려고 하더라도, 잘못된 추론의 결과 의도하지 않게 객관성을 잃기 쉽다. 이러한 한계를 어떻게 해결할 것인가?

첫째, 사건의 전모를 온전히 드러내기가 어려움을 인정해야 한다. [마]에서 보듯이, 직접 경험한 사건임에도 당사자들의 보고 내용은 달라서, 모두의 증언을 소상히 들었다 해도 그 진실을 온전히 파악하기가 어렵다. 이를 개인의 문제라고만 치부할 수 있는가? 이는 인간 인식의 한계에 기인한 것이다.

둘째, 취재하는 모든 사건과 사람들에 대하여, 그들만의 입장과 관점이 다 달라서 생기는 어려움이 있음을 인정해야 한다. [바]에서 보듯, 서로 다른 언어를 가진 부족들끼리의 소통은 같은 사건을 두고 다르게 표상할 수 있다. 서로 다른 언어를 구별하고 자 하는 노력을 통해 사건의 전모에 가까이 다가가고자 노력해야 하겠지만, 이는 인식의 한계와 연동되는 문제이기에 만만한 노력은 아닐 것이다.

셋째, 무엇보다도 언론인이 공감 능력을 지녀야 한다. 전술한 두 가지 방안만으로는 자칫하면 언론인 개인의 주관으로만 일관될 우려가 있다. [사]에서 보듯이 인간의 '공감' 능력은 개인의 주관적 감정을 넘어 사회적 차원의 감정, 보편적 인류애의 감정을 공유할 수 있으며, 이를 바탕으로 공평한 관찰자로서의 시각을 확보할 수 있는 것이다.

20. 2021학년도 서강대 경제경영 1차 모의 논술

제시문 [가]를 바탕으로 정부의 책임과 역할 수행이 국가 경제에 긍정적으로 적용되는지 또는 부정적으로 적용되는지에 대한 장단점을 분석하고 그 견해를 제시문 [나], [다], [라], [마], [바]를 이용하여 논술하시오.

제시문 [가]는 정부가 시장 경제 개입에 있어서 국가적 이익 보호를 위한 목적을 가지고 시장 경제 개입에 대한 정당성을 확보하는 긍정적인 면을 강조하고 있다. 이런 정부의 역할을 바탕으로 제시문 [나]와 [라]는 정부 시장 개입의 부정적인 면, 제시문 [다]와 [바]는 정부 역할에 대한 긍정적인 면, 제시문 [마]는 양쪽 모두가 존재한다는 결과를 도출할 수 있다.

제시문 [나]는 공기업 경영 실적이 악화하여 부채가 증가하는 것은 세금으로 충당되는 공기업의 운영상 국민에게 그리고 국가 경제에 재정 부담을 안겨주는 부정적 영향을 준다는 것이다. 따라서 제시문 [나]는 정부의 공기업을 통한 시장 개입은 경제 발전에 부정적 영향을 준다는 것을 보여 준다.

제시문 [다]에서 국가는 사회 보험을 통해서 국민을 보호하는 책임과 역할을 수행하지만, 국민 건강 보험, 국민연금 등은 국가의 재정적 부담을 악화시킬 수 있는 위험 요소이며 경제적인 측면으로 보았을 때 부정적인 영향을 줄 수 있는 잠재적 요소들을 가지고 있다.

제시문 [라]는 역사적 사실을 토대로 정부가 시장 경제에 개입해서 스태그플레이션이 생겨나고 이는 정부의 개입을 축소해야 한다는 신자유주의 주장에도 연결이 되고 있다. 특히 석유 파동 등 위기 상황에서 정부의 시장 개입이 문제 해결에 도움이 되지 않는다는 점을 나타내고 있다.

제시문 [마]는 영국의 브렉시트 의사결정이 경제에 긍정적인 영향과 부정적인 영향을 동시에 줄 수 있는 점을 강조한다. 제시문 [바]는 국가가 국민을 위해 의료비, 실직시 생계 지원 등 복지적인 책임과 역할을 강조한다. 다만 사회보장제도 유지를 위해 경제 발전에 더욱 노력을 기울여야하는 연관성을 가지고 있다.

경제 발전과 복지에 있어서 국가의 시장 개입은 제시문 [마]와 같이 긍정적인 면과 부정적인 면 모두 가지고 있다. 하지만 제시문 [나]와 [라]와 같이 비효율성을 언급할 수도 있고 [다]와 [바]와 같이 복지와 연계된 긍정적인 면도 제시 될 수 있다.

21. 2021학년도 서강대 인문사회 1차 모의 논술

제시문 [가]에 따르면, 정의로운 사회란 기회균등와 공정한 절차가 보장되며, 이를 통해 공정한 분배와 인간다운 삶을 위한 최소한의 조건이 실현되는 사회이다.

제시문 [나]와 [다]는 정보 기술 발전이 정의로운 사회 구현에 어떻게 기여할 수 있는지 보여준다. [나]는 정보 기술 발전이 평가의 효율성과 객관성을 증가시킬 수 있다는 믿음을 제시하고 있으며, 이는 정보 기술 발전이 보다 많은 이들에게 기회를 제공하고 공정한 절차 보장에 기여할 수 있음을 시사한다. [다]는 디지털 기술 활용으로 복지 사각지대에 놓여 있던 독거 노인이나 학대 아동에 대한 보호를 제공할 수 있다는 가능성을 보여준다. 이는 정보 기술 발전이 취약 계층의 인간다운 삶을 보장하는데 기여할 수 있음을 보여주는 것이다.

그러나, [라], [마], [바]에서 제시된 것과 같이, 정보 기술 발전이 오히려 불평등을 심화시킴으로써 사회 정의를 위협할 수도 있다. [라]는 컴퓨터, 모바일 기기나 인터넷의 보급

률은 상당히 높은데 반해, 실제 이를 이용하고 활용할 수 있는 능력에는 일반 국민과 정보 취약 계층 간에 여전히 상당한 격차가 존재함을 보여준다. 이는 정보화로 인해 취약 계층의 소외와 불평 등이 오히려 심화될 수 있음을 시사한다. [마]는 프레드폴과 같은 빅데이터에 기반한 예측 모형들이 [나]에서 제시하듯 항상 객관적이고 공정한 것은 아님을 보여준다. 결국 예측 모형 구축에 사용되는 데이터는 인간이 선택하는 것이기 때문에, 예측 모형이 인간의 편견을 공고히 하고 현존하는 사회적 차별과 불평등을 지속하는데 기여할 수 있다는 것이다. [바]는 데이터를 통한 부의 창출은 데이터 제공자가 아니라 상당한 전력 사용과 복잡한 알고리즘 개발을 감당할 수 있는 기술 지배 기업만이 가능하다는 점을 지적하고 있다. 이는 정보 기술 발전이 기회 균등이나 부의 공정한 분배에 기여하기보다는, 오히려 부의 편중과 경제적 불평등을 심화시킬 우려가 있음을 보여준다.

22. 2021학년도 서강대 경제경영 2차 모의 논술

[가]의 내용을 중심으로 제시문 [나][다]가 보여주는 자료를 설명하고, [가]와 [라]를 근거로 [마]에 서술된 우리나라 상황에 대한 시사점을 쓰시오.

제시문 [가]의 '사회 이동'이란 개인이나 집단이 속해 있는 사회 계층적 위치가 바뀌는 현상을 일컫는다. 누구에게나 공평한 기회가 주어지고 사회이동이 실현될 가능성이 큰 사회에서는 사회가 발전할 가능성이 크다.

[나]에서는 세대간 계층이동을 세대간 소득탄력성이라는 지표로, 불평등의 정도를 지니계수라는 지표로 수치화 하고 있다. 자료에 따르면 국가간 지니계수와 세대간 소득 탄력성은 양의 상관관계를 보여 주는데, 이는 불평등 정도가 높은 나라일수록 세대간 계층 이동이 어려울 수 있다는 것을 보여준다.

[다]의 통계 자료는 레벨이 높은 대학일수록 사회경제적 지위가 높은 학생의 비중이 높게 나타나고 있다는 것을 보여주는데, 미국사회에서의 고등 교육 기회가 평등하지 않다는 것을 보여준다. 이러한 사실을 종합하면, 소득의 격차를 줄이는 데 중요한 역할을 하는 대학 교육의 기회가 상위층에 집중되어 있고 저소득층이나 중산층 가족에게는 최상위 대학에서의 교육 기회가 제한되어 있다. 따라서 [나]의 그림에서 미국의 상황이 세대간 소득 탄력성이 더욱 높아지거나 지니계수가 더욱 높아질 것으로 기대된다.

제시문 [라]는 미국에서 능력이 있는 사람이 엘리트가 되어 지배 계층이 되는 능력주의로 지도자가 된 사례들을 나열하는 한편, 능력주의의 결과로 선출된 엘리트에 의한 정치가 꼭 성공하지 않았다고 주장한다.

제시문 [마]는 우리나라의 경우 고도성장기에는 이러한 계층이동에 대한 희망이 있었으나 최근에는 이러한 사회 이동'이 어렵다고 느끼고 있다는 내용을 서술한다.

제시문 [가]의 주장처럼 계층이동이 활발하게 일어나는 개방성은 사회발전의 중요 요소이다. 그러나, [라]에서 주장하는 내용처럼, 능력에 따라 계층이동이 활발히 되는 사회, 능력 있는 사람이 엘리트가 되고 지배계층이 되는 사회가 결과적으로 평등한 사회를 보장하지는 않는다. 미국의 경우 예전보다 개방적인 사회가 되기는 했지만 그 결과로 불평등이 해소되지도 않았다고 보기 때문이다.

23. 2021학년도 서강대 인문사회 2차 모의 논술

[가]와 [나]를 요약하고, [나]의 관점에서 [다]~[마]를 활용하여 [가]의 관점을 비판하시오.

[가]와 [나]는 표준어(공용어)에 대한 상반된 입장을 보인다. [가]는 표준어가 국민들의 효율적이고 통일된 의사소통을 위해 필요한 것이며, 이는 지역어라는 언어적 다양성을 억압하는 것은 아니라고 말한다. [나]는 공용어가 규범(기준)으로 작용함으로써 언어적 다양성은 무시되며, 언어 능력과 언어 사용 면에서 차별을 반영하는 사회적 계층이 구분될 것이라고 말한다.

[다]~[마]는 표준어 규정이 실제 사회에서 작용하여 발생시키는 다양한 차별과 억압의 사례를 보여 준다. [다]에서 (1)은 지역 방언을 상황에 따라 제한해서 사용해야 한다는 인식을 드러내며, (2)는 자녀가 표준어를 구사할 수 있는 능력을 갖추고 있기를 바라는 인식을 드러낸다. [라]는 지역 방언 화자가 자신의 지역성을 드러내는 요인들을 버리고 서울의 상류 계층에 편입되려고 노력하는 과정을 묘사한다. [마]는 사회적 다양성을 억압하는 권위주의적 정치 상황속에서 표준어 규정 및 교육이 지역 방언에 대한 차별적 인식을 강화하였음을 증언한다.

[다]에서 드러나는 표준어에 대한 선호 의식, [라]에서 드러나는 지역 방언에 대한 차별 의식, [마]에서 드러나는 사회적 다양성을 억압하는 도구로서의 표준어 규정과 교육 등과 같은 사례는 모두 공용어라는 규범(기준)이 강제됨으로써 사회적 차별이나 다양성 억압의 요인이 되었기 때문에 나타나는 것이며, 이는 [나]의 관점과 일치한다. 이런 관점에서 보면 [가]는 표준어가 의사소통을 위해 제정되었을 뿐 지역어라는 다양성을 억압하는 것은 아니라고 주장하지만, 표준어(공용어)가 사회적 계층을 나누는 기준이 되고, 이로 인해 사회적으로 차별 받는 계층이 생기며, 사회적 다양성이 억압되기도 한다는 비판에서 벗어나기 어렵다.

24. 2020학년도 서강대 경제경영 수시 논술

[문제 1] [가]의 현상을 [나]~[마]를 활용하여 분석하고, 이와 같은 현상을 해결하기 위한 방안을 [바], [사]를 토대로 논술하시오.

[가]는 신용도에 문제가 있다고 소문이 난 은행에 인출 쇄도가 일어나면 인출 쇄도가 다른 은행까지 퍼져 탄탄한 은행마저 파산하는 현상을 보여준다. [나]에 따르면 사람들은 자신에게 가장 이익이 되는 선택을 하기 위해 노력하므로 [가]의 사람들은 예금을 인출하는 것이 이익이라고 주관적으로 판단했을 것이다. [라]는 사람들이 정보가 부족하면 다른 사람들의 행동을 보고 어떻게 할지 판단한다고 한다. 따라서 [가]에서 처음에 소문이 난 은행에 인출 쇄도가 일어난 것을 보고 신용도에 문제가 없는 은행의 이용자도 예금을 인출하는 것이 이익이라고 판단했을 것이다.

[다]와 [마]는 사람들이 다른 사람의 행동에 영향을 받을 때 나타나는 문제점을 보여준다. [다]는 사람들이 집단 논의를 하고 나면 개인적으로 생각할 때보다 극단화된다고 한다. 이를 [가]에 적용하면, 사람들은 문제가 있다고 소문난 은행에 인출 쇄도가 일어난 것을 보고 소문과 상관없는 다른 은행들마저도 위험하다고 하는 집단적인 논의 끝에 극단적

인 판단을 했을 것이다. [마]에 따르면 사람들이 집단을 따를 때는 자신의 지식을 사용하지 않기 때문에 집단이 커질수록 의사결정 수준은 떨어진다. [가]의 사람들도 충분한 정보도 없이 집단의 행동을 따르다 탄탄한 은행까지 파산시키는 결과를 초래했다.

이처럼 정보 부족과 집단의 의사결정을 따르는 현상의 문제점들을 해결할 수 있는 방법들을 모색해야 한다. [바]에 따르면 사람은 사회적인 인간이지만 자유 의지를 가진 인간이기도 하다. 집단 행동에는 개인들이 습득한 지식이 사용되지 않아 틀릴 때가 많으므로 사람들은 능동적으로 학습하고 선택하는 노력을 해야 한다. [사]는 음주나 흡연의 사회적 학습 문제를 해결하는 방안으로 정책 당국이 통계에 근거한 현실을 홍보함으로써 효과를 본 사례이다. [가]와 같은 현상은 정보가 부족할 때 생기므로 [사]에서처럼 근거가 있는 정보를 제공하는 노력을 정책 당국이 해야한다.

[문제 2] [가], [나]는 다국적 기업의 사례이고, [다]는 개발도상국과 선진국의 사례이다.
① [가]의 A사와 [나]의 B사의 생산 방식을 [라]를 활용하여 분석하시오.
② 위 ①의 분석을 바탕으로 [가]의 A사가 [다]의 C국과 D국에 진입하는 방식을 추론하시오.
③ 위 ②의 결과로 [다]의 C국과 D국에 예상되는 경제적 영향에 대해 [다], [마], [바]를 이용하여 논술하시오. (800~1,000자)

[가]의 A사는 자동차를 생산 판매하는 다국적 기업이다. 이를 위해 생산 공정 중 일부인 조립 과정과 판매 활동을 서로 다른 두 지역에서 분업 생산하고 있다. 이때, 조립 공정은 임금이 저렴한 지역에 두고 판매본부는 선진국에 설립하는 특화된 분업을 하고 있다. [나]의 B사는 세계 여러 나라에서 커피전문점을 운영하는 다국적 기업이다. 각국에 커피전문점을 설립하여 동일한 서비스를 소비자들에게 제공하고 있어 분업 생산을 한다고 할 수 없다. 다시 말해 A사는 자동차 생산 판매에 있어 분업과 특화를 동시에 하고 있고, B사는 커피전문점에 특화되어 있으나, 특정 생산공정을 특화하거나 분업을 하고 있지는 않다.

[가]의 A사는 인건비가 저렴하고 청장년층 노동력이 풍부한 C국에 자동차 조립 공장을 설립할 것이다. 또한 청장년층 노동력이 부족하지만, 구매력이 높고 3차 산업 종사자 비중이 높은 D국에는 판매 법인을 설립할 것이다.

이와 같이 A사의 결정은 산업적 특성이 다른 국가에 구별되는 영향력을 미칠 수 있다. C국에 는 자본과 기술이 유입되고 고용이 창출되어 산업화에 도움을 주고, 선진 경영기법과 기업문화가 전파되어 자동차공업의 국제경쟁력을 높일 수 있다. 경쟁에 의해 다른 자동차 조립공장들의 도산이 발생할 수도 있으나, 새로운 자동차 부품생산 기업이 산업 내 진입할 수도 있고, 향후 자본 유출과 같은 부정적 영향도 가져올 수 있다. 반면, 이미 선진국인 D국에 선진 기술, 선진 경영 기법이나 기업문화가 새로이 도입될 가능성은 낮고 대신 고용 창출은 기대할 수 있다. 경쟁에 의해 다른 자동차 판매기업이나 생산기업들의 도산이 발생할 수도 있지만, D국에 대한 부정적인 영향은 제한적일 것으로 예상된다.

25. 2020학년도 서강대 인문사회 수시 논술

[문제 1] [나]~[바]를 요약한 후, 두 가지 입장으로 분류하고, 각각의 입장에서 [가]의 현상을 설명하시오. (800~1,000자)

[나]~[바]는 언어와 사고 간의 영향 관계에 대한 관점을 제시하고 있다. [나]는 언어와 정치의 관계를 통해, 언어의 사용이 우리의 인식이나 행동 나아가 정치적 제도의 변화를 가져온다고 주장한다. [다]는 사람은 마음과 감각기관을 통해 먼저 인식을 한 다음에 이렇게 획득한 인식을 언어를 통해 표현한다는 내용이다. [라]는 잘못된 명명 즉 언어의 잘못된 기술이 사람의 감정에 부정적 영향을 준다는 내용을 담고 있다. [마]는 우리는 언어가 아닌 다양한 수단을 통해 사고하고, 또한 언어로 표현되지 않는 생각도 가능하기에 사고가 언어보다 더 우선적이라고 볼 수 있다는 내용을 담고 있다. [바]는 언어의 사용이 사람들의 경험과 사고방식에 규정적 영향을 준다는 것이다.

각 제시문의 주장을 살펴보면, 언어 우위의 입장에서 언어가 사고에 영향을 준다는 입장과, 사고 우위의 입장에서 사고가 언어에 영향을 주는 입장으로 나눠볼 수 있다. 전자는 [나], [라], [바]에서, 후자의 입장은 [다]와 [마]에서 찾을 수 있다. [가]에서는 에스키모, 북아프리카 사막, 그리고 한국 사람들의 언어가 다른 지역의 언어와 차이를 보여주고 있다고 한다. 이러한 [가]의 현상을 언어 우위의 입장에서 보면 그 지역에 먼저 존재했던 다양한 언어적 표현들이 그 지역 사람들에게 다른 인식의 방법 즉 다른 사고를 가능하게 했다고 설명한다. 반면에 이 [가]의 현상을 사고 우위의 입장에서 보면, 다양한 지역의 사람들은 그들의 환경 때문에 현실을 다양하게 인식했고, 그 다양한 인식들이 자연스럽게 다양한 언어적 표현으로 표출되었다고 할 수 있다.

[문제 2] [가]에 제시된 상황을 [나]~[라]를 바탕으로 분석하고, 이러한 상황에 대처하는 방안에 대해 [마]~[사]를 활용하여 논술하시오.

[가]는 정보화의 산물인 인터넷 등이 혐오문화가 교실에까지 확산되는 통로가 되었으며, 혐오문화를 즐기는 학생들이 있는 한편으로 그로 인해 불편함과 거부감을 느끼면서도 적극적으로 대응하지 못하는 학생들이 있는 상황을 보여준다. 이 같은 문제 상황은 [라]에서 언급한 정보화에 따라 혐오문화가 확산되는 상황과 유사하다. 또한 혐오문화의 확산은 [나]에서 제시한 일탈 행동을 유발하는 요인이 된다. 일탈 행동은 사회 규범의 약화나 주도적 규범의 부재에 따른 것으로 볼 수 있는데, 차별과 혐오를 즐기는 또래문화나 사이버 폭력 등이 바로 사회 규범의 약화, 부재를 의미하는 것으로 볼 수 있다. 더불어 또래문화와 교실은 일탈 행동이 학생들 사이의 접촉을 통해 쉽게 퍼지는 환경이 된다. [다]의 실험은 개인이 집단에 반대하기는 매우 어려움을 보여주는 데, 이는 혐오문화를 불편해하면서도 적극적으로 대응하지 못하는 학생들의 상황과 유사하다.

[가]와 같은 문제상황에 대처하는 방안은, [사]에서 제시한 바와 같이 개인적 차원과 사회적 차원에서 모색할 수 있다. 개인적 차원에서는 [바]가 강조하듯이 앎을 지속적으로 쇄신하며 자신이 속한 집단, 즉 교실에서 혐오문화에 대처해야 한다. 특히 앎의 지속적 쇄신은 혐오문화의 문제점을 인식하고 거기서 탈피하는 데 기여할 수 있을 것이다. 사회적 차원에서는 [마]에서 언급한 혐오문화의 부정적 측면을 명확히 인식하고, 시민사회 차원에서 대처해야 하는데, 사회적 제도, 구조, 정책 등의 대처 방안도 적극 강구해야 할 것이다. 이는 교실도 마찬가지이다. 교실 차원에서 혐오문화의 또래문화적 성격을 고려하면서 그 부작용을 없애기 위해 노력해야 하며, 교실 운영 방식과 학생 자치 활동 등에도 이를 반영할 필요가 있다.

26. 2020학년도 서강대 경제경영 1차 모의 논술

무상급식 논쟁에 참여한 제시문 [마]의 참가자들 의견을 찬성과 반대로 분류하고, 이들의 의견을 [가]~[라]의 제시문과 연결지어 무상급식 찬성과 반대 입장을 각각 논증하시오.

제시문 [마]에는 무상급식에 관한 다섯 명의 주장이 담겨 있는데, 이 중 김씨, 최씨가 무상급식에 대한 찬성 의견을, 이씨, 박씨, 정씨가 이에 대한 반대 의견을 개진하고 있다.

찬성 의견을 낸 김씨는 결식아동에 대한 보호가 사회의 우선적 책무임을 강조한다. 이는 제시문 [다]에소개된 롤즈의 '최소극대화 원칙'과 괘를 같이 한다. 한 사회의 가장 못 사는 사람의 후생수준을 가장 우선적으로 고려해야 한다는 것이 해당 원칙이다. 이에 사회적 약자인 결식 아동에 대한 보호 차원에서 무상급식의 도입이 필요하다는 의견이다. 최씨는 무상급식의 도입이 국민들의 납세 부담을 늘리지만, 학교의 행정 부담 감소 및 결식아동의 건강 증진 등을 고려하면 사회 전체적으로는 손해보다는 이득이 큰 정책이라고 주장한다. 이는 무상급식의 도입이 사회의 총 후생을 개선할 수 있는 주장으로, 제시문 [나]에 소개된 공리주의적 가치관을 반영하고 있다. 따라서, 김씨와 최씨의 찬성 입장은 사회적 약자에 대한 배려 및 사회 전반의 후생 증진에 기반하고 있다.

반대 의견을 낸 이씨는 마땅히 학부모가 부담해야 할 급식비를 일반 국민에게 과세의 형태로 전가시키는 행위의 부당함을 제기한다. 이는 제시문 [라]에 소개된 자유 지상주의적 정의관과 괘를 같이 한다. 사회 전체를 위한다는 명분으로 다른 사람의 정당한 소유를 침해해서는 안된다는 것이다. 박씨는 무상급식의 도입이 납세자들의 심리적 저항과 사회적 갈등을 조장함으로써 사회 전체의 후생 차원에서 실익이 크지 않음을 주장한다. 이는 최씨의 주장과 같이, 제시문 [나]에 소개된 공리주의적 관점에서의 해석이다. 마지막으로 정씨는 무상급식의 시행으로 동일비용 대비 학생 식단의 질적 하락이 우려된다고 함으로서 제도의 효과성에 의문을 제기한다. 이는 제시문 [가]에 소개된 경제적 효율성 관점을 반영하고 있다. 따라서, 이씨, 박씨, 정씨의 반대 입장은 자유 지상주의, 사회 전반의 후생 감소, 경제적 효율성 하락에 기반하고 있다.

27. 2020학년도 서강대 인문사회 1차 모의 논술

[가]의 주요 주장이 성립되기 위한 전제를 [나]~[다]를 활용하여 기술하고, 그 주장의 실행에서 발생할 수 있는 문제점은 [라]~[마]를, 그에 대한 해결 방안에 대해서는 [바]~[사]를 참고하여 서술하시오.

[가]에서는 국가와 정치권력의 정당성은 합법성에 근거하는 것으로, 모든 권력은 법에 근거하여 행사해야 한다는 법치주의의 원리를 주장하고 있다. 법치주의는 사회구성원의 참여와 지지라는 형식적 측면과, 정의의 구현이라는 내용적 측면에서 정당성을 갖추어야만 한다. [나]에서 보이듯, 무질서하고 불안정한 자연 상태를 극복하고, 자유와 평등의 권리를 행사하기 위해서는 국가와 법이 필요하고, 이는 인간의 상호 계약을 통해서 가능하다는 법치의 형식적 측면을 제시하고 있다. [다]에서는 플라톤을 거쳐 아리스토텔레스가 주장한 정의는 당시 분배의 규칙이 사람들의 합의를 이끌어낼 수 있다는 점에 기초하고 법의 시행이 이러한 정의를 구현하는 데 있다고 보았다.

정치권력이 개인간 합의된 계약에 따라 정의를 구현하려는 법치주의로 실행된다고 해도 개인보다 집단의 이익이나 정당하지 못한 목적을 위해 개인의 자유를 제한할 위험성이 있다. 먼저 하세가와의 경우 제국주의 일본이 행사하는 권력이 법을 준수하더라도 도덕적이지 않다고 보고 국가보다 개인으로서 '시민'됨을 선택하여 행동한 경우이다. 또한 개인의 종교나 신념 문제와 같이, 인간의 자유와 권리를 침해당하거나 거부할 수 없는 권리를 침해할 때 개인은 그 권력에 대항하여 저항권을 행사할 수 있다. 정치권력의 근간을 이루는 개인의 자발적 동의가 전체의 이익을 명분으로 권력행사를 할 가능성을 방지하기 위해서는 시민의 적극적 참여와 의견 개진, 법률의 개정 등이 이루어져야 한다. 우리나라 헌법의 개정에서도 보이듯 정치권력의 행사에 유리하도록 법을 바꾸고 그에 따른 법치를 주장한 문제를 해결함에 있어 국민 다수의 의견을 반영하여 헌법을 개정해 나갔다. 호주제의 문제점과 존속에 대한 찬반 논란은 시민의 연대와 시민운동으로 점진적 개정과 폐지에 이르렀다. 이처럼 법을 고정적, 절대적으로 보기보다 시대적 조건과 상황에 비추어 변경하고 조율함으로써 적극적으로 조정해 나갈 수 있다.

28. 2020학년도 서강대 경제경영 2차 모의 논술

제시문 (가)에서 정부는 경기 하강 위험이 커진 것으로 보고 경기부양을 위해 적극적인 투자와 감세 정책을 펴겠다고 밝혔다. 제시문 (나)는 경기 안정화를 위해 정부의 지출과 조세를 이용하여 총수요를 조절하는 재정정책을 설명한다. 따라서 제시문 (가)의 정부는 경기 하강의 위험을 막고 경기를 안정시키기 위해 총수요를 부양하는 재정정책을 시행한다는 것이다.

제시문 (다)에서 케인스 경제학파는 사람들이 경제에 대해 갖는 비관론과 낙관론의 파동때문에 경기 변동이 생긴다고 한다. 케인스 경제학파는 (가)와 같은 경제 상황에서 비관론이 확대되면 가계의 소비와 기업의 투자가 위축될 수 있으므로 이에 대처하기 위해 정부가 총수요 부양책을 실시하는 것이 타당하다고 할 것이다. 제시문 (마)에서 실업은 개인적인 문제뿐만 아니라 사회 불안 증가와 사회 보장비 지출 증가와 같은 사회, 경제적 문제를 유발한다고 한다. 경기 변동으로 야기되는 경기적 실업에 대응하기 위해서는 정부가 공공 지출을 확대해야 한다는 제시문 (마)의 주장에 따르면 경기 하강 위험에 대응하는 (가)의 정부 정책은 타당하다고 할 수 있다.

제시문 (라)는 정부가 정책을 시행한 후 그 효과가 나타나기까지는 시차가 존재하는데 이를 무시하고 매 순간의 경제 상황에 대응하는 것을 샤워실의 바보라고 빗댄다. 정부와 이처럼 시장에 개입하면 예상치 못한 부작용 및 정책 효과의 지연을 일으켜 경기가 더 불안해진다고 주장한다. 따라서 제시문 (라)는 제시문 (가)와 같은 정부의 시장 개입에 반대하는 견해이다. 제시문 (바)는 최근 한국의 저성장이 생산성 저하와 같은 구조적 요인에 기인하기 때문에 단기적 경기부양을 위한 재정정책보다는 제도 개혁이 필요하다고 주장한다. 또한, 재정정책을 장기간 지속하는 것은 오히려 재정에 부담이 될 수도 있다고 주장한다. 즉, 제시문 (바)는 제시문 (가)와 같은 재정정책이 경기를 회복시키는 효과는 부족하고 재정 부담이 커지는 부작용을 갖는다는 관점이다.

29. 2020학년도 서강대 인문사회 2차 모의 논술

[가]와 [나]의 결론과 시사점을 요약하고, [다], [라], [마], [바], [사]를 활용하여 비판적으로 평가하시오

[가]와 [나]는 근대화와 그 결과로서 민주주의에 대해 서술하고 있다. [가]에서 근대화가 구조적 변화를 통해 사회를 좀 더 향상된 생활 조건으로 바꾸는 과정이라면 [나]의 립셋은 이를 적용하여 경제적 부와 민주주의의 상관관계를 밝혔다. 립셋이 종합적 통계검증을 통해 상관관계를 밝혔기 때문에, 그의 연구는 근대화가 민주주의를 지탱하고 유지한다는 결론과 함께 근대화가 바람직하다는 시사점을 제시하였고, 이는 학자들에 의해 '하나의 지도'로 받아 들여 졌다.

경제적 발전이 안정적 민주주의를 형성하고, 이것이 좋은 혹은 바람직한 패러다임으로 받아들여졌다는 점은 [다], [라]의 일반적 관점과 [마]~[사]의 구체적 및 실증적 관점에서 서로 다르게 평가할 수 있다.

[다]의 장자의 사례에서 보듯이 인간의 지식은 그 경험의 한계를 가진다는 점에서 상대적이고 [라]의 지문이 예시하듯이 근대화 라고 하는 것이 생활의 향상을 가져 올 지라도 행복과 같은 정신적인 측면을 훼손할 수 있다는 점에서 [나]의 결론과 시사점이 광범위하게 받아들여질 필요는 없다. 즉 근대화가 바람직하지도 않으며, 경제적 부와 민주주의 상관관계도 확고한 지식으로 받아들이기는 어렵다.

나아가 [마]의 대통령 선거설문조사가 예시하듯이 립셋이 활용한 자료가 대표성을 가졌다고 확인할 수는 없으며, [바]의 지문이 강조하듯이 립셋이 발견한 통계적 상관관계가 인과관계라는 점은 확증하지는 못하고 있다. 마지막으로 [바]가 역인과관계의 문제를 제기하듯이 경제적 부가 민주적 제도들을 뒷받침하는 것이 아니라 민주적 제도들이 오히려 경제적 부를 창출할 수 있다는 점에서 [가]의 근대화와 [나]의 경제적 부와 민주주의의 상관관계가 제시하는 결론과 시사점은 한계를 가진다.

결론적으로 근대화와 안정적 민주주의의 관계를 받아들이기에는 좀 더 확실한 근거가 필요할 것이며, 불충분한 근거에 기초하여 근대화가 바람직하다는 결론을 받아들이는 것은 문제가 있다고 판단된다.